DESDE LOS INICIOS
HASTA *ROCK OR BUST*

AC/DC

PARA LOS QUE QUIEREN

ROCK

DESDE LOS INICIOS
HASTA *ROCK OR BUST*

AC/DC

FOR THOSE ABOUT TO ROCK

BLUME

PAUL ELLIOTT

BLUME

Título original *AC/DC For those about to rock*

Diseño Adelle Mahoney
Traducción Lluís Delgado Pico
Revisión de la edición en lengua española
Llorenç Esteve de Udaeta, Historiador de Arte
Coordinación de la edición en lengua española
Cristina Rodríguez Fischer

Primera edición en lengua española 2018

Carrer de les Alberes, 52, 2.º, Vallvidrera, 08017 Barcelona
Tel. 93 205 40 00 e-mail: info@blume.net

I.S.B.N.: 978-84-17492-29-8

Impreso en China

WWW.BLUME.NET

Preservamos el medio ambiente. En la producción de nuestros libros procuramos, con el máximo empeño, cumplir con los requisitos medioambientales que promueven la conservación y el uso responsable de los bosques, en especial de los bosques primarios. Asimismo, en nuestra preocupación por el planeta, intentamos emplear al máximo materiales reciclados y solicitamos a nuestros proveedores que usen materiales de manufactura cuya fabricación esté libre de cloro elemental (ECF) o de metales pesados, entre otros.

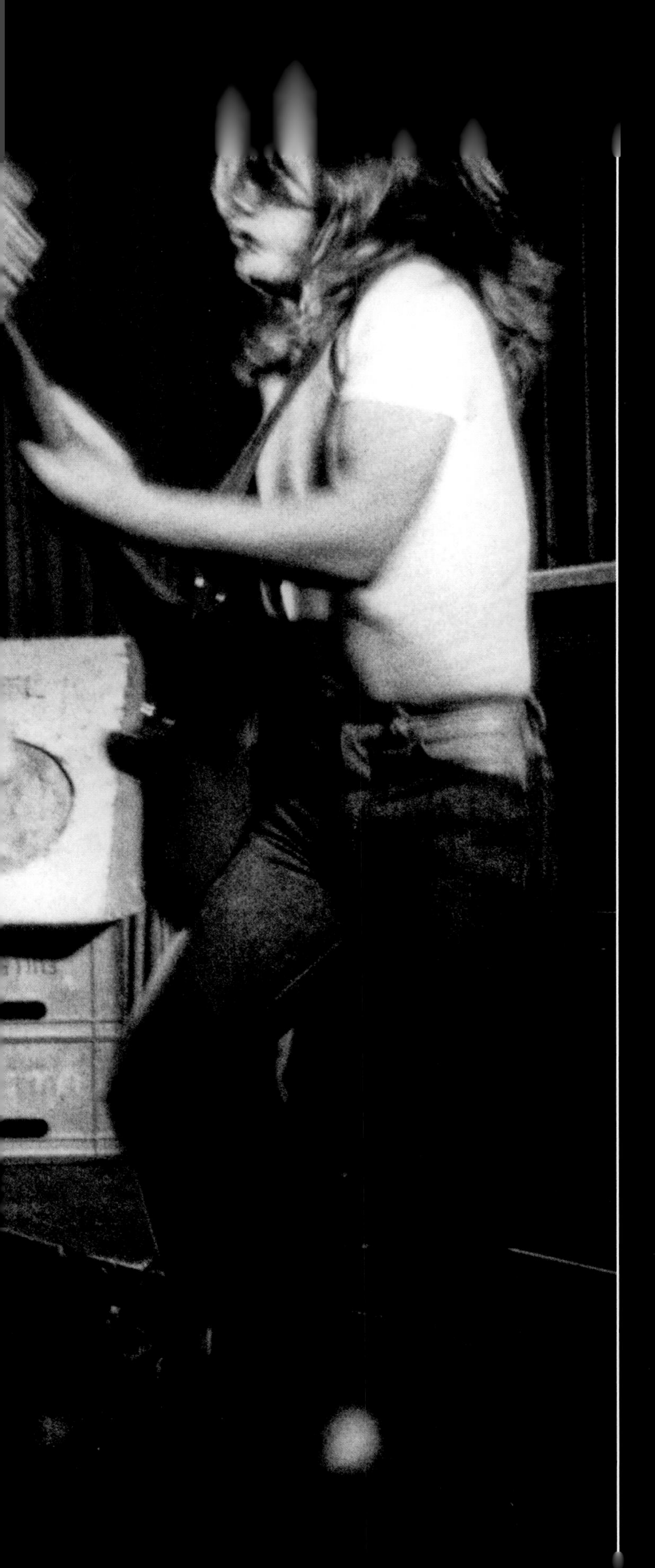

CONTENIDO

Página anterior: **Angus Young en 1988, Londres**

En esta página: **AC/DC en concierto en el Nashville Rooms, Londres, durante su primera gira británica de 1976**

NOTA DEL AUTOR

Derecha: **el guitarrista principal, Angus Young, en 1979. Su escenificación de escolar hiperactivo se convirtió en el gancho de los directos de AC/DC.**

Inferior: **AC/DC disfrutan del momento con setenta mil aficionados al rock en el Day on the Green #3, Oakland Coliseum, California, 21 de julio de 1979.**

Día 21 de julio de 1979. Es un día de verano precioso en California. Llenan el Oakland Coliseum unos setenta mil aficionados al rock, muy juntos sobre el césped y alineados en las gradas curvas que lo rodean. A un extremo de este vasto anfiteatro, un escenario decorado como si se tratara de una jungla, con dos dinosaurios gigantes y una pancarta que proclama: «Monsters of Rock» («Monstruos del Rock»). Empiezan los gritos cuando cinco tipos melenudos y delgados salen al escenario y comienzan su actuación sin vacilar.

La primera canción empieza con el latido del bajo, una nota que se repite como en un corazón desbocado. El bajista y el guitarrista rítmico están en la parte de atrás, cerca del baterista. Los tres parecen clones: vaqueros, camiseta y pelo liso sobre la cara. Delante, el cantante, de constitución atlética, sin camiseta bajo la chaqueta vaquera con las mangas cortadas, y el primer guitarrista, un tipo menudo, ataviado con uniforme de colegio, gorra, corbata y cartera a la espalda.

Justo cuando toca las primeras notas, el colegial comienza a convulsionar, sacudiendo la cabeza y agitando las piernas. Con los primeros toques del bombo, se quita la gorra y la lanza hacia atrás. Mientras la banda se sumerge en un obstinado y jovial riff, el jovenzuelo lo está dando todo en el escenario, haciendo el *duck walk* como si fuera el hijo

«Si buscas problemas, soy tu hombre».

«Live Wire», AC/DC

Marshall
Marshall
Marshall
Marshall
Marshall
Marshall
Marshall
Marshall

bastardo del mismísimo Chuck Berry. El cantante suelta un grito, empieza a dar saltitos y se acerca al borde del escenario para lanzar tranquilamente la primera frase con aires de malote: «If you're lookin' for trouble, I'm the man to see...».

Entre el público, vítores y chillidos, aplausos, chicas sobre los hombros de los chicos, brazos arriba. La banda se recrea, puro onanismo. Tiene al público en el bolsillo.

Ha llegado la hora de AC/DC. En el festival, el Day on the Green #3, hay nombres más importantes (Aerosmith y Ted Nugent, superestrellas norteamericanas), pero AC/DC viene con un ímpetu irresistible. Sus días de teloneros de bandas de culto están a punto de terminar.

Ha sido un camino largo y arduo. Años de trabajo duro y sudores, desde los pubs y clubes de Australia, la tierra originaria de la banda, donde las botellas volaban cuando la gente olía la sangre, a los grandes escenarios de las Islas Británicas y Estados Unidos. Los años de experiencia han encumbrado a AC/DC como la banda de rock 'n' roll más épica del mundo, y en el festival Day on the Green, así lo demuestran.

En la primera canción, «Live Wire», la banda desprende mucha energía. Es el sonido de Chuck Berry, Little Richard y The Rolling Stones aumentado al máximo volumen e intensidad. Los tres tipos de detrás (Malcolm Young a la guitarra rítmica, Cliff Williams al bajo y Phil Rudd a la batería) funcionan como una máquina. El cantante, Bon Scott, luce una voz tan descarnada como el cuero, el pavoneo de un pistolero y los tatuajes de un delincuente duro de pelar que se controla sin esfuerzo, el paradigma del sosiego rocanrolero. El colegial, Angus Young, el hermano pequeño de Malcolm, es el pararrayos de la descarga de alto voltaje de la banda, una mancha en movimiento que baila meneando el trasero flacucho y sacudiendo la cabeza violentamente mientras lanza un solo, y da grandes saltos en el aire al llegar al enloquecido clímax de la canción.

Al empezar el segundo tema, «Problem Child», la banda toca un interminable ostinato y Bon, completamente sudado, ya se ha desprendido del chaleco. El aporreo continúa con «Sin City». Una canción nueva, «Highway To Hell», el single del álbum que van a sacar la semana siguiente, toca la fibra del público.

En medio de «Bad Boy Boogie», Angus se lo quita todo menos los pantalones cortos y lanza un solo frenético en estado de trance. Se produce una tregua cuando la banda afloja para tocar un tema lento de blues, «The Jack», donde Bon canta sobre lo que ha ganado durmiendo por ahí. A continuación, vuelven a todo trapo con un rock duro delirante y acelerado, «Rocker». Cuando les piden los bises, ofrecen al público un último asalto con la brutalidad de «Dog Eat Dog», con Angus rodando por el escenario, pataleando y haciendo aullar la guitarra antes del gran final.

«¡Gracias!», grita Bon, con el puño al aire mientras la banda se retira. El sabor de la victoria es dulce para un hombre que acaba de cumplir treinta y tres años hace tan solo unos días. El momento ha tardado mucho en llegar. Lo ha soñado desde que sintió el poder del rock 'n' roll siendo un adolescente.

Durante el verano de 1979, AC/DC sube como la espuma. Y Bon Scott sabe que, al fin, lo ha conseguido...

Izquierda: **AC/DC en 1978, camino de convertirse en la banda más épica del mundo.**

It's A Long Way To The Top

Al principio, siempre pensamos que seríamos afortunados si aguantábamos más de una semana».

Angus Young

Como Bon Scott escribió en «It's A Long Way To The Top (If You Wanna Rock 'n' roll)», la canción que encumbró el segundo álbum de AC/DC, titulado *T.N.T.*, había una sabiduría ganada a pulso, porque cuando Bon alcanzó el éxito como cantante de rock 'n' roll, fue como culminación de muchos años de trabajo duro por muy poco dinero, o ninguno. Si existe alguna estrella del rock que haya sido un héroe de la clase trabajadora, ese es Bon.

Nació con el nombre de Ronald Belford Scott el 9 de julio de 1946 en Kirriemuir, una pequeña localidad de Escocia. Su padre, Charles, apodado Chick, trabajó en la panadería familiar, y conoció a su mujer Isabelle, conocida como Isa, durante un baile en Kirkaldy. Se casaron en 1941, mientras Chick disfrutaba de un permiso del ejército británico durante la segunda guerra mundial. El primer hijo de los Scott, Sandy, murió a los nueve meses, pero Ron, como siempre le llamaba su madre, era un muchacho sano y muy independiente. «Nunca volvía a casa después de la escuela —recordaba Isa—. Siempre se iba con sus amiguitos». También le encantaba ver a su padre tocando los tambores en una banda tradicional de gaiteros que desfilaba cada sábado por la plaza del pueblo, y lo imitaba aporreando una lata de galletas.

En 1952, después de que Isa diera a luz a otro niño, Derek, Chick Scott, tentado por la perspectiva de una vida mejor, se trasladó con su joven familia a Australia. Se establecieron en Sunshine, un distrito obrero de Melbourne, y ahí fue donde el joven Ron empezó a desarrollar sus habilidades percusionistas con una batería que le compraron sus padres. Pero tras cuatro años en Melbourne, la familia volvió a mudarse, esta vez a casi tres mil kilómetros, a Fremantle, una población portuaria a unos veinte kilómetros al sur de Perth. A los diez años, Ronald seguía conservando un marcado acento escocés, y sus compañeros de clase rápidamente aprovecharon para llamarle «Bonnie Scotland». Y el apodo, que más tarde se redujo a Bon, se quedó con él.

Como su padre, el adolescente Bon empezó a tocar la batería en una banda de gaiteros, pero pronto perdió el interés por las disciplinas formales de banda y escuela. Abandonó los estudios a los quince años para trabajar en una granja. En ese momento, la era del rock 'n' roll estaba en pleno apogeo. Bon se dejó crecer el pelo, se hizo su primer tatuaje, se juntó con una banda de roqueros y comenzó a aparecer de manera esporádica en los escenarios de eventos locales de baile con una actitud lo bastante ufana para saltar a escena a cantar los nuevos éxitos del rock 'n' roll como «Long Tall Sally», de Little Richard.

A Bon se le daba bien ligar con las chicas, pero en una ocasión esa propensión le metió en un problema serio. Un día, en una discoteca, sacó a una jovencita fuera para tontear un poco. Cuando volvieron a la pista, una banda de jóvenes increpó a Bon y se desató una pelea. Cuando llegó la policía, Bon abandonó la escena en el vehículo de un amigo, pero pronto lo arrestaron y lo acusaron de relaciones carnales ilícitas y de dar un nombre falso a la policía. Le mandaron a un correccional de menores durante nueve meses. Fue un revulsivo. Durante ese tiempo Bon se prometió que se comportaría bien. También decidió que el rock 'n' roll sería su futuro.

En Perth, se unió a su primera banda, The Spektors, donde actuaba como cantante y baterista. La banda no ganaba lo suficiente para pagar el alquiler, de modo que Bon empezó a trabajar como cartero, un empleo que conservó hasta 1967, cuando él y otros miembros de The Spektors se juntaron con los de otro grupo de Perth, The Winstons, para formar un nuevo conjunto llamado The Valentines.

Página anterior: **Bon Scott, cantante de AC/DC, 1974–1980.**

Derecha: **placa de piedra grabada en Kirriemuir, Escocia, Reino Unido, en memoria de Ronald Belford «Bon» Scott, cantante de la banda de rock AC/DC.**

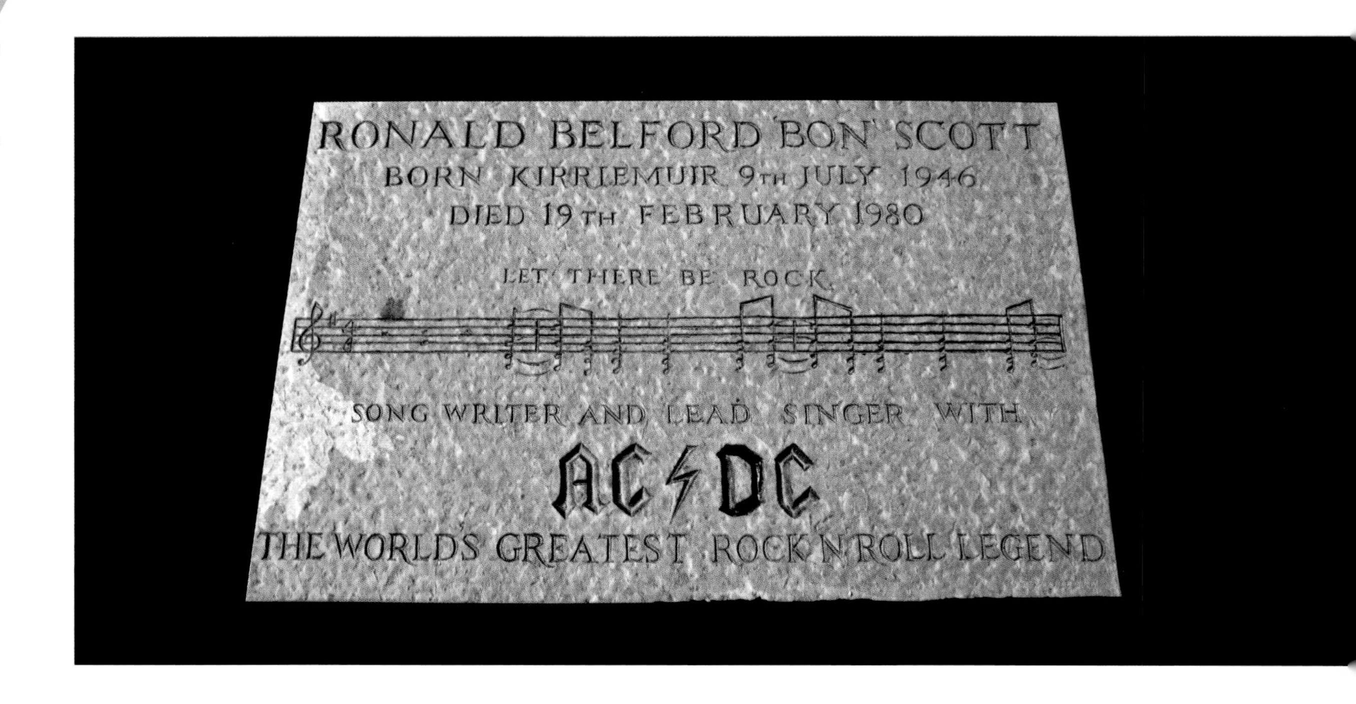

Ahí saboreó Bon su primer flirteo con la popularidad. Se convirtió en cantante a tiempo completo, compartiendo el primer plano con el covocalista Vince Lovegrove. «No fue porque quisiera estar al frente —dijo Bon más tarde—. Era porque el cantante solía llevarse más chicas». Y con un espectáculo pop pueril, The Valentines atraían a muchas jóvenes a sus conciertos. Después de trasladarse a Melbourne, la banda convirtió «Every Day I Have To Cry» en su primer single, una canción escrita por un cantante de soul estadounidense llamado Arthur Alexander, que previamente habían grabado los Bee Gees, en 1965, antes de su primer éxito internacional. Dos singles posteriores de The Valentines («She Said», lanzado en 1967, y «My Old Man's A Groovy Old Man», en 1969) tenían letra de Harry Vanda y George Young, líderes del grupo australiano más popular de finales de la década de 1960, The Easybeats. En octubre de 1969, The Valentines actuaron de teloneros en un concierto de The Easybeats en Melbourne. De ahí viene el primer contacto entre Bon, Harry y George. Cinco años más tarde, sus vidas se entrelazarían inextricablemente. Para Bon, aquellos años fueron buenos, pero también malos tiempos.

Al terminar la década de 1960, Bon sintió que la etapa de The Valentines había llegado a su fin. Tras trasladarse de nuevo, esta vez a Sídney, la banda se separó el 1 de agosto de 1970, y Bon quedó libre para poder unirse a un grupo nuevo, muy diferente, conocido como Fraternity, en el que imperaba una mentalidad más moderna y seria, en línea con la nueva era del rock. En una actuación anterior en Sídney, los Fraternity habían apararecido de teloneros de uno de los héroes de Bon, Jerry Lee Lewis, apodado The Killer («el asesino»). En diciembre de 1970, solo unos meses después de la formación de la banda, grabaron su primer álbum de debut con el sello de Adelaida Sweet Peach, y remataron la faena en catorce horas. El mes siguiente, la banda encontró un nuevo hogar cerca de Adelaida, una comuna hippie asentada en un terreno de tres hectáreas de

Superior izquierda: **antes de AC/DC, el primer flirteo con el estrellato de Bon Scott fue con The Valentines. Aquí se le ve sentado, el segundo por la izquierda.**

Superior derecha (I-D): **Stevie Wright, Harry Vanda, Dick Diamonde, Henry «Snowy» Fleet y George Young, de The Easybeats, posan para un retrato de grupo en Alemania en 1967.**

matorrales, donde Bon disfrutó de la vida rural y donde, durante una de las muchas fiestas que se celebraban en la casa, conoció a Irene Thornton. Bon estaba en una habitación chupándole los dedos de los pies a otra chica cuando Irene se topó con él por primera vez. Sin embargo, en pocos meses, Irene y él ya estaban viviendo juntos en la comuna.

El álbum de debut de Fraternity, titulado *Livestock*, se lanzó en 1971 y, para Bon, supuso un alejamiento radical de la música pop de The Valentines. En el tema homónimo del álbum se apreciaban ecos de The Doors y The Rolling Stones; en «Raglan's Folly», de seis minutos, tintes de rock psicodélico y progresivo. El 24 de enero de 1972, Bon e Irene se casaron, poco antes de que Fraternity partiera hacia Reino Unido a promocionar su segundo álbum, *Flaming Galah*, cuyo título es una expresión australiana para designar a una persona de una gran estupidez. La música era más prosaica que antes, con una pronunciada influencia del blues, como ilustraba el tema inicial, «Welfare Boogie». Sin embargo, Bon y la banda tuvieron un rudo despertar en el otro extremo del mundo.

La banda alquiló una casa lo bastante grande para acomodar a los integrantes y a sus socios en el barrio londinense de Finchley. Con lo que no habían contado era con la falta de oportunidades de conciertos en Reino Unido. Una pequeña gira por Alemania hizo que pudieran subsistir un tiempo, pero a medida que el dinero se iba acabando, las tensiones comenzaron a aflorar, dos integrantes tuvieron que abandonar la banda y, en un desesperado intento por cambiar su suerte, decidieron llamarse Fang, con la intención de encajar entre las estrellas del glam rock de la época, como Slade o Sweet. Obstinada, la banda permaneció en Reino Unido hasta abril de 1973, cuando actuaron como teloneros abriendo varios conciertos de otra banda de glam rock, Geordie, en la costa sur. A Bon se le quedó grabada una de esas actuaciones en particular, la de Torquay. Como él mismo recordó, el cantante de Geordie era brillante, no dejaba de moverse por el escenario y gritaba a pleno pulmón. Era, según dijo Bon, la mejor personificación de Little Richard que había visto. Lo que no sabía Bon era que se lo habían llevado de urgencias al hospital al final del concierto por un ataque de apendicitis. El cantante se llamaba Brian Johnson.

En mayo, Bon y la banda volvieron a Adelaida, se disolvieron y desaparecieron. Bon se vio obligado a trabajar cargando camiones en una planta de fertilizantes para ganarse la vida. Empezó a beber demasiado y a discutir constantemente con Irene. El matrimonio solo había convivido dieciocho meses cuando ella le dijo que se había hartado. Bon se emborrachó, se marchó en su moto, se estampó contra un vehículo que venía de cara y acabó en coma tres días. Irene le ayudó a recuperarse, pero el matrimonio, como la banda, había tocado a su fin. En los últimos días de 1973, Bon Scott, con veintisiete años, estaba completamente solo: sin esposa, sin banda,

Izquierda: **en 1973, Bon Scott recorrió Reino Unido con su última empresa antes de AC/DC. Los Fang fueron teloneros de la banda de glam rock Geordie, cuyo vocalista era nada menos que Brian Johnson** (extremo izquierda).

Superior izquierda: **George Young, compositor y hermano mayor de Malcolm y Angus.**

Superior derecha: **Fats Domino fue la primera introducción al rock 'n' roll de los hermanos Young.**

Izquierda: **el roquero estadounidense Little Richard ejerció una influencia musical temprana en Malcolm y Angus.**

Derecha: **Alex Young, también conocido como George Alexander, formó parte de la banda Grapefruit, aquí fotografiada en el lanzamiento ante la prensa de la banda el 19 de enero de 1968.** Fila posterior, de izquierda a derecha: **Brian Jones, Donovan, Ringo Starr, John Lennon, Cilla Black y Paul McCartney. Sentados,** de izquierda a derecha: **George Alexander, Pete Swettenham, Geoffrey Swettenham y John Perry.**

sin nada, aparte de la irritante sensación de que su sueño de convertirse en una estrella del rock 'n' roll se estaba esfumando.

Mientras, en Sídney, otra banda de rock comenzaba a dar sus primeros pasos. La noche de fin de año de 1973, una banda llamada AC/DC dio su primer concierto oficial en Chequers, un famoso club nocturno en el que en una ocasión había actuado Frank Sinatra. La banda estaba compuesta por los hermanos Malcolm y Angus Young a las guitarras, Colin Burgess a la batería, Larry Van Kriedt al bajo y Dave Evans a la voz. Aquella noche tocaron una serie de temas habituales de rock 'n' roll, entre los que estaba «School Days» de Chuck Berry, un par de canciones de los Rolling Stones y un tema psicodélico lento de *Abbey Road* de los Beatles, «I Want You (She's So Heavy)». Dave Evans era llamativo, bastante pagado de sí mismo, pero el líder de AC/DC era Malcolm Young. Él y Angus tenían un pasado similar al de Bon, puesto que eran inmigrantes, los hijos nacidos en Escocia de William y Margaret Young. El hermano mayor, ni más ni menos, era George Young.

William y Margaret habían formado una gran familia en Glasgow, donde él trabajaba como pintor a espray en la industria de la construcción naval de la ciudad. La pareja tuvo ocho hijos: Steven, nacido en 1933; Margaret, nacida en 1936; John, en 1938; Alex, en 1939; William, en 1941; y George, en 1946. Los dos últimos en llegar fueron Malcolm, el 6 de enero de 1953, y Angus, el 31 de marzo de 1955. La casa familiar formaba parte de un barrio residencial de Cranhill, al este de la ciudad. Era un barrio pobre y los tiempos eran duros, pero la casa estaba llena de la música que Margaret, la hermana, había inculcado a sus hermanos. Principalmente era jazz y blues, pero también los primeros atisbos del rock 'n' roll de Little Richard, Fats Domino y Chuck Berry. Alex fue el primero en convertir la música en su carrera. Tocó el bajo y el saxofón para Tony Sheridan, el cantante que había colaborado con un entonces desconocido grupo de Liverpool llamado The Beatles. George Young, que en aquel entonces era tan solo un adolescente, inspirado por el ejemplo de Alex, comenzó a trazar sus propios planes.

En 1963, todo cambió. La familia Young emigró a Australia en busca de una vida mejor y se instaló en Sídney. Entonces, Malcolm tenía diez años, y Angus, ocho. Ambos estaban ya aprendiendo a tocar la guitarra; Malcolm con una acústica barata que le había comprado su madre y Angus con un banjo.

George, que tenía dieciséis años, les llevaba mucha ventaja. Al año de la llegada de la familia a Sídney, formó una banda con dos holandeses (el bajista Dingeman Vandersluys, conocido como Dick Diamonde, y el guitarrista Johannes Vandenberg, con el alias de Harry Vanda) y dos ingleses (el cantante Stevie Wright y el baterista Gordon «Snowy» Fleet). Y la banda, The Easybeats, despegó como un cohete. Su primer single, «For My Woman», fracasó a principios de 1965, pero, en mayo de ese mismo año, un segundo single, «She's So Fine», alcanzó el número uno en Australia. La popularidad del grupo entre los fans adolescentes del pop era tal que el fenómeno se equiparó a la Beatlemanía, y acuñó el término «Easyfever». George y Harry eran los letristas principales, y la poderosa guitarra rítmica de George era la esencia del sonido de The Easybeats; un antecedente sobre el que Malcolm crearía el latido de AC/DC. En 1966,

«El sonido de la guitarra de Chuck Berry es todo en uno. No es limpio, es obsceno».

Angus Young

llegó el mayor éxito de The Easybeats, un *hit* internacional, «Friday On My Mind». Cuando la banda debutó en concierto en el Saville Theatre de Londres en noviembre de 1966, había miembros de The Beatles y The Rolling Stones entre el público. Al año siguiente, los Easybeats hicieron de teloneros de los Stones en una gira por Europa. Mientras, en Londres, el grupo Apple Publishing de los Beatles contrataba como letrista a Alex Young, que también formaba parte de la banda Grapefruit, así bautizada por John Lennon. Para Malcolm y Angus, que aún estaban en el colegio, que sus hermanos mayores fueran estrellas del rock les parecía increíble. Su padre deseaba que ambos aprendieran lo que él consideraba un buen oficio, pero ellos ya tenían la mente puesta en la música.

En 1968, el año que Malcolm abandonó la escuela, Harry Vanda le regaló una guitarra Gretsch Jet Firebird, que se convertiría en su modelo característico. Entonces, Malcolm le ofreció su Hofner a Angus. Ambos músicos eran autodidactas inspirados sobre todo por Chuck Berry, que era la principal influencia del rock 'n' roll en general. Como me explicó Angus en una entrevista de 1991: «De pequeño, no me interesaba nada eso de la raqueta de tenis estilo Cliff Richard. Me interesaba más cerrar los dedos sobre el mástil de la guitarra, porque cuando era pequeño —y aún lo soy, pero antes lo era mucho más—, agarrar bien un mástil era todo un hito. El sonido de la guitarra de Chuck Berry es todo en uno: es blues, es rock 'n' roll, y tiene esa agudeza que lo envuelve todo. Para mí, es puro rock 'n' roll. No es limpio, es obsceno».

Lo de los Easybeats fue un trayecto muy rápido pero corto. En 1969, cuando su popularidad empezaba a decaer, la banda se separó, y George y Harry volvieron a Londres para desarrollar una nueva carrera como equipo letrista y de producción, conocido como Vanda & Young. En ese mismo momento, en Sídney, Malcolm devoraba la música de la explosión británica de blues rock: el genio de la guitarra de los inicios de Fleetwood Mac, con el guitarrista Peter Green y John Mayall & The Bluesbreakers, con otro héroe emergente de la guitarra, Eric Clapton. Malcolm también estaba absorto con «My Generation» de los Who, «Jumpin' Jack Flash» de los Stones y «Get Back» de los Beatles.

Al dejar la escuela, Malcolm trabajó en varios lugares como dependiente y reparador de máquinas de coser. A los diecisiete años, era todo

Los genios de la guitarra Peter Green (superior izquierda)**, de Fleetwood Mac, y Pete Townshend** (superior derecha) **de The Who, tuvieron una gran influencia en Malcolm Young.**

Página anterior: **la forma de tocar la guitarra de Chuck Berry constituyó una inspiración para el joven Angus.**

un guitarrista solista. Su primera banda con peso real fue Beelzebub Blues, conocida más tarde como Red House, una banda de versiones de figuras del heavy como Black Sabbath, o de grupos como The Animals y Cream. Malcolm era también admirador de Marc Bolan y T. Rex.

En 1971, se unió a una banda que había llegado a la ciudad de Sídney desde Newcastle. Por extraño que parezca, se hacían llamar The Velvet Underground, un nombre que ya había popularizado a finales de la década de 1960 un grupo neoyorquino de art-rock liderado por Lou Reed. La banda a la que se unió Malcolm como guitarrista principal tocaba un amplio repertorio de temas, desde Deep Purple al «My Sweet Lord» de George Harrison.

Mientras, Angus tocaba con su propio grupo, Kantuckee. Para entonces, ya se había dejado el pelo largo y le gustaban básicamente las mismas bandas que a Malcolm: The Animals, The Yardbirds y *bluesmen* como Buddy Guy. Un guitarrista al que admiraba mucho era Jeff Beck, que había estado en The Yardbirds. Cuando Angus abandonó la escuela, trabajó en una carnicería y también como aprendiz de imprenta. Con el dinero que ganaba se compró una guitarra Gibson SG como la que tocaban Pete Townshend, de The Who, y Leslie West, de Mountain. Kantuckee, como la banda de Malcolm, se dedicaba a tocar versiones, muchas de temas de

Superior: **los hermanos Malcolm** (sentado a la izquierda) y **Angus** (derecha) **Young.**

Mountain, y también algunas de Hendrix, Beck y el potente trío estadounidense Cactus. Angus también asistía a muchas actuaciones de The Velvet Underground, y el primer trabajo remunerado de Kantuckee fue como teloneros de la banda de Malcolm en un club de Batemans Bay, a unas horas de Sídney.

En 1972, The Velvet Underground, inspirándose en «Ride On A Pony», se rebautizó como Pony, una de las muchísimas canciones de Free que interpretaban. Pero antes de que acabara el año, Malcolm lo dejó. Pony se disolvió poco después, tras un breve periodo con Dave Evans como cantante. Malcolm creó una nueva banda con el exbajista de The Velvet Underground/Pony, Mick Sheffzick, y un baterista, Colin Burgess, que era bastante conocido en la escena del rock australiana por haber formado parte del exitoso grupo The Masters Apprentices. En este punto, Malcolm no tenía pensado incluir a Angus en la banda, que todavía no tenía nombre. Por otra parte, Angus estaba bien con su grupo, que se había rebautizado con el nombre de Tantrum y había grabado unas cuantas demos de algunos temas originales, como «The Kantuckee Stomp», con George Young y Harry Vanda. Sin embargo, después de encontrar a un nuevo bajista nacido en Estados Unidos, Larry Van Kriedt, e incorporar al cantante Dave Evans, Malcolm le preguntó a Angus si le interesaba entrar en el proyecto. Según Malcolm, la idea se encontró con ciertas reticencias por parte de Dave Evans. Además, los hermanos tenían una relación complicada que hacía que muchos, incluido su padre, cuestionaran la idoneidad de que ambos compartieran banda. Pero Angus dijo que sí, y el tema quedó zanjado.

Cuando tocaron en directo por primera vez en el club The Last Picture Show de Sídney en 1972, todavía tenían pendiente el tema del nombre de la banda. También hay varias versiones distintas sobre cómo acabaron llamándose AC/DC. La historia más extendida es que la hermana de los Young, Margaret, vio las iniciales en el dorso de su máquina de coser o su aspiradora, pero Malcolm aseguró una vez en una entrevista para la revista *Go Set* que «Sandra, la mujer de George, pensó que sería un buen nombre para el grupo». Sea cual sea el verdadero origen, era un nombre con connotaciones homosexuales, pero a los hermanos les daba lo mismo. Para ellos, AC/DC significaba electricidad, fuerza.

El primer año de la banda fue de progreso lento y sostenido, lejos del público y bajo la tutela de George Young. En aquellos primeros momentos, cuando la banda empezaba a moldear su sonido, una mezcla de rock 'n' roll, blues y boogie sin sofisticaciones, Malcolm y Angus todavía no tenían bien definidos sus roles como guitarristas rítmico y solista. Sencillamente, tocaban como les parecía. Antes de empezar a grabar como AC/DC, participaron en un proyecto de Vanda & Young bajo el nombre de Marcus Hook Roll Band. Marcus Hook jamás existió. Y en sentido estricto, tampoco la Roll Band. Fue tan solo un nombre inventado para un proyecto de estudio que empezó un año o dos antes con el exbajista de los Pretty Things, Alan «Wally» Waller. El álbum resultante se tituló *Tales Of*

Old Grand-Daddy. Malcolm tocó la guitarra rítmica en todos los temas. Las contribuciones de Angus fueron mínimas, y ni siquiera se documentaron.

Según George, el disco fue solo «una broma» que grabaron estando todos borrachos como cubas, menos el abstemio de Angus. La música no pasaba de un rock de pub de un nivel más bien bajo, con la salvedad de «Silver Shoes and Strawberry Wine», que llevaba impresa la inteligencia pop de Vanda & Young. El álbum se lanzó solo en Australia en el año 1973, pero, con el tiempo, llegó a tener cierto valor histórico. «Es lo primero que Malcolm y Angus hicieron juntos antes de AC/DC», dijo George.

En enero de 1974, unos días después del debut oficial en el Chequers, AC/DC concluyó su primera grabación en los EMI Studios de Sídney, con Vanda & Young en los controles de la consola. Entre las canciones que se grabaron en aquella sesión estaban «Rockin' In The Parlour», «Rock 'n' roll Singer» y el jovial tema titulado «Can I Sit Next To You, Girl». Después de la sesión, George Young volvió a grabar encima las partes del bajo de Larry Van Kriedt. Una semana después de la grabación, echaron sin contemplaciones a Colin Burgess, que perdió el conocimiento en el escenario durante otra actuación en el Chequers. Burgess afirmaba que se había desmayado porque alguien le había echado algo en la bebida. Fuera como fuese, el despido sugería la mano firme de los hermanos Young. Poco después, Van Kriedt también desapareció del grupo.

Pronto llegaron los sustitutos: Neil Smith al bajo y Noel Taylor a la batería, ambos de Jasper, su grupo rival en Sídney. El nuevo AC/DC renova-do tenía actuaciones fijas en hoteles locales y empezó a trabajar en su *set* en directo de versiones extendidas de «Jumpin' Jack Flash» y «Baby, Please Don't Go», esta última un blues tradicional popularizado en la década de 1930 por el Delta *bluesman* en la Big Joe Williams, y de nuevo en la década de 1960 por Them, el grupo de Van Morrison.

En abril llegó un momento decisivo para AC/DC, cuando la banda actuó en un concierto al aire libre en el Victoria Park de Sídney. Fue allí donde Angus actuó por primera vez con el uniforme escolar por el que sería famoso. Hasta ese momento, la banda había salido a escena con vaqueros azules y camisetas, excepto Evans, que prefería un toque de color típico del glam rock. Malcolm creía que la banda necesitaba una identidad visual más definida. Angus no lo tenía claro. Malcolm tuvo que esforzarse para convencer a Angus de que subiera al escenario con el uniforme que había llevado en su época de colegial en el Ashfield Boys High School. Y todavía le iba bien: a los diecinueve años, Angus seguía siendo tan menudo y delgaducho como cuatro años atrás. Para aquel concierto, toda la banda se disfrazó: Malcolm salió con un mono blanco, Dave Evans con una americana a rayas blancas y rojas, y botas rojas de tacón.

Cuando Malcolm habló conmigo en 2003, recordó la conversación que tuvo en el *backstage* con Angus aquel día, mientras Angus se enfundaba, nervioso, el uniforme: «La primera vez que se lo puso, dijo: "¿Crees que me van a matar ahí fuera?"». «¡Más vale que saltes un poquito por el escenario!», le aconsejé. Angus asintió. Iba a tope de adrenalina. Como me dijo Angus en 1991: «Creo que la primera vez que me puse el uniforme, fue la vez que más miedo pasé en el escenario. Pero, gracias a Dios, no tuve tiempo para pensármelo. Simplemente salí directo».

El público de Victoria Park reaccionó con una mezcla de chanza y perplejidad al ver a ese chiquito hiperactivo y escuchimizado que parecía que se había escapado de clase para tocar la guitarra como Chuck Berry hasta las cejas de anfetaminas. Pero era una puesta en escena difícil de mantener cuando la banda volvió a las actuaciones de medio pelo en pubs y clubes, donde la clientela no se tomaba demasiado bien que alguien pareciera querer tomarles el pelo. Como me comentó Angus: «La primera reacción de la gente al verme con los pantalones cortos y todo eso fue como si les hubiese llenado la boca con un puñado de pescado... Todos con la boca abierta. Así que no paré de moverme. Sabía que si me quedaba quieto estaba muerto. Solo tenía una cosa en mente: no quería ser el blanco de ningún tipo a punto de lanzar una botella. Pensaba: "Si me quedo quieto, soy un blanco". En algunos pubs donde tocábamos, había tales riñas ¡que te quedabas detrás del ampli!».

«Sandra, la mujer de George, pensó que sería un buen nombre para el grupo».

Malcolm Young

Echando la vista atrás, Angus también comentó: «Al principio, siempre pensamos que podríamos sentirnos afortunados si aguantábamos más de una semana». Pero en el verano de 1974, la carrera de AC/DC tomó un rápido impulso. Malcolm quería reforzar la banda, así que echaron a Neil Smith y Noel Taylor, y los sustituyeron por el bajista Rob Bailey y el baterista Peter Clack. En junio de 1974, AC/DC firmó un contrato discográfico con Albert Productions. Entonces, el 22 de julio de 1974,

«La **primera vez** que me puse el **uniforme** fue la **vez** que más **miedo pasé** en el **escenario. Pero no tuve tiempo para** pensármelo: simplemente **salí directo**».

Angus Young

lanzaron el primer single de la banda: «Can I Sit Next To You, Girl», seguido de «Rockin' In The Parlour». La cara A estaba bastante en la línea del glam rock, cantada con la sonrisa arrogante de Dave Evans.

Fue un éxito menor, y la banda consiguió encabezar una gira por varios clubes antes de actuar como teloneros de un tipo del Velvet Underground original, Lou Reed. Durante esta gira con Reed se produjeron dos cambios fundamentales en AC/DC. El primero fue en un concierto en Perth, en el que Malcolm decidió que, desde ese instante, él tocaría la guitarra rítmica, y Angus, la solista. El segundo fue el deterioro de la relación entre Dave Evans y los Young, una tensión creciente que desencadenó la discusión. El cantante acabó en la calle.

Bon Scott estaba en el sitio idóneo en el momento adecuado. Y su viejo amigo de The Valentines, Vince Lovegrove, le puso en contacto con AC/DC. En 1974, Lovegrove trabajaba como promotor de conciertos y, como un favor, había contratado a Bon como chico de los recados. Sin que Bon lo supiera, Vince se enteró de que AC/DC buscaba un sustituto a la voz y les recomendó a Bon. Vince le sugirió a Bon que fuera a ver a la banda al club Pooraka de Adelaida, pero a Bon no le gustaba lo que había oído sobre ellos: tenían un cantante «mariposón» que vestía ropa satinada y botas de tacón, y un guitarrista que salía al escenario con uniforme de escolar. Bon los menospreció como «banda de truco». Sin embargo, fue al concierto y, Evans aparte, quedó impresionado con lo que vio. Al final de la actuación, Bon se metió en el *backstage* y estuvo charlando con Malcolm y Angus. Los hermanos le dijeron que buscaban a un nuevo cantante, y medio bromeando le sugirieron que él era demasiado viejo para el puesto. «Aproveché la ocasión para explicarles que yo era mucho mejor que el pavo que tenían cantando», dijo Bon después.

Unos días después, Malcolm y Angus fueron con Bon a un local de ensayo y probaron un par de temas. Lo que oyeron los hermanos en la voz de Bon fue la fuerza descarnada y la actitud que su música requería en un cantante. Le ofrecieron el trabajo allí mismo y, en un par de semanas, AC/DC volvió al escenario del Pooraka con Bon como nuevo vocalista. En el vestuario, antes de salir, Angus observó alucinado cómo Bon se tomaba dos botellas de bourbon, unas rayitas de cocaína, un poco de speed y un porro antes de decir: «Vale, ¡ya estoy listo!». Bon salió al escenario con un par de pantalones viejos ajustados, demostrando, en el sentido más literal, que tenía pelotas para el trabajo. Aquella noche, actuó con una energía impresionante que, en parte, era atribuible a los nervios, ya que seguramente intuía que aquella podía ser su última oportunidad. «Dijo que se sentía joven de nuevo», recordó Angus.

Bon Scott encontró en AC/DC la banda de rock 'n' roll perfecta, y todo lo que había soñado estaba a punto de hacerse realidad.

Izquierda: **Angus Young con su uniforme completo de colegial actuando en directo en Victoria Park, Sídney.**

Página siguiente (I-D): **Malcolm Young, Angus Young y Bon Scott, de AC/DC, en 1975.**

CLA
AUDI

DC

El pequeñajo de los pantalones cortos

«Solo tienes que comenzar a tocar... ¡y rezar! Bajas la cabeza y esperas que no te dé ninguna botella».

Angus Young

DANG
KEEP

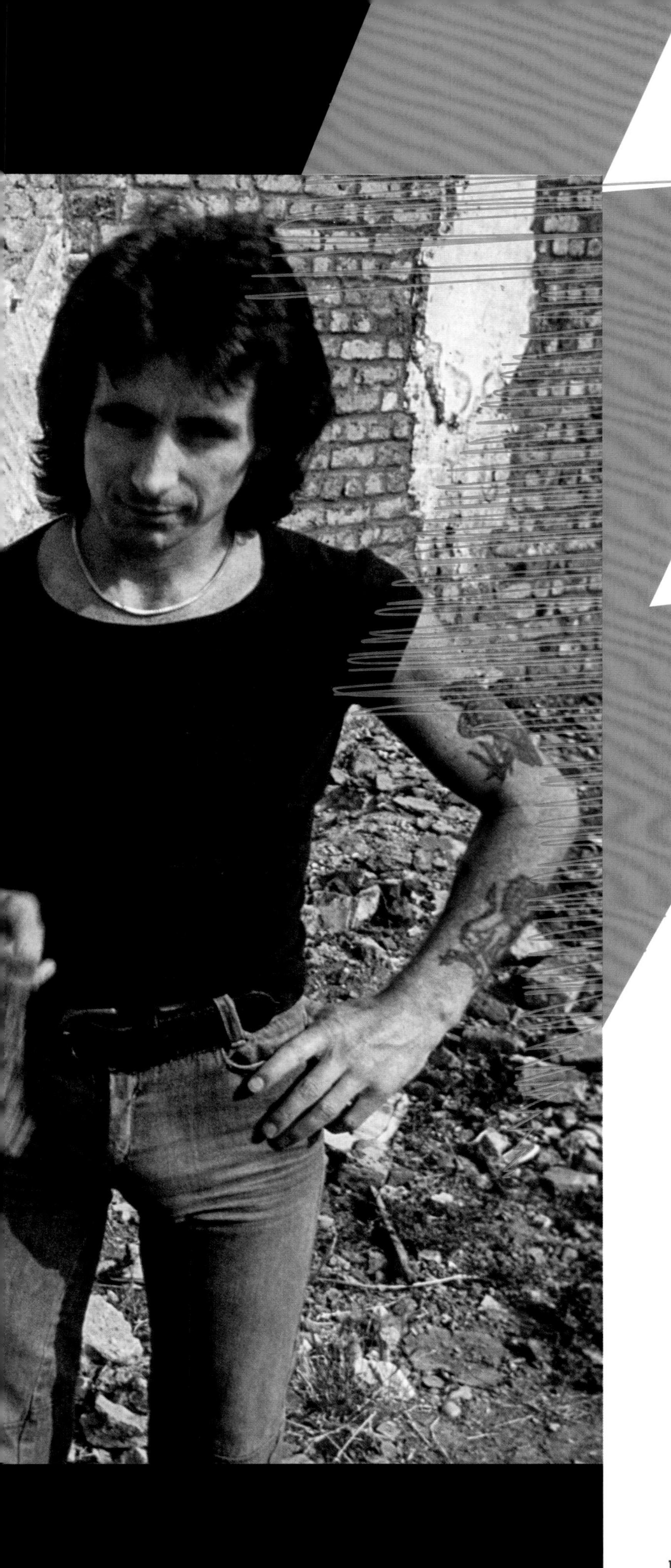

El efecto que tuvo Bon Scott en AC/DC en sus primeras épocas fue algo sobre lo que Angus Young me hablaría en 1991. «Bon se unió al grupo con una edad bastante avanzada —replicó Angus—. Pero el tipo se sentía más joven que cualquiera con la mitad de sus años. Era su forma de pensar, y yo aprendí de él».

Angus también recordaba con afecto la influencia protectora que Bon ejercía sobre él, el hombre mayor y más sabio que cuidaba del muchacho, que aún era un adolescente. «Bon solía decirme: "Haga lo que haga, tú no lo imites". Sí, tuve algunas noches locas al cabo de los años, pero normalmente siempre había alguien que se las pegaba por mí. Como voy con el uniforme, algunas mujeres han intentado hacerme de madre... Les parezco mono porque soy bajito. Pero, para mí, el punto siempre ha sido tocar. En realidad, nunca planeaba nada más allá del próximo concierto. Al principio, mis colegas solían decirme: "Debes de estar conociendo a muchísimas chicas". Bueno, sí, conocía a montones de chicas, pero ninguna solía querer venirse a casa conmigo. Algunas se acercaban y digamos que... me halagaban, pero no sé por qué. Un colegial no tiene nada de sexy, ¿no?».

En realidad, a sus diecinueve años, Angus no era ningún pardillo. Hacía su papel de colegial en el escenario y, aunque siempre fue abstemio, fumaba como un carretero. Pero para Angus y los demás miembros de la banda, Bon era un gato viejo que llevaba mucho tiempo en el negocio y tenía bien tomadas las medidas al terreno. Alrededor de AC/DC, como sucedía con cualquier banda de rock 'n' roll, había alcohol, drogas y mujeres. En las primeras épocas, también les rodeaba una serie de tipos duros que atraían a los pubs y clubes del país, tugurios mugrientos donde corría la priva y se desataba, inevitablemente, la violencia. Como me replicó Angus: «Permíteme que te diga que algunos de los sitios donde tocábamos eran peor que un váter. Cuando yo iba al colegio y había algún baile con banda, esta siempre era del tipo Van Halen, el típico conjunto de instituto estadounidense. Ya sabes, el tío rubio con el pelo hasta la cintura. En los pubs donde tocábamos, ante ese gentío cachondo, sudoroso y hasta las cejas de cerveza, no te podías ni plantear eso. Era la clase de público que no te deja ni afinar la guitarra. Si se te rompía una cuerda, estabas perdido. A veces, terminabas con solo dos cuerdas enteras, porque no había manera de que se esperaran dos minutos a que arreglaras la guitarra. Recuerdo una noche que le dije al resto de la banda: "No pienso salir". La policía no podía entrar en el garito. Había un loco corriendo por la sala con un cuchillo de carnicero, ¡cortando a la gente! Y, en primera fila, eran todos motoristas. "¡Quieren sangre!", dije. Mirabas hacia fuera y era como una hilera de asesinos,

Página anterior: **Angus Young** (segundo por la izquierda) y **Bon Scott** (segundo por la derecha) **en el *backstage* con fans, el 24 de agosto de 1977 en The Palladium, en la ciudad de Nueva York.**

Izquierda: **AC/DC** (I-D): **Phil Rudd, Angus Young, Mark Evans, Malcolm Young, Bon Scott.**

y les veías la cara y parecía que dijeran: «¡Mandadnos al pequeñajo de los pantalones cortos!"».

Angus recordó entre risas esa noche en que tenía tanto miedo que tuvo que ayudarle su hermano mayor. «De repente, noté la presión de una bota y ya estaba ahí afuera —rio entre dientes—. Y entonces se hace ese silencio mortal. Y solo tienes que comenzar a tocar... ¡y rezar! Bajas la cabeza y esperas que no te dé ninguna botella. Se convirtió en parte de mi actuación. Aprendí a agacharme y a no dejar de moverme». Angus también recuerda una actuación de esa primera etapa por lo que se decía del carácter de Bon. «La gente solía echarse unas buenas risas por cómo llegábamos a los bolos en aquellos tiempos —dijo—. Teníamos una vieja camioneta sin frenos. Todo iba en tres tiempos. Una noche que tocábamos en un pub de no sé dónde, entró Bon, se fue para el micro y comenzó a decir: "!Escuchad, si queréis actuación esta noche, necesitamos que una docena de vosotros salga a ayudarnos a empujar la camioneta!". Después, Bon quería plancharse los vaqueros. Decía que el otro par estaba manchado de aceite y grasa. Así que sacó la plancha de la camioneta, se dirigió a la barra, apartó las copas de la gente, se quitó los vaqueros ahí mismo, con el pub lleno de gente, y se los planchó».

Derecha: **Bon el Agradable Scott.**

Página 31: **letra original de Bon Scott para «She's Got Balls».**

Una vez, no con poca admiración, Angus describió a Bon como «el cabrón más malhablado que he visto». Como declaró a *Mojo* en el año 2000: «La primera vez que le vi apenas hablaba inglés. Todo era "joder", "coño", "mear" y "mierda". Pero el tío era todo encanto, el clásico tipo duro simpático que atraía a la gente allá donde fuera. Solíamos llamarle "Bon el Agradable" —recordó Angus—. Podías estar en cualquier parte donde no esperarías que nadie le conociera y siempre aparecía alguien que decía: "¡Bon Scott!", con una cerveza para él». Y lo más importante,

«Solíamos llamarle "Bon el Agradable". Podías estar en cualquier parte donde no esperarías que nadie le conociera y siempre aparecía alguien con una cerveza para él».

Angus Young

Bon era estupendo como cantante de rock 'n' roll y, según afirmó Angus, «moldeó el sabor de AC/DC».

En noviembre de 1974, unos meses después de que Bon formara parte de la banda, entraron en los Albert Studios de Sídney para grabar su álbum de debut con George Young y Harry Vanda como productores. El álbum entero se grabó en seis días, entre actuación y actuación, y lo llamaron *High Voltage*, en consonancia con el nombre del grupo. En aquel momento, los créditos aún incluían a Rob Bailey al bajo y a Peter Clack a la batería, pero como adelanto de lo que estaba por llegar, la contribución de Bailey fue limitada, y tanto Malcolm como George tocaron el bajo en varios temas. Por su parte, Clack solo tocó una canción, la rápida y dura interpretación de «Baby, Please Don't Go», mientras que todos los demás temas fueron grabados por un baterista de estudio, Tony Currenti.

De las siete canciones originales del álbum, todas fueron escritas por los hermanos Young y Bon, salvo «Soul Stripper», con la única autoría de Malcolm y Angus, desarrollada a partir de un tema anterior denominado «Sunset Strip», originalmente escrito con Dave Evans. Lo que la banda acuñó en «Soul Stripper» fue una tensión rítmica que le confirió una calidad hipnótica y, en un nuevo *set*, Bon se adjudicó el extraño papel de víctima, con el juego mental de una mujer manipuladora que le atormentaba. Otro tema clave fue «Little Lover», un blues fálico que Malcolm había escrito en la adolescencia y que en un principio tituló «Front Row Fantasies». Bon dio a la mezcla una dimensión completamente nueva de sordidez con la referencia a una chica que dejaba una mancha húmeda en el asiento, que hacía que el cantante pensara que tal vez se trataba de cola.

La canción más representativa de la banda fue la primera que Bon escribió con los hermanos Young, un tema con un título que hablaba por sí solo de dónde se encontraban y hacia adónde iban: «She's Got Balls». Era un ritmo duro, creado alrededor de un jugoso riff de Malcolm, con una letra y un título en la línea de lo que se convertiría en la firma de Bon. Como me comentó Angus: «"She's Got Balls" giraba en torno a su primera esposa (de Bon). Bon extraía una historia de cualquier cosa». Y el título de la canción no era ningún insulto, sino todo lo contrario. Había verdadero cariño en aquella característica de Irene, una mujer que, como él decía, tenía «onda» y «valor».

Sin embargo, en el álbum había un tema que parecía fuera de lugar y de onda: «Love Song». De nuevo, se había desarrollado a partir de un

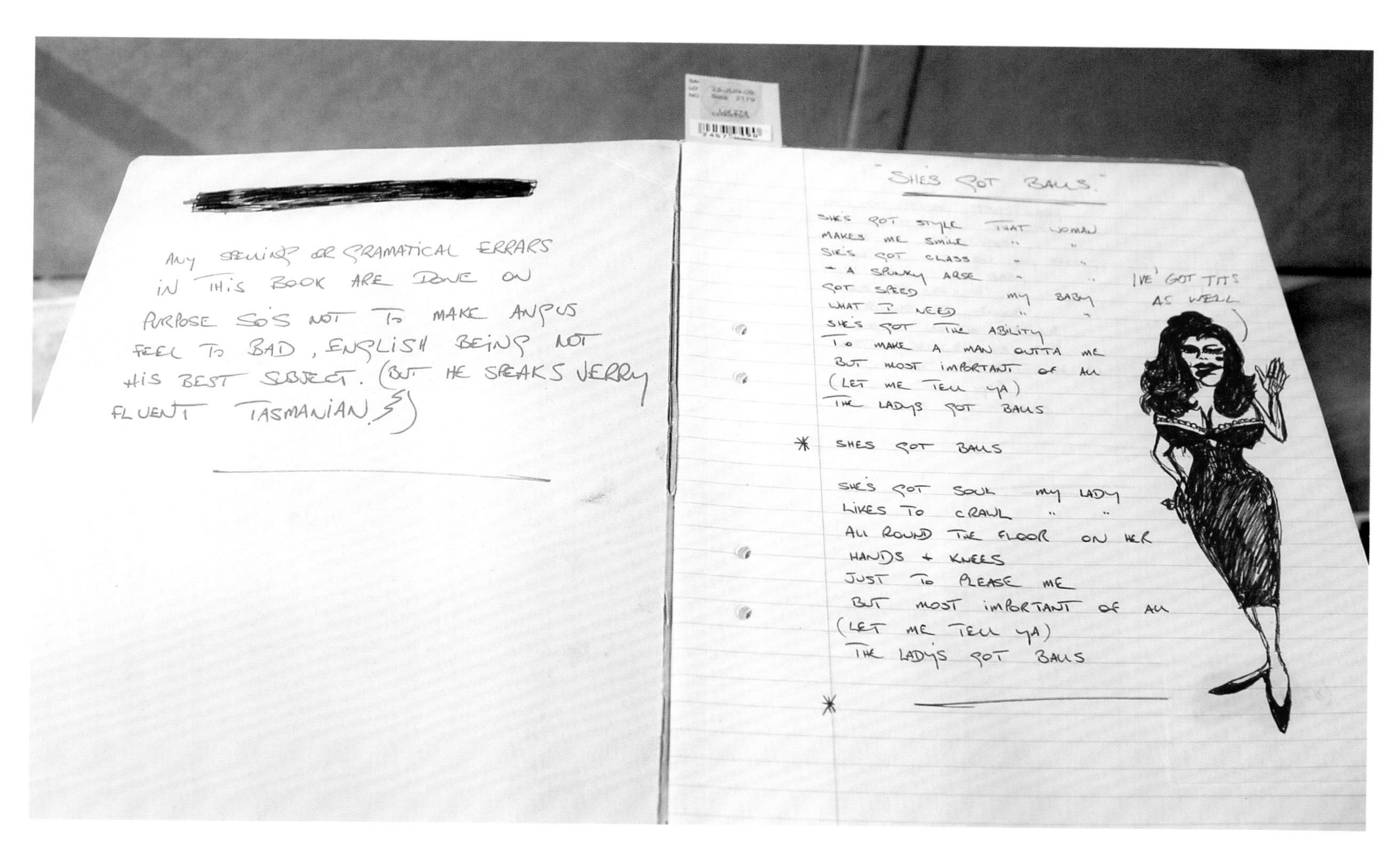

tema anterior escrito por Malcolm Young y Dave Evans, que originalmente se había titulado «Fell In Love» y que la banda nunca llegó a grabar. Más tarde, algunos sugirieron que la letra romántica de Bon para «Love Song» provenía de su época en Fraternity. Sea como sea, era un estilo que es evidente que no encajaba ni con él ni con la banda.

Inferior: **la banda australiana Buster Brown, con el destacado Phil Rudd** (primer plano, centro), **Australia, 1974. Rudd se unió a AC/DC en 1975. También destaca el cantante Angry Anderson** (segundo por la izquierda).

Derecha: **el bajista de AC/DC Mark Evans entró en la banda poco después del lanzamiento de *High Voltage*.**

Con el álbum a punto, la banda trabajó durante un breve tiempo con un nuevo baterista, Russell Coleman, pero en las primeras semanas de 1975, encontraron al hombre adecuado para el puesto. Phil Rudd, nacido en Melbourne el 19 de mayo de 1954, era, como los hermanos Young, un músico autodidacta. Entre sus principales influencias se encontaban Ringo Starr, Kenny Jones, de Small Faces, y, sobre todo, Simon Kirke, de Free y Bad Company, cuyo sencillo enfoque rítmico inspiraba a Rudd.

Rudd se había ganado una reputación en el grupo Buster Brown junto con Gary «Angry» Anderson, un cantante pequeño y bien fornido que tenía un prodigioso chorro de voz, igual que Bon, y el bajista Geordie Leach. Anderson y Leach formaron, luego, Rose Tattoo, una de las míticas bandas de rock más importantes de Australia. A Rudd le habían echado de Buster Brown antes de su prueba con AC/DC, pero a los hermanos Young solo les bastó una audición para saber que habían encontrado a su hombre. Bon, que sabía alguna que otra cosa de baterías, cerró el trato.

Otro momento importante para AC/DC fue cuando abandonaron Sídney para afincarse en Melbourne, que contaba con la escena roquera más boyante de Australia. Fue en Melbourne donde Michael Browning, una figura central en el mundillo musical, se convirtió en el manager de AC/DC. Para Malcolm y Angus, era la primera vez que vivían fuera del hogar familiar. Browning instaló a toda la banda en una casa comunitaria de St. Kilda. Que estuviera en un barrio de prostitución fue de lo más oportuno.

El álbum *High Voltage* se lanzó el 17 de febrero de 1975, con una portada simbólica producto del descarnado sentido del humor de la banda: una caricatura en la que un perro orinaba en una central eléctrica. No fue un debut clásico como el que habían hecho Led Zeppelin y Black Sabbath en los albores de la era del heavy ni como el de muchas bandas estadounidenses de principios de la década de 1970, como Lynyrd Skynyrd o Montrose. Además, como se trataba de un lanzamiento puramente nacional, *High Voltage* no tuvo ningún impacto en el resto del mundo. Lo que hizo fue echar a rodar la pelota, y muy rápido.

Al poco tiempo del lanzamiento, la banda contrató a un nuevo bajista, Paul Matters, pero lo despidieron a las pocas semanas. Así que George Young fue el bajista que grabó esta vez un nuevo tema, con el que compartiría nombre con el nuevo álbum: «High Voltage». Ya era demasiado tarde para incluirlo en el álbum, pero la canción era su primer him-

XXXX

Derecha: **AC/DC (I-D): Malcolm Young, Mark Evans, Bon Scott, Angus Young y Phil Rudd.**

«A veces le decía a **Malcolm**: "Tío, no creo que **Bon** pueda mantenerse en pie, y ya no te digo **cantar**". Pero siempre te **sorprendía**. Aguantaba toda la **noche**, aunque al final **acabara** por el **suelo**».

Angus Young

no verdaderamente extraordinario, con un coro que afirmaba desafiante: «High voltage rock 'n' roll».

Justo después de grabar esta canción, en marzo, AC/DC fichó a Mark Evans como bajista. Nacido en Melbourne el 2 de marzo de 1956, Evans era un año más joven que Angus y contaba con una experiencia limitada, pero encajaba a la perfección. Era un tipo de trato fácil que tocaba limpio, sin florituras. Con Evans al bajo, la banda por fin consiguió cierta estabilidad. Pero el mismo mes que se incorporaba Evans, Bon volvió a escapar de la fatalidad por los pelos. Dos años después del accidente de moto que casi acaba con su vida, Bon seguía siendo un bala perdida. En Melbourne, frecuentaba a su novia y a su hermana, ambas prostitutas y adictas a la heroína. Bon no la había probado, pero ellas le ofrecieron un buen viaje y la tentación fue demasiado fuerte para resistirse. Se drogó, le dio un síncope y se puso morado. El personal sanitarío llegó justo a tiempo para salvarle la vida. Después, Bon prometió no volver a salirse de lo que conocía: alcohol, hierba y un poco de coca.

A los demás integrantes de la banda, les parecía que, por más que probara antes, durante y después de una actuación, Bon tenía una constitución casi indestructible. Como me comentó Angus en 1992: «A veces le decía a Malcolm: "Tío, no creo que Bon pueda mantenerse en pie, y ya no te digo cantar". Pero siempre te sorprendía. Aguantaba toda la noche, aunque al final acabara por el suelo».

Si la llegada de Bon ya había hecho de AC/DC la banda que Malcolm y Angus siempre habían deseado, el segundo álbum acabó de definir verdaderamente su estilo. Los riff tenían más jugo, Rudd y Mark Evans formaban una sección rítmica roquera sólida y Bon se estaba revelando como un cantante y letrista excepcional.

El álbum se grabó de nuevo en Albert Studios con la producción de Vanda and Young. Se tituló *T.N.T.*, y el grueso de la grabación se llevó a cabo en julio de 1975. Representó un verdadero salto de gigante respecto al primer álbum, algo que resulta inmediatamente patente desde el primer tema, «It's A Long Way To The Top (If You Wanna Rock 'n' Roll)», con un enérgico riff staccato, Bon cantando con plena autoridad y cerrando la canción con un solo de gaita, instrumento que no había tocado nunca antes, pero que acabó tocando por la insistencia de George Young.

Página anterior: **Buddy Guy** (izquierda) **y Muddy Waters** (derecha). **Angus Young había estado a merced del blues desde niño.**

Izquierda: **la llegada de Bon Scott convirtió a AC/DC en la banda que Malcolm y Angus siempre habían deseado.**

Inferior: **Pete Way, de UFO, se convirtió en un buen amigo de Bon Scott.**

George les sugirió que escribieran una canción con la progresión armónica A, C, D, C, y de ahí salió la canción que dio nombre al álbum, con un tema agresivo de mentalidad camorrista expresada en su grito de pandillero «Oi, oi, oi». «Live Wire» era pura amenaza: el latido monotono del bajo, las guitarras entrando lentamente, el siseo del charles hilvanándolo todo, y todo convergiendo en un riff tan sencillo como el resto, con tan solo un instante de frivolidad en la exclamación de Bon: «Stick this in your fuse box!» («Métete esta en la caja de fusibles»). «Rocker» emulaba a Chuck Berry en 2 minutos y 46 segundos de guirigay abrasador, con Bon creando su propio mito en la primera frase: «I'm a rocker, roller, right-out-of-controller» («Soy un roquero, rolero, fuera de control»). También había una versión del clásico «School Days» de 1957 de Berry, con Bon gritando el estribillo inmortal: «Hail, hail, rock 'n' roll» («Salve, salve, rock 'n' roll»), con la convicción de un verdadero creyente. También estaba «Rock 'n' roll Singer», un boogie frenético con la graciosa sobrada de Bon: «Gonna be a rock 'n' roll star. Yes I are!». («Voy a ser una estrella del rock 'n' roll. Sí, lo soy»). En este álbum se incluyó la canción «High Voltage», igual que un *remake* de «Can I Sit Next To You, Girl», que tomó un cariz más decadente en cuanto Bon le hincó el diente. Y la canción que más perduraría a lo largo de su historia, un clásico de AC/DC esencial en sus directos, «The Jack», un blues estándar anterior al sida.

AC/DC se había codeado con el blues en «Little Lover». Con «The Jack», avanzaron un paso más con una letra brillante y obscena en la que Bon empleaba el póquer como metáfora sexual. También era una historia real. Bon estaba versado en la materia; en concreto, con el personal de su centro local de salud sexual. Como me dijo Angus: «"The Jack" va sobre una noche en que una mujer hizo doblete. Primero se fue con Phil y, durante la noche, se deslizó a la cama de Bon. A la noche siguiente, tocábamos en un pub de Melbourne. La chica fue al médico y, cuando volvió, le dio a Phil la factura del facultativo. El médico le había diagnosticado una enfermedad de transmisión sexual. "¡Qué jeta! Yo no tengo ninguna puta enfermedad", dijo Phil. Durante el concierto de esa noche, tocamos un blues lento, y Bon hizo que enfocaran la mesa de la chica. "Solo quería informarte de que le has dado la factura al tipo equivocado", repuso Bon, que había tenido muchos problemas con las enfermedades en su vida. En el musical de *West Side Story* había una canción titulada "Maria". Bon siempre se cachondeaba y, en lugar de cantar, afirmaba lo siguiente "Conocí a una chica llamada Maria —siempre decía—. Y la gonorrea hice mía"».

«The Jack» también se había grabado en clave de humor en el álbum, y terminaba como si lo estuvieran tocando ante un público hostil. Sobre el ruido de abucheos y silbidos, Bon exclamaba: «¡Gracias! ¡Encantado de que hayáis disfrutado del espectáculo!».

El lanzamiento del álbum *T.N.T.* tuvo lugar el 1 de diciembre de 1975 y llegó al número dos de las listas australianas.

Derecha: **AC/DC relajándose durante una sesión de fotos para «Jailbreak».**

Su éxito confirmó a AC/DC como el grupo de hard rock líder del país. En un tiempo en que Led Zeppelin, Deep Purple y Black Sabbath seguían siendo los reyes del heavy, Australia conseguía sus propios héroes. Con *T.N.T.*, AC/DC subió la apuesta en todos los sentidos. Lo que confería a estas canciones tanta fuerza eran los riffs de Malcolm y Angus, mientras que la voz y las letras de Bon les aportaba profundidad, o lo que Angus denominaba «sabor». Angus recordó: «Bon se autodenominaba grafitero de paredes de lavabo. ¡Siempre tenía una palabra bonita para sí mismo!». Pete Way, el bajista de la banda de rock británica UFO, que se convertiría en amigo íntimo de Bon, decía: «Bon era un tío que vivía lo que cantaba». En todo el álbum, Bon cantaba desde el corazón. En «It's A Long Way To The Top (If You Wanna Rock 'n' Roll)», narraba la historia de su propia lucha personal, y en «Rock 'n' Roll Singer», los anhelos de sus sueños de juventud. Y contara la historia que contara, en especial en *T.N.T.* y *Live Wire*, siempre parecía creíble con la voz cargada de experiencia.

Sin embargo, a pesar de que los sueños de Bon se estaban haciendo realidad, seguía teniendo días en que el estilo de vida del rock 'n' roll le parecía artificial. A principios de 1975, en una carta a su exmujer, Irene, escribió: «Ahora mismo, estoy pasando por una época muy rara. Me gusta estar todo el tiempo de gira para mantener la mente alejada de los acontecimientos personales... volver a ser un borracho. Ahora mismo, me siento solo». A pesar de la bravuconería, Bon tenía otra cara oculta al mundo, salvo para unos pocos amigos cercanos, personas como Bruce Howe, con quien hablaba de su deseo de tener algo más que una simple serie de rollos de una noche, de tener hijos y comprar una casa en el campo donde poder escapar de la locura de la vida del roquero.

Y esta dicotomía se vio acentuada por el hecho de que, en diciembre de 1975, AC/DC había firmado un contrato de alcance mundial con Atlantic Records, el legendario sello que contaba con Led Zeppelin y Yes, y otros muchos de los mejores artistas del jazz y el soul estadounidense, incluidos Ray Charles, Aretha Franklin y Otis Redding. Con el fin de

HIGH VOLTAGE

SOLO EN AUSTRALIA

Lanzamiento: 17 de febrero de 1975
Grabación: noviembre de 1974 en Albert Studios, Sídney, Australia
Sello: Albert Productions
Productor: Harry Vanda, George Young

Todos los temas fueron escritos por Angus Young, Malcolm Young y Bon Scott, excepto los indicados.

CARA 1

«Baby, Please Don't Go» (Big Joe Williams)
«She's Got Balls»
«Little Lover»
«Stick Around»

CARA 2

«Soul Stripper»
«You Ain't Got A Hold On Me»
«Love Song»
«Show Business»

MÚSICOS

Bon Scott: voz solista
Angus Young: guitarra solista
Malcolm Young: guitarra rítmica, coros, bajo, guitarra solista en «Little Lover», «Soul Stripper», «You Ain't Got A Hold On Me» y «Show Business»
George Young: bajo, guitarra rítmica, coros
Rob Bailey: bajo
Peter Clack: batería en «Baby, Please Don't Go»
Tony Currenti: batería en todos los demás temas
Harry Vanda: coros
Personal adicional: Chris Gilbey: dirección artística

El álbum, lanzado por Albert Productions solo en Australia, no fue reeditado por ningún sello con este formato. La versión internacional de *High Voltage*, editada por Atlantic Records en 1976, contaba con una portada y un *track listing* diferentes, que solo incluyó «She's Got Balls» y «Little Lover». «Baby, Please Don't Go», «Soul Stripper», «You Ain't Got A Hold On Me» y «Show Business» salieron en el *'74 Jailbreak* de 1984. «Stick Around» y «Love Song» se publicaron en *Backtracks* en 2009.

proyectar a AC/DC a la escena global, Atlantic propuso el lanzamiento internacional de un álbum de debut que incorporaba el mejor material de *High Voltage* y *T.N.T.* También programó un viaje a Reino Unido con las primeras actuaciones de la banda fuera de Australia, que para Bon y los hermanos Young fue como un regreso al hogar.

El último trabajo que hicieron en 1975 fue grabar un tema nuevo, «Jailbreak», una historia de Bon sobre un asesino encarcelado que trabajaba unido con grilletes a un grupo mientras planeaba su huida, un drama acompañado de un riff tenso y forzado. Como recordó Angus en 1992: «Bon tenía una gran facilidad para contar historias, y "Jailbreak" era una historia de desesperación». Según George Young, durante la grabación de «Jailbreak», el cantante estaba tan borracho y se volcó tanto en la interpretación que acabó desmayándose en el estudio. Así era Bon, lo daba todo, costara lo que costara.

«Bon era un tío que vivía lo que cantaba».

Pete Way, UFO

T.N.T

SOLO EN AUSTRALIA

Lanzamiento: 1 de diciembre de 1975
Grabación: marzo-abril y julio, Albert Studios, Sídney, Australia
Sello: Albert Productions
Productor: Harry Vanda, George Young

Todos los temas fueron escritos por Angus Young, Malcolm Young y Bon Scott, excepto los indicados.

CARA 1

«It's A Long Way To The Top (If You Wanna Rock 'n' Roll)»
«Rock 'n' Roll Singer»
«The Jack»
«Live Wire»

CARA 2

«T.N.T.»
«Rocker»
«Can I Sit Next To You, Girl» (Young, Young)
«High Voltage»
«School Days» (Chuck Berry)

MÚSICOS

Bon Scott: voz solista, gaita en «It's A Long Way To The Top (If You Wanna Rock 'n' Roll)»
Angus Young: guitarra solista
Malcolm Young: guitarra rítmica, coros
Mark Evans: bajo en «It's A Long Way To The Top (If You Wanna Rock 'n' Roll)», «Rock 'n' Roll Singer», «The Jack», «Live Wire», «T.N.T.», «Rocker», «Can I Sit Next To You, Girl» y «School Days»
Phil Rudd: batería, percusión en «It's A Long Way To The Top (If You Wanna Rock 'n' Roll)», «Rock 'n' Roll Singer», «The Jack», «Live Wire», «T.N.T.», «Rocker», «Can I Sit Next To You, Girl» y «School Days»
George Young: bajo en «High Voltage»
Toni Currenti: batería en «High Voltage»

T.N.T. es el único álbum australiano de estudio de AC/DC que no tiene una versión internacional. Sin embargo, el lanzamiento internacional de *High Voltage* en 1976 incluyó «It's A Long Way To The Top (If You Wanna Rock 'n' Roll)», «Rock 'n' Roll Singer», «The Jack», «Live Wire», «T.N.T.», «Can I Sit Next To You, Girl» y «High Voltage». Los otros dos temas, «Rocker» y «School Days», se incluyen en la versión internacional de *Dirty Deeds Done Dirt Cheap* (1976/1981), así como en la caja lanzada en 1997 bajo el título de *Bonfire*.

KODAK
SAFETY FILM
JAIL
THE
22
18
23
19

Encierra a tus hijas

«Creo que AC/DC va a revolucionar el heavy metal y ponerlo patas arriba».

Phil Sutcliffe

Durante las primeras semanas de 1976, AC/DC volvió a Albert Studios a grabar temas de su tercer álbum. Mientras trabajaban en el material nuevo, tanto *High Voltage* como *T.N.T.* cosecharon la certificación de Triple Disco de Oro en Australia. Entretanto, Atlantic Records había estado preparando el primer álbum internacional, que también se tituló *High Voltage*, aunque siete de las nueve canciones que contenía pertenecían originalmente a *T.N.T.*

El lanzamiento estaba previsto para abril, coincidiendo con las primeras fechas de los directos de la gira de la banda en Reino Unido como teloneros de Back Street Crawler, el grupo liderado por el anterior guitarrista de Free, Paul Kossoff. Pero el 19 de marzo, durante un vuelo de Los Ángeles a Nueva York, Kossoff, uno de los mejores guitarritas de su generación, falleció como consecuencia de una embolia pulmonar provocada por el consumo de drogas intravenosas. Con la gira cancelada, AC/DC viajó a Londres sin saber la fecha de su primera actuación. A pesar de todo, habían terminado su nuevo álbum, *Dirty Deeds Done Dirt Cheap*, y el 27 de marzo se despidieron de su público local con la moral bien alta en una actuación en el club Bondi Lifesaver de Sídney. Según consta, fue durante este concierto cuando Angus interpretó por primera vez una pieza festiva que acabaría convirtiéndose en costumbre en todas las actuaciones de AC/DC: con «The Jack», el guitarrista se bajaba los pantalones y enseñaba el trasero al público.

A los pocos días de la llegada de la banda a Londres, empezaron los problemas. Una noche, Bon volvió a un pub de Finchley en el que había trabajado detrás de la barra durante el tiempo que había pasado en Londres con Fraternity. Se vio envuelto en una gresca y cayó noqueado al suelo cuando un lugareño le estampó una pinta en la cabeza. Al día siguiente, durante una sesión de fotos de la banda, el cantante tuvo que llevar gafas de sol para ocultar los ojos morados. Como colofón aún más turbio, también se rumoreó que durante esos primeros días en la ciudad, Bon tuvo que ser hospitalizado por una sobredosis. Si lo de Paul Kossoff había sido un toque de atención, a Bon no le había servido de nada. La tensión también afloró en la banda mientras mataban el tiempo en Londres a la espera de cerrar algún trato para tocar en directo, pero pronto encontraron un local y cerraron la fecha. AC/DC haría su debut británico en The Red Cow, un pub de Hammersmith, el 23 de abril. Uno de los pocos presentes en este acontecimiento fue Malcolm Dome, que, en aquel momento, era estudiante, y posteriormente se convertiría en el periodista especializado en rock que entrevistaría varias veces a Bon Scott a finales de la década de 1970.

«Antes de la actuación, conocía un poco la banda —comenta Dome—. Había escuchado los álbumes australianos y había leído un artículo breve sobre ellos en *Sounds*. Había mucho revuelo, aquella nueva banda australiana había aparecido de repente. Me esperaba una banda de rock de pub, una banda enérgica y divertida de rock 'n' roll.

Páginas anteriores: **sesión de fotos de AC/DC en Shepperton Studios, Reino Unido, 1976.**

Inferior: **AC/DC tenía que haber abierto los conciertos de Back Street Crawler, pero la gira se canceló al morir el guitarrista de la banda, Paul Kossoff (fotografiado), durante un vuelo de Los Ángeles a Nueva York. AC/DC no sabía cuándo actuaría por primera vez en Reino Unido.**

Derecha: **AC/DC con el manager, Michael Browning** (centro).

Jane Birkin

»The Red Cow era una taberna de las de toda la vida. Por dentro, era muy básico y tenía una sala al fondo que debía de acoger a un centenar de personas. AC/DC tocó dos veces esa noche. En la primera actuación habría unas treinta personas, pero a la banda no parecía importarle. Fueron a por todas. Fue impresionante. La actitud era: vamos a entreteneros a todos; nos aseguraremos de que no os olvidéis de nosotros, y la próxima vez traeréis a vuestros colegas. Y la reacción de todo el mundo fue, ¡joder!

»Angus era pura energía, saltando todo el rato, tanto en el escenario como fuera. Bon era *cool* y carismático. Angus y Bon eran una gran pareja artística. Ambos eran dos personajes y se complementaban. Nunca se pisaban el uno al otro. Se notaba que Bon empujaba a Angus hacia el primer plano para que la atención se centrara en él. Y los otros tres eran tan condenadamente buenos... formaban un bloque rítmico increíble.

»Tocaron nueve o diez canciones. La fuerza de "It's A Long Way To The Top" y de "High Voltage" era fenomenal. Y en cuanto terminaron, Bon se bajó del escenario y se fue directo a la barra. Se había quitado la camisa durante la actuación y no se molestó en volver a ponérsela. Se limitó a colgarse una toalla al cuello, corrió a la barra y dijo a los que estaban por allí: "Bueno, ¿quién quiere un trago?". Fue un típico caso de "yo os pago una ronda y espero que vosotros me paguéis otra". Que era lo justo. Estuve hablando con él. Estaba muy feliz de estar en Inglaterra, y era muy afable y lo que se diría un *bon vivant*. Era genial».

Durante la hora entre las dos actuaciones de la banda en el Red Cow, muchos de los que habían estado en el primer concierto co-

Izquierda: **AC/DC en Londres, 1976.**

Inferior: **las bandas punk como Ramones florecían por todas partes. La prensa británica describía a menudo a AC/DC como una banda de punk rock, término que ofendía especialmente a Malcolm.**

rrieron a la cabina telefónica a llamar a sus amigos para decirles que tenían que ir a ver a la banda. Para cuando AC/DC subió de nuevo al escenario, el público se había duplicado. «En la sala había mucho alboroto», afirma Malcolm Dome. El boca a boca corrió como la pólvora.

Izquierda: **Malcolm Young con la cerveza y el cigarrillo previos a la actuación, 1976.**

Derecha: **AC/DC en el escenario, Nashville Rooms, Londres, 27 de mayo de 1976.**

Esa misma noche, Bon también se reencontró con Margaret «Silver» Smith, una antigua novia suya de Australia. Ella y Bon habían sido amantes en 1971, cuando Bon estaba con Fraternity. Cuando terminó su aventura, Silver se había marchado de Australia y, en 1976, había echado raíces en Kensington, al oeste de Londres. No habían mantenido el contacto y Silver no había oído hablar jamás de AC/DC hasta el día en que asistió al Red Cow para comprobar si esa banda australiana de la que se hablaba era una promesa. Cuando subieron al escenario, se quedó muy sorprendida al ver a Bon al frente de la banda y, cuando se reencontraron después de la actuación, él quedó embelesado.

Durante los meses de verano que AC/DC permaneció en Londres, la banda compartió vivienda en Barnes, al sur de Londres, excepto Bon, que se trasladó a vivir con Silver. A los Young no les sentó nada bien. A su parecer, Silver era sinónimo de problemas, porque era una figura muy conocida en el mundo del rock que se codeaba con estrellas como UFO y Thin Lizzy, y también consumía heroína. Pero a pesar de lo que pensaran o dijeran los Young, Bon iba a la suya. Sus compañías eran asunto suyo.

«La discográfica quería comercializarnos como banda de punk. ¡Los mandamos a la mierda!».

Malcolm Young

El 30 de abril, una semana después del primer concierto en el Red Cow, salió una nueva versión de *High Voltage* para Reino Unido y Europa. El lanzamiento en Estados Unidos tuvo lugar el 14 de mayo. La banda comenzó a tocar como residente en el Marquee, el famoso club del Soho donde tantas personalidades legendarias del rock habían tocado: Jimi Hendrix, Led Zeppelin, The Rolling Stones, Pink Floyd o The Who. Harry Doherty, de *Melody Maker*, hizo una crítica de uno de sus conciertos en el Marquee, que decía así: «Son una buena banda de boogie, sin pretensiones aparentes de ser nada más que eso. A juzgar por la reacción exaltada que ha producido en el púbico, podrían estar tranquilamente al nivel de Status Quo». Es cierto que había similitudes entre AC/DC y Status Quo por lo que se refería a los temas de heavy boogie, con Malcolm Young tocando un ritmo mecánico como el de Rick Parfitt, de Status Quo. Lo que los miembros de AC/DC nunca terminaron de entender era por qué la prensa musical británica los describía una y otra vez como un grupo de rock punk.

Aunque el punk no llegó a la primera plana de los tabloides británicos hasta finales de 1976 con el famoso titular del *Daily Mirror*, «¡LA INMUNDICIA Y LA FURIA!», tras los tacos que plagaron la actuación en directo de los Sex Pistols en televisión, el punk ya se encontraba en plena efervescencia cuando AC/DC llegó a Londres. En febrero, los Pistols ya habían sentado las bases de lo que estaba por venir cuando el guitarrista Steve Jones había declarado a *NME:* «No nos interesa la música. Nos interesa el caos». Las primeras actuaciones desenfrenadas de los Pistols habían aumentado su notoriedad. Aparecían bandas de punk por todo el país. El mismo día que AC/DC tocaba en el Red Cow, se lanzaba un álbum clave y definitorio: el álbum de debut de Ramones, el grupo líder del punk estadounidense. Y en junio, cuando AC/DC comenzó su gira por Reino Unido, promocionada por *Sounds*, la revista los etiquetó de «extravagante combinación de punk-rock australiano». A Malcolm Young, que ya salía echando humo de una reunión con el departamento de Relaciones Públicas de Atlantic Records, no le sentó nada bien. Cuando habló conmigo en 2003, Malcolm dijo: «Cuando vinimos a Inglaterra por primera vez en 1976, la discográfica quería comercializarnos como banda de punk. ¡Los mandamos a la mierda!». Malcolm también recordaba otras discusiones acaloradas de aquella época. «Teníamos a esos punks echándosenos al cuello —dijo—. Y Bon saltaba: "¡Calla o te arranco el puto imperdible de la puta nariz!"».

Sin embargo, a pesar del desagrado de Bon por la moda punk, había ciertas similitudes entre AC/DC y aquellas primeras bandas de punk. Era una época en que algunas de las grandes estrellas del rock hacían música de un grandísimo nivel, muy alejada del rock 'n' roll callejero y obsceno que caracterizaba a AC/DC. El álbum *Presence* de 1976 de Led Zeppelin comenzaba con una odisea de diez minutos, «Achilles Last Stand», donde Robert Plant cantaba cómo Atlas sostenía el cielo. Queen tenía un número uno con la magnánima opera prima del rock «Bohemian Rhapsody». También fue la época dorada del rock progresivo, de los tiempos en los que Pink Floyd, Yes y Genesis creaban álbumes conceptuales artísticos, y el anterior maestro del teclado de Yes, Rick Wakeman, famoso por salir al escenario con capa, presentó en 1975 su álbum *The Myths And Legends Of*

MADE IN NASHVILLE

Página anterior, izquierda: **Angus Young y Bon Scott actuando en el escenario del Lyceum Theatre, Londres, 7 de julio de 1976, durante la gira Lock Up Your Daughters.**

Página anterior, derecha: **Mark Evans y Angus Young (saltando) actúan en directo durante la primera gira británica de la banda.**

Superior: **Bon Scott atraía a muchos fans, incluido el periodista Phil Sutcliffe, que lo describió como: «Un pirata, una especie de tipo duro, un macho».**

Derecha: **Mark Evans** (izquierda) **y Bon Scott** (derecha) **en un acto con la prensa en WEA Records, Londres, 1976.**

King Arthur And The Knights Of The Round Table en el Wembley Arena a modo de extravagante musical sobre hielo.

AC/DC no era el único grupo de hard rock que tocaba música más mundana en 1976. Estaban Thin Lizzy, Status Quo, Bad Company, Aerosmith y Lynyrd Skynyrd. Sin embargo, ninguna otra banda tenía la sensibilidad callejera, la energía y la actitud de AC/DC. Como dice Malcolm Dome: «El punk empezaba a asomar la cabeza y era la antítesis de los llamados dinosaurios del rock, así que la gente veía a los AC/DC como una banda de rock 'n' roll enérgica y directa. Y eso encajaba con el punk».

La gira promocionada por *Sounds* arrancó en el City Hall de Glasgow, la ciudad natal de los hermanos Young. Se tituló Lock Up Your Daughters aprovechando una frase de la canción «T.N.T.». Duró desde principios de junio hasta julio, en pleno apogeo del largo y cálido verano de 1976, que coció a Reino Unido con unas temperaturas récord, mientras los pastos se secaban y el país se ralentizaba. La edición del 12 de junio de *Sounds* publicaba un extenso reportaje en el que se catalogaba la gira como «una descarga alrededor de Gran Bretaña bajo el patrocinio de *Sounds*» y en el que se planteaban preguntas irónicas: «¿Estamos haciendo lo correcto? ¿Son los colegiales el futuro del rock 'n' roll?». El titular hacía referencia al personaje enloquecido de Angus Young sobre el escenario: «LAS RODILLAS MÁS RÁPIDAS DEL OESTE».

El artículo, de Geoff Barton, era un retrato detallado de la banda y su estilo de vida. Barton se reunió con la banda en la casa de Barnes antes de subirse a una furgoneta que les llevaría a un concierto en un club de Retford, en el condado de Nottinghamshire, el Porterhouse. En la descripción que hacía de la casa, se podía casi percibir el olor del lugar: «Acogedor, aunque desordenado. [...] Hay colillas y bebidas a medio terminar esparcidas por toda la casa». Su descripción de los cinco integrantes de la banda era también muy gráfica: «Lo primero que te choca de la banda es lo pequeñitos que son: todos rondan el metro sesenta; lo segundo son sus rostros frescos y el brillo en sus ojos. Sin embargo, al observarlos más de cerca, te percatas de que, aunque tienen la piel bastante lisa, parece más estropeada de lo que debería: los ojos son más vidriosos que brillantes. La gira les pasa factura, no hay duda. Bon Scott es el mayor y más estropeado de todos».

El concierto de Retford atrajo a un centenar de personas. Entre las canciones que tocaron esa noche se encuentran «Live Wire», «The Jack», «High Voltage» y una versión de «It's A Long Way To The Top (If You Wanna Rock 'n' Roll)», en la que Bon tocaba la gaita. Lo más evocador era la forma de describir a Angus en el escenario, con sus arrebatos frenéticos en el clímax de la actuación: «Empieza corriendo arriba y abajo como un rayo a medida que la música se va acelerando, como si descargara una serie de estímulos eléctricos sobre el muchacho. Al final, se deja caer al suelo, y desde ahí, siempre agarrado a su instrumento, describe un círculo completo, restregando la espalda sobre la mugre, se retuerce violentamente y, entonces, toca la nota final de la noche con tal fuerza que uno esperaría que se abriera un boquete en el escenario y desapareciera la banda al completo entre una nube de polvo». La gira Lock Up Your Daughters terminó en el Lyceum Theatre de Londres el 7 de julio, y antes de la aparición de la banda en el Reading Festival el 29 de agosto, otro redactor de *Sounds*, Phil Sutcliffe, predijo grandes cosas para AC/DC. Solo que, esta vez, sin referencia alguna al punk. «Lo que creo que va a hacer AC/DC con el heavy metal —escribió Sutcliffe— es revolucionarlo y ponerlo patas arriba». Tras describir a AC/DC como «una experiencia roquera completamente física —afirmó—, la música de los dos Young es como una fragua en una noche negra que combina calor y energía para crear algo casi bello. Es muy fuerte... Y las letras de Bon Scott, bueno, tienen pelotas». En este reportaje, también se recogía un comentario de Bon que se haría famoso. «Me pregunta si soy AC o DC. Y yo les digo: "Ni una cosa ni otra, yo soy el rayo de en medio"». El apoyo de Phil Sutcliffe a la banda tuvo una gran influencia y, como a otros muchos, Bon le atrapó. Como él mismo recuerda: «Bon era tan excéntrico y, a la vez, tan anclado a la tierra. [...] En el escenario era como un pirata, una especie de tipo duro, un macho, pero con un punto cómico. Dondequiera que iba, hacía que la gente se sintiera bien. Y atraía a las chicas, porque era muy divertido. Se notaba que las chicas pensaban lo divertido que debía de ser retozar con él en la cama».

Al final, la actuación de AC/DC en el Reading Festival del 29 de agosto no salió como ellos esperaban. Con dos de los más grandes del rock estadounidense como cabeza de cartel, Ted Nugent y Black Oak Arkansas, aquel día se presentaba como el trampolín perfecto para AC/DC, pero cuando salieron a tocar, a primera hora de la tarde, el público estaba empapado por la llovizna incesante y le costaba reaccionar. La banda estaba en medio de «The Jack» cuando el público se distrajo. Como me explicó Angus en 1991: «El verdadero furor se produjo cuando una rubia comenzó a recorrer lentamente la grada de fotógrafos que estaba justo delante del escenario y treinta mil ojos se posaron en ella. Malcolm me dijo: "¡Tienes que hacer algo para recuperar la atención del público!". Así que me bajé los pantalones».

Aquello fue un pequeño traspiés. En septiembre, la banda se embarcó en una gira europea de veinticinco conciertos como teloneros de la banda Rainbow de Ritchie Blackmore. A finales de octubre, con el lanzamiento del single «High Voltage», AC/DC volvió a Reino Unido con una gira más importante, que incluía un prestigioso concierto en el Hammersmith Odeon de Londres el 10 de noviembre. Y ese mismo mes llegó el lanzamiento de *Dirty Deeds Done Dirt Cheap* en dos versiones diferentes: una para Australia y otra para Europa.

La portada australiana del disco era una caricatura de Bon y Angus en un billar, donde el primero aparecía con un antebrazo gigante, a modo de Popeye el Marino, y Angus hacía el signo de la victoria como los punks que tanto les fastidiaban. En Europa, Hipgnosis se encargó del diseño, la misma compañía que diseñaba portadas icónicas para álbumes como *The Dark Side Of The Moon*, de Pink Floyd, o *Houses Of The Holy*, de Led Zeppelin. La imagen que Hipgnosis creó para ilustrar *Dirty Deeds Done Dirt Cheap* era un motelucho con un grupo de gente (un hombre de negocios, un motero, una colegiala, una abuela) con los ojos tapados con tiras negras. Era una imagen con una gran fuerza evocadora de la música sórdida que contenía el álbum.

Las diferentes versiones del álbum albergaban también distintos *track listing*. La australiana contaba con «Jailbreak», que anteriormente había sido single, y «R.I.P. (Rock In Peace)», una canción alborotada con un

«**Bon** decía que había escrito **"Problem Child"** para mí, pero yo **nunca** he **tenido** un **cuchillo** como dice la canción. Tener una **guitarra** ya era lo bastante **malo**».

Angus Young

mensaje simple: en palabras de Bon, «que te follen mientras toco». En Europa, estos dos temas fueron sustituidos por una nueva versión de «Rocker», originalmente en el álbum *T.N.T.*, y «Love At First Feel», que tenía un ritmo sucio que iba con el título. El tema que daba título al que una vez se describió de manera memorable como el álbum más «desviado» de AC/DC se convirtió en un himno que formó parte de los *sets* del directo de la banda durante décadas, con un riff fantástico y Bon en el papel de asesino a sueldo con varios medios a su disposición: zapatos de hormigón, cianuro, T.N.T... El tema «It's A Long Way To The Top (If You Wanna Rock 'n' Roll)» se retomaba en «Ain't No Fun (Waiting Round To Be A Millionaire)», mientras Bon se regodeaba en la clásica fantasía del niño pobre que quiere hacerse rico con una banda de rock 'n' roll. Como explicó en una entrevista: «Hace falta mucho tiempo para ganar el dinero suficiente para follarse a Britt Ekland». «Big Balls» era una broma larga que Bon cantaba con un acento pijo cómico, mientras la banda tocaba como si todos estuvieran borrachos, para terminar cantando a coro: «Bollocks! Knackers! Bollocks! Knackers!». («¡Pelotas! ¡Bolas!»). «Squealer» era una historia sórdida sobre cómo Bon se esforzaba por seducir a una virgen nerviosa, cantada sobre un insistente riff. «There's Gonna Be Some Rockin'» era tan vulgar como su título, un boogie simple con una letra que hablaba de un concierto de rock 'n' roll, la típica canción que podían haber escrito con los ojos cerrados.

Había un tema en el disco en el que la banda, y Bon en particular, se metía mucho. En el blues melancólico titulado «Ride On», el cantante, al que le encantaba alardear de las mujeres que tenía, reflexionaba sobre la soledad de una vida en la carretera. La banda la tocaba con sutileza y Angus lanzaba un solo muy cargado de emoción. «Ride On» es el mejor blues de AC/DC y la canción en la que Bon Scott desnudaba realmente su alma.

Izquierda: **Angus Young en el escenario en el Reading Festival de Reino Unido el 29 de agosto de 1976.**

Superior: **Bon Scott en el Hordern Pavilion, Sídney, 12 de diciembre de 1976.**

En este álbum, también había una canción en la que Bon rendía un homenaje a Angus con una dedicatoria irónica. Como me dijo Angus en el año 1991: «Bon decía que había escrito "Problem Child" para mí, pero yo nunca he tenido un cuchillo como dice la canción. Mi padre mi quitó el cuchillo cuando tenía cuatro años. Supongo que tener una guitarra ya era lo bastante malo. Pero, sí, ¡Bon me resumió en dos palabras!». Le sugerí que Bon podía haber usado solo un término. «Es verdad —se rio—, ¡de cuatro letras!».

Cuando AC/DC finalizó su gira por todo Reino Unido en la ciudad de Oxford el 15 de noviembre, lo hizo habiendo cumplido su misión. En siete meses, la banda se había abierto camino desde el Red Cow hasta el Hammersmith Odeon, y el álbum *Dirty Deeds Done Dirt Cheap* se estaba vendiendo bien. Sin embargo, en Estados Unidos, la cosa era distinta. En un momento en que en la mayoría de las emisoras de FM reinaban estrellas de soft rock como Fleetwood Mac, The Eagles y Peter Frampton, y el máximo exponente del hard rock era Boston, cuyo exitazo «More Than a Feeling» era una obra maestra de sofisticación melódica y perfección sónica, *Dirty Deeds Done Dirt Cheap* era un disco tan crudo y con tanto que pulir que las figuras más importantes de Atlantic Records lo consideraban comercialmente inviable. Por tanto, la compañía rechazó el lanzamiento en Estados Unidos.

La crítica que la revista *Rolling Stone* publicó en diciembre de 1976 sobre el álbum de AC/DC que Atlantic se había negado a lanzar en Estados Unidos, *High Voltage*, no hizo más que añadir escarnio a la herida. El redactor Billy Altman afirmó: «Los que se preocupan por el futuro del hard rock pueden consolarse al pensar que con el lanzamiento en Estados Unidos del primer álbum de estos campeones del mal gusto, sin duda, el género no puede caer más bajo».

Se llegó a sugerir que, en aquellos momentos, Atlantic estaba presionando a la banda para que cambiara de cantante. Según se decía, Bon tenía un carácter demasiado temperamental y una voz sucia que los estadounidenses tenían dificultades para entender. AC/DC aún tuvo que soportar más decepciones cuando volvió a Australia a finales de 1976 para una gira que se alargaría hasta enero de 1977. La banda, animada por su éxito en Reino Unido, quiso bautizar la gira como Little Cunts Did It, pero al final se llamó The Gian Dose of Rock 'n' roll. Además, ciertos días las salas estaban medio vacías. Un concierto celebrado en Tasmania atrajo solo a unas sesenta personas. Después de que *Dirty Deeds Done Dirt Cheap* hubiera alcanzado el número cuatro en las listas australianas, aquello fue como una patada en el estómago. La sensación general en Australia era que la banda había estado fuera demasiado tiempo, demasiado ocupada en abrir mercado en Reino Unido. Y fuera como fuese —olvidar tus raíces es traicionarlas—, aquello había avivado el resentimiento. Para AC/DC había sido un año de éxitos y fracasos. Lo que tenían claro era que el siguiente álbum haría que despegaran o se hundieran..

HIGH VOLTAGE

LANZAMIENTO INTERNACIONAL

Lanzamiento: 30 de abril de 1976
Grabación: 1974-1975, Albert Studios, Sídney, Australia
Sello: Atlantic
Productor: Harry Vanda y George Young

Todos los temas fueron escritos por Angus Young, Malcolm Young y Bon Scott, excepto los indicados.

CARA 1

«It's A Long Way To The Top (If You Wanna Rock 'n' Roll)»
«Rock 'n' Roll Singer»
«The Jack»
«Live Wire»

CARA 2

«T.N.T.»
«Can I Sit Next To You, Girl» (Young, Young)
«Little Lover»
«She's Got Balls»
«High Voltage»

MÚSICOS

Bon Scott: voz solista, gaita en «It's A Long Way To The Top (If You Wanna Rock 'n' Roll)»
Angus Young: guitarra solista
Malcolm Young: guitarra rítmica, coros
Mark Evans: bajo en «It's A Long Way To The Top (If You Wanna Rock 'n' Roll)», «Rock 'n' Roll Singer», «The Jack», «Live Wire», «T.N.T.», «Can I Sit Next To You, Girl».
Phil Rudd: batería en «It's A Long Way To The Top (If You Wanna Rock 'n' Roll)», «Rock'n' Roll Singer», «The Jack», «Live Wire», «T.N.T.», «Can I Sit Next To You, Girl»
George Young: bajo en «Little Lover», «She's Got Balls», «High Voltage»
Tony Currenti: batería en «Little Lover», «She's Got Balls», «High Voltage»

Personal adicional

Michael Putland: foto de portada

Little Lover» y «She's Got Balls» ya se habían publicado en el primer álbum australiano de AC/DC, *High Voltage*, en febrero de 1975.
El resto de temas se había publicado en el segundo álbum australiano de la banda, *T.N.T.*, en diciembre de 1975.

Lanzamiento: 20 de septiembre de 1976
Grabación: diciembre de 1975–marzo de 1976, Albert Studios, Sídney, Australia
Sello: Albert Productions
Productor: Harry Vanda, George Young

LANZAMIENTO AUSTRALIANO

Todos los temas fueron escritos por Angus Young, Malcolm Young y Bon Scott.
Portada: Kettle Art Productions

CARA 1
«Dirty Deeds Done Dirt Cheap»
«Ain't No Fun (Waiting 'Round To Be A Millionaire)»
«There's Gonna Be Some Rockin'»
«Problem Child»

CARA 2
«Squealer»
«Big Balls»
«R.I.P. (Rock In Peace)»
«Ride On»
«Jailbreak»

Atlantic Records lanzó una edición internacional modificada el 17 de diciembre de 1976 con una portada distinta de Hipgnosis, la compañía que había diseñado también las portadas icónicas de álbumes como *The Dark Side Of The Moon,* de Pink Floyd, o *Houses Of The Holy,* de Led Zeppelin. Sin embargo, Atlantic Records rechazó el lanzamiento del álbum en Estados Unidos, que se publicaría finalmente en 1981.

LANZAMIENTO INTERNACIONAL

(Excepto en Estados Unidos)

Todos los temas fueron escritos por Angus Young, Malcolm Young y Bon Scott.
Portada: Hipgnosis

CARA 1
«Dirty Deeds Done Dirt Cheap»
«Love At First Feel»
«Big Balls»
«Rocker»
«Problem Child»

CARA 2
«There's Gonna Be Some Rockin'»
«Ain't No Fun (Waiting 'Round To Be A Millionaire)»
«Ride On»
«Squealer»

MÚSICOS
Bon Scott: voz solista
Angus Young: guitarra solista
Malcolm Young: guitarra rítmica, coros
Mark Evans: bajo
Phil Rudd: batería
George Young: bajo en «There's Gonna Be Some Rockin'»

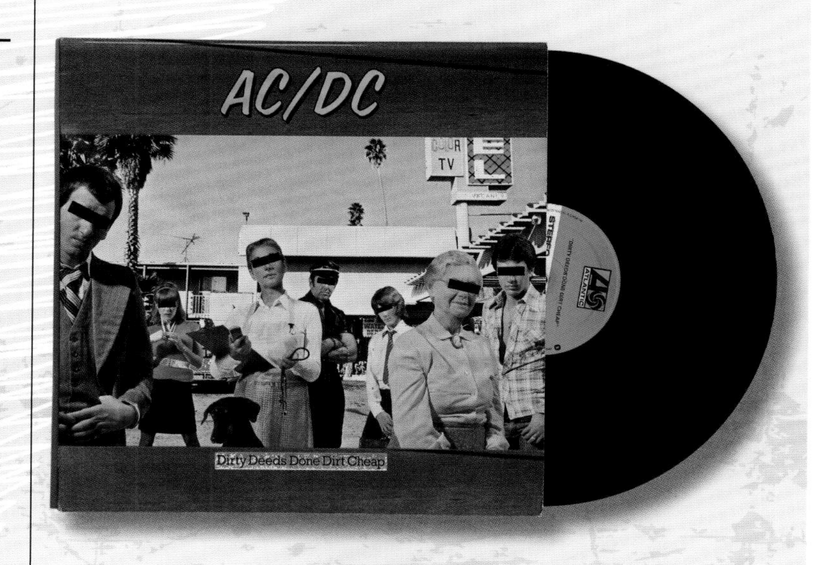

AC/DC es una palabra de cuatro letras

«Éramos bastante parecidos... chavalitos irritables con actitud. Ellos eran australianos engreídos, y nosotros, rebeldes sureños engreídos».

Gary Rossington, Lynyrd Skynyrd

Páginas anteriores: **el guitarrista Angus Young muestra su energía característica en el escenario.**

Derecha: **Bon Scott lleva a Angus Young a caballito en un concieto de febrero de 1977 en Hollywood, California.**

Tras el rechazo de *Dirty Deeds Done Dirt Cheap* por parte de Atlantic en Estados Unidos, y después de las decepcionantes cifras de su última gira australiana, la banda tenía mucho que demostrar. Y lo hizo con un disco de una ardiente intensidad y una fuerza abrumadora. Se concibió como «un álbum de guitarra cojonudo», como lo describió Angus, y en el centro había cuatro canciones que se convertirían en los pilares del *set* en directo de la banda durante décadas: «Hell Ain't A Bad Place To Be», «Bad Boy Boogie», «Whole Lotta Rosie» y la canción homónima del álbum.

Fue el álbum que disipó todas las dudas sobre AC/DC. El que los llevó a otro nivel. Y lo consiguieron sin un ápice de compromiso.

AC/DC no iba a pulir su espectáculo de ningún modo para el mercado estadounidense. Atlantic Records había firmado para tener una banda de rock 'n' roll que se dejara la piel, y eso era lo que iba a tener con *Let There Be Rock*. Desde el principio, el objetivo de Vanda y Young había sido captar la energía de los directos de la banda, enlatar esa chispa. Para ello, grabaron el disco como si se tratara de un directo, con la banda tocando junta, a toda máquina, y si las mejores tomas tenían imperfecciones, no importaba.

Todo esto era evidente en el disco: en los primeros segundos del tema «Go Down», en los que la banda estaba calentando antes de que Bon hiciera la cuenta atrás y, después, con su primer gran *power chord* vino un gemido en «Hell Ain't A Bad Place To Be», donde las guitarras tocaban directamente fuera de tono; y en «Overdose», que comenzaba de un modo caótico, con una falsa entrada y una nota errática, antes de que los hermanos Young cogieran el *groove*. En este sentido, *Let There Be Rock* era tan natural como cualquiera de los grandes álbumes punk de 1977.

En el que iba a ser un álbum decisivo, elegir «Go Down» como primer tema era una opción atrevida por la forma de desacelerarse para pasar de un boogie impulsivo a una distendida improvisación *funky* en la que Bon y Angus jugaban a responderse parodiando un gemido orgásmico. Al fin y al cabo, era una canción sobre mamadas. En «Dog Eat Dog» se creaba un ambiente pesado en el que la sombría meditación de Bon sobre la lucha por la supervivencia se veía avasallada por la brutal agresión de la banda. El tema que daba nombre al álbum era un sarcástico sermón rocanrolero inspirado en el «Roll Over Beethoven» de Chuck Berry; en esencia, el mito de la creación del rock, con frases de Bon copiadas de una Biblia comprada en una librería de Sídney. Durante la grabación de este tema, captado en directo desde el suelo del

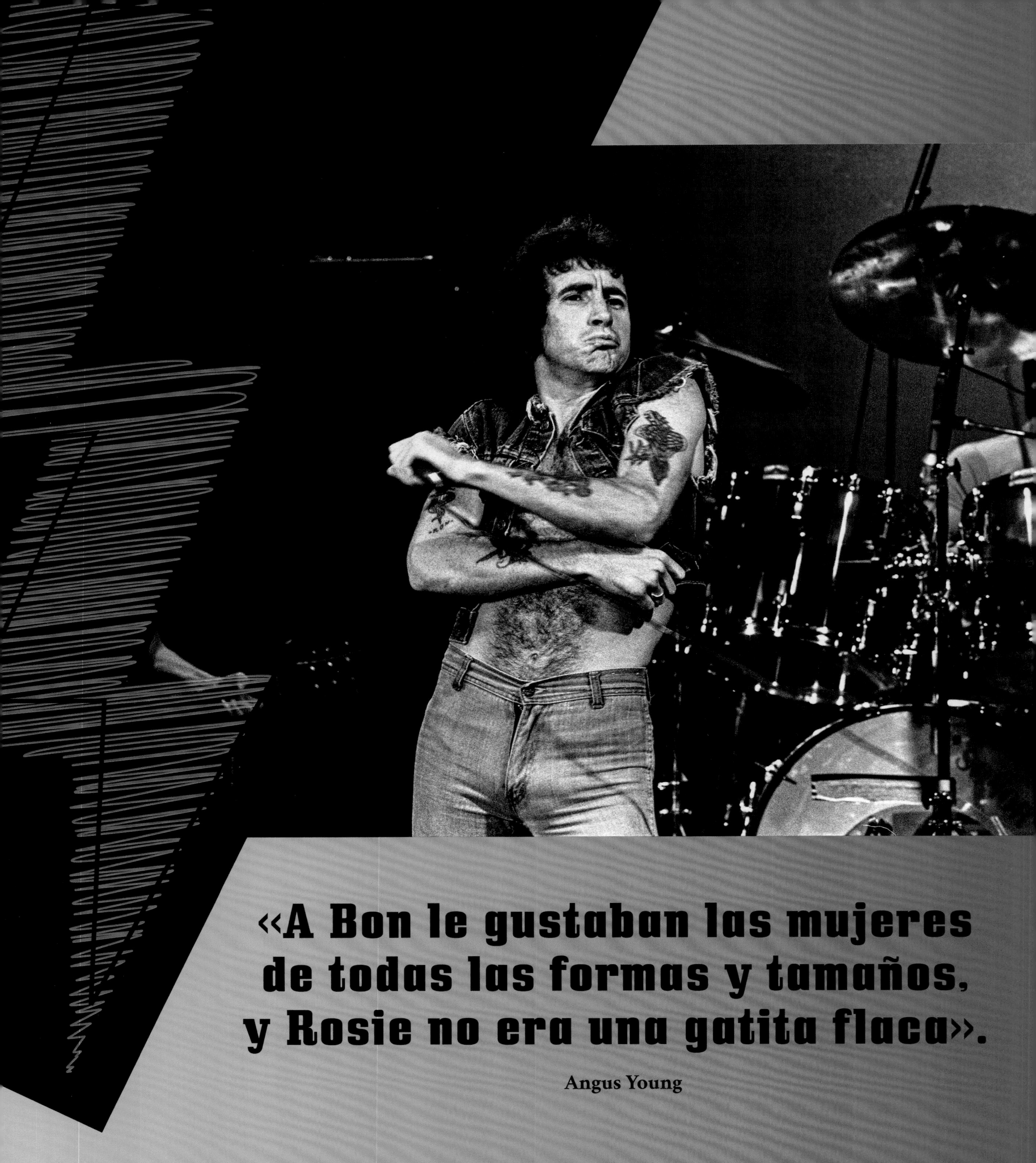

«A Bon le gustaban las mujeres de todas las formas y tamaños, y Rosie no era una gatita flaca».

Angus Young

estudio, fue tal la intensidad de la interpretación de la banda que George Young se negó a detener el solo de Angus, a pesar del recalentamiento de su amplificador, que ardía.

«Bad Boy Boogie», que tenía un título muy explícito, es una típica canción de rebelde sin causa que evoluciona en escena como una verdadera exhibición de la pirotecnia de *guitar hero* de Angus. «Overdose» es una historia de obsesión sexual, no de drogas, construida alrededor de un riff con un poder hipnótico. En «Crabsody In Blue» había otra dosis del humor vulgar de Bon, otro sucio tema blusero, esencialmente «The Jack» Parte II, cuyo tema se retomaba en ese título cargado de doble sentido. «Hell Ain't A Bad Place To Be» contenía uno de los riffs onanistas más descarados de Malcolm y una historia ingeniosa de Bon sobre una chica mala que le hacía perder la cabeza, se gastaba su dinero y, lo peor de todo, se le bebía la priva. Y para terminar, «Whola Lotta Rosie». Con su explosivo staccato en la introducción y el estribillo desenfrenado, era la canción en la que la intensidad abrasadora y la fuerza abrumadora llegaban al clímax, con una letra de Bon que se convirtió en la más famosa que había contado jamás.

La escribió en honor de una seguidora entrada en carnes de Melbourne con la que se lió en 1975, y como en todas las buenas historias roqueras, los detalles iban cambiando según a quién se le contaban.

Angus Young me explicó en 1991: «Rosie era una mujer de Tasmania. Una mujer grande. Bon la conoció una noche que salió a dar un paseo a medianoche. Él pasaba por un motelucho sórdido y Rosie sacó la cabeza por la ventana y gritó: "¡Ooh, Bon Scott!". Bon había tomado unas cuantas copas esa noche... Le gustaba beber, pero el alcohol distorsionó un poco las cosas, ya me entiendes. Bon entró en el motel y Rosie y su amiga lo arrastraron a la cama. Bon cumplió con su deber, por decirlo de alguna manera. No recordaba mucho de lo que había ocurrido, pero sí se acordaba de que se había hecho el dormido y que había escuchado que Rosie le susurraba a su amiga: "¡Es el número veintisiete de esta semana!". A Bon le gustaban las mujeres de todas las formas y tamaños, y Rosie no era una gatita flaca».

Malcolm Young me dio algún detalle más en 2003. Había formado parte de la historia y había sido el otro testigo de los hechos: «La vi —rio—. Estábamos en un Travelodge de Melbourne, en el corazón del barrio de las prostitutas, no teníamos ni blanca. Bon me dijo que había dos chicas que nos cocinarían algo, una pájara gorda y otra flacucha. Esa noche no estaba

Izquierda: **Bon Scott en 1977.**

Inferior: **«Rosie», la protagonista de la historia más memorable de Bon Scott cantada en «Whole Lotta Rosie».**

«Geezer estaba en el bar, llorando a su cerveza. No le estaba ofreciendo consuelo. Me sacó esa estúpida navaja. Ozzy entró en ese momento. Le dijo: "Tú, Butler, puto idiota... ¡vete a la cama!"».

Malcolm Young

borracho, gracias a Dios. Pero al pobre Bon, aquella enorme jaca le saltó encima y lo tendió en una cama individual. La otra pájara se quedó ahí sentada. Era muy fea, y dije: "Me voy a mear" y me largué. Bon dijo que le había costado media hora salir de la cama y que, cuando ya se estaba escabullendo, ella le volvió a enganchar».

Por su parte, Bon explicó que había sucumbido al poderoso abrazo de Rosie, en parte por una extraña noción de galantería (un hombre tiene que hacer lo que tiene que hacer), y, en parte, porque, como comentó él mismo: «Me habría roto el brazo si me hubiera negado». Sin duda, el tema decía mucho del hombre que lo cantaba. La mayoría de estrellas del rock eran demasiado vanidosas para contar una historia como aquella, pero Bon, no. Él se jactaba de ella.

Con el álbum completo, la banda dio algunos conciertos en Australia y, después, en febrero, volvió a Reino Unido para embarcarse en una gira que arrancaba en la University of Edinburgh el 18 de febrero, y que incluía una actuación en el Rainbow Theatre del barrio londinense de Finsbury Park para el 11 de marzo.

Seguían promocionando el álbum *Dirty Deeds Done Dirt Cheap*, pero el público de Londres obtuvo un avance de lo que estaba por llegar con tres temazos de *Let There Be Rock*: «Dog Eat Dog», «Bad Boy Boogie» y «Whole Lotta Rosie». Cuando salió el nuevo disco en Australia, el 21 de marzo, la gira británica estaba llegando a su fin. En junio, se publicó en Estados Unidos, pero el lanzamiento en Europa y Reino Unido se pospuso hasta octubre. En Australia, la portada del disco era una fotografía en blanco y negro granulada de unas manos sobre el traste de una guitarra. Y no eran ni las de Angus ni las de Malcolm, sino las de un amigo de ambos.

AC/DC emprendió la gran gira europea con la presentación de *Let There Be Rock* en abril, con unos

Superior: **AC/DC en directo en el escenario de Kursaal Ballroom, Southend-on-Sea, Reino Unido, 19 de marzo de 1977. Las fotografías de Keith Morris se emplearían luego para la portada de *Let There Be Rock*.**

Izquierda: **Geezer Butler** (superior) **y Ozzy Osbourne** (inferior)**, de Black Sabbath.**

cuantos conciertos como titulares y una docena de actuaciones como teloneros de una leyenda británica del heavy metal, Black Sabbath. La carrera de los Sabbath estaba en un punto delicado. Su álbum de 1976, *Technical Ecstasy*, fue el primero que cayó de entre el top ten de Reino Unido y, en Estados Unidos, había quedado fuera de los cincuenta primeros. Las tensiones en el seno del grupo, exacerbadas por la cocaína y el alcohol, pronto propiciaron que el cantante, Ozzy Osbourne, dejara a los Sabbath para emprender una carrera en solitario. En medio de esa tormenta, lo que menos necesitaban era tener unos teloneros tan fantásticos como AC/DC. Además, aunque Ozzy reveló después que él y Bon se llevaban bien —dos personalidades extraordinarias y dos grandes alcohólicos—, no existía la misma camaradería entre Malcolm Young y el bajista de los Sabbath, Geezer Butler. Después de una actuación en la ciudad suiza de Zúrich, se produjo un incidente en el bar del hotel en el que se cuenta que Malcolm le sacó un cuchillo a Butler. Malcolm me dio una versión muy distinta de los hechos de aquella noche cuando me narró la historia en 2003. «Fue al revés —me dijo—. Éramos todos unos camorristas. Estábamos hospedados en el mismo hotel y Geezer estaba en el bar, lloriqueándole a su cerveza: "Diez años llevo en esta banda, diez... Esperad a llevar vosotros diez años y os sentiréis como nosotros". Yo le comenté: "No lo creo". No le estaba ofreciendo consuelo. Fue lo que le faltó, y me sacó esa estúpida navaja. Por suerte, Ozzy entró en ese momento. Le dijo: "Tú, Butler, puto idiota... ¡Vete a la cama!". Ozzy salvó la situación y nos quedamos toda la noche juntos en vela».

Inferior: **el bajista Cliff Williams, que substituyó a Mark Evans, actuando en el Palladium de Nueva York, 24 de agosto de 1977.**

Derecha: **Lynyrd Skynyrd, 1977.** I-D: **Ronnie Van Zant, Gary Rossington y Allen Collins.**

El 22 de abril, el último día de esa gira, en Goteborg, Suecia, fue el último que Mark Evans tocaba como integrante de AC/DC. Habían surgido diferencias entre él y Angus, y eso solo podía terminar de un modo. Cuando la banda volvió a Londres desde Suecia, Angus y Malcolm informaron al manager, Michael Browning, de que el bajista estaba fuera. Despidieron a Evans el 3 de mayo, y el bajista se apresuró a regresar a Australia, donde se unió a una nueva banda llamada Finch.

A las pocas semanas, Cliff Wiliams obtuvo el puesto de nuevo bajista de AC/DC. Nacido el 14 de diciembre de 1949 en Romford, Essex, William se había criado en Liverpool y, en la adolescencia, se había trasladado a Londres, donde había pasado épocas muy duras. Llegó a dormir en la calle. Aceptaba cualquier trabajo que le ofrecieran, como en demoliciones, hasta que, en 1970, entró en la música con el grupo de rock Home. En 1971, grabaron el álbum *Pause For a Hoarse Horse*, y el mismo año colaboraron con Led Zeppelin. Más tarde, hicieron de teloneros para otros grandes nombres, como The Jeff Beck Group, Mott The Hoople y Slade, pero tras el fracaso de su álbum conceptual de 1973 titulado *The Alchemist*, la banda se separó cuando el guitarrista Laurie Wisefield la abandonó para unirse a la exitosa Wishbone Ash. Durante los años siguientes, Williams trabajó como músico de estudio y fundó un nuevo grupo, Bandit, pero, para cuando recibió la llamada de AC/DC, ya tenía la sensación de que el proyecto no iba a prosperar. Hizo una prueba en junio, justo a tiempo, puesto que la primera gira estadounidense de la banda comenzaba en julio y, al poco tiempo, se encerraron en un local de ensayos de Sídney para trabajar en su nuevo material.

El 25 de julio se lanzó *Let There Be Rock* en Estados Unidos con dos cambios significativos respecto de la edición original australiana. En primer lugar, una portada nueva: una fotografía de la banda sobre el escenario, con poca iluminación, pero muy evocadora, como si estuvieran tocando entre nubes de tormenta. Se veía a Angus bajo el foco, con la guitarra en alto, y Bon permanecía entre las sombras como una presencia amenazadora. Esta portada también lucía, por primera vez, el logo de AC/DC que se haría famoso en todo el mundo: anguloso y con líneas

amarillas bordeando el contorno del rojo sangre. El otro cambio afectaba al *track listing* del disco, con una toma alternativa de «Problem Child» en lugar del jocoso tema «Crabsody In Blue». Este cambio hacía intuir ecos del rechazo de *Dirty Deeds Done Dirt Cheap* por parte de Atlantic, pero fue un detalle menor.

En las sesiones de Sídney, produjeron tres nuevas canciones, un par de goriladas —«Kicked In The Teeth» y «Up To My Neck In You»—, y otro tema un poco más *funky*, «Touch Too Much». El último trabajo que creó la banda antes de embarcarse hacia Estados Unidos fue la filmación de un videoclip promocional para la canción «Let There Be Rock». Se lo pasaron bien grabándolo. Haciendo honor al tema sacrílego de la canción, el vídeo se grabó en la iglesia de Surry Hills Kirk Gallery, con Bon ataviado de cura, incluido el alzacuellos, y Angus en el papel de monaguillo del coro coronado con un halo flexible. Bon se lesionó los ligamentos del tobillo al saltar del altar en el punto álgido de la canción. Alguien más devoto que él podría haber pensado que se trataba de un castigo divino. Pero una cosa tan trivial como un tobillo lesionado no iba impedir el viaje de Bon y AC/DC a Estados Unidos. Era la cuna del rock 'n' roll y del blues, el hogar de sus héroes: Chuck Berry, Little Richard, Elvis o Muddy Waters. Los AC/DC estaban decididos a conseguir que los estadounidenses se rindieran a sus pies, como habían hecho con los británicos.

Su violento arranque en Estados Unidos se produjo el 27 de julio en Texas, donde acompañaron a la banda canadiense Moxy en el teatro de Austin con un nombre muy original: Armadillo World Headquarters. Durante las horas previas al concierto, había cundido el pánico en el entorno de la banda: nadie había visto a Bon desde que había desaparecido la noche anterior junto a unos cuantos mexicanos. Pero media hora antes del inicio, Bon llegó a la sala en la camioneta de los mexicanos, un poco perjudicado después de un fiestón de veinticuatro horas con ellos. Y nada más subirse al escenario, se dejó llevar mientras el rock 'n' roll visceral de AC/DC conectaba con el alborotado público texano. La primera actuación en suelo estadounidense había sido un éxito, y cuando se trasladaron a Jacksonville, Florida, el 6 de agosto, para compartir cartel con REO Speedwagon, la banda de rock más famosa de la ciudad estaba entre el público. Lynyrd Skynyrd eran los representantes del rock sureño, una sentida mezcla de boogie, blues, country y heavy. Con himnos como «Free Bird» y «Sweed Home Alabama», Skynyrd se había convertido en el conjunto más importante de Estados Unidos. Los sureños encontraron en AC/DC un alma gemela.

Como el guitarrista de Skynyrd, Gary Rossington, dijo a la revista *Classic Rock*: «AC/DC nos encantó a todos. La banda tenía mucha energía. Nosotros éramos una banda de guitarristas, así que nos encantaban los guitarristas, y respecto a Angus, no hay nada mejor. Así que después

«Improvisar con esos tíos —dijo— molaba mucho. Fue brutal».

Gary Rossington, Lynyrd Skynyrd

del concierto, fuimos a conocerlos al *backstage* y nos tomamos unas copas con todo el grupo. Ya sabes cómo van estas cosas. Siempre hay cierta rivalidad entre bandas, pero cuando conocimos a esos tíos, hicimos buenas migas enseguida. Éramos bastante parecidos... chavalitos irritables con actitud. En realidad, éramos el mismo tipo de banda. Ellos eran australianos engreídos y nosotros, rebeldes sureños engreídos».

Aquella noche, Rossington invitó a los integrantes de AC/DC y al bajista de Skynyrd, Leon Wilkeson, a su casa. Se sentaron junto al río que cruzaba el terreno de Rossington y estuvieron bebiendo y charlando hasta el amanecer. Al día siguiente, las dos bandas, doce personas en total, se fueron juntos al local de ensayo de Skynyrd para una *jam session*. Rossington no era capaz de recordar exactamente qué tocaron, por la cantidad de alcohol que habían ingerido, pero estaba bastante seguro de que tocaron «Sweet Home Alabama». «Improvisar con esos tíos —dijo— molaba mucho. Fue brutal. Pasamos buenos ratos». Rossington también habló del vínculo que se estableció entre el cantante de Skynyrd, Ronnie Van Zant, y Bon Scott. «Ronnie y Bon se respetaban mucho —recordó—. Ambos eran grandes narradores de historias. Todo el mundo podía identificarse con las letras. Escribían de una manera simple, pero a la vez muy divertida».

AC/DC viajó de costa a costa durante aquella gira. Hicieron de teloneros de Foreigner y Santana, y también de Johnny Winter, una leyenda del blues y un héroe para Angus. Por extraño que parezca, la banda, que siempre había detestado que la vincularan al punk rock en Londres, entró en la escena punk de Nueva York con dos actuaciones en la misma noche del 24 de agosto. En el Palladium, donde hicieron de teloneros de los héroes locales, The Dictators, uno de los primeros grupos punk. Horas después, se encontraban en el famoso club CBGB, el hogar espiritual del punk, haciendo de teloneros de The Marbles, una banda de power-pop.

Cinco días después, AC/DC estaba en el otro extremo del país, tocando en el primero de sus tres compromisos en el Whisky a Go Go, el club de Los Ángeles donde se habían hecho un nombre muchos de los grandes grupos estadounidenses de finales de la década de 1960, incluidos The Byrds y The Doors. Al debut de AC/DC en Los Ángeles, solo se presentaron unas ochenta personas, pero, entre ellas, se encontraban tres grandes estrellas del rock: Iggy Pop, el cantante de Aerosmith; Steven Tyler y Gene Simmons, de Kiss. En el segundo y el tercer conciertos, la sala se llenó. Cuando llegaron a las actuaciones del Old Waldorf de San Francisco, ya atraían a ochocientas personas cada noche.

Izquierda superior (I-D): **Angus Young, Bon Scott y Malcolm Young el 24 de agosto de 1977, tocando en el Palladium de Nueva York.**

Izquierda inferior: **la misma noche también tocaron en el famoso club CBGB de Nueva York.**

Inferior: **Def Leppard, 1979** (I-D): **Joe Elliott, Rick Savage, Pete Willis, Rick Allen y Steve Clark.**

Cuando el 7 de septiembre terminó la gira por Estados Unidos en Fort Lauderdale, *Let There Be Rock* había ascendido al puesto 154 de la lista *Billboard*. Pero también AC/DC estaba dispuesto a correr una carrera de fondo. Volverían a Estados Unidos después de sus giras por Europa (septiembre) y Reino Unido (octubre).

El 7 de octubre se lanzaba *Let There Be Rock* en Reino Unido, y una crítica de Phil Sutcliffe en *Sounds* daba en el clavo: «AC/DC es una ban-

da de cuatro letras —escribió—. Bien podría haber escuchado por primera vez *Let There Be Rock* en el baño: muy útil para lavarme la boca con jabón. Apenas podía creer la [borrado] audacia de los hijos de [borrado], la cruda [borrado] simplicidad y el [borrado] estilo directo de los pequeños [borrado]. Me [borrado] totalmente...». Sutcliffe apuntó un sutil cambio en la música de la banda, tal como ilustraban las canciones más largas, como la que daba título al álbum. «Hay una sensación de espacio y tensión en la fuerza directa que siempre han demostrado en abundancia». Tenía la impresión de que Vanda y Young lo habían clavado enlatando esa chispa. «Ya sabéis lo que hace AC/DC en directo. Hacen saltar los techos. Destruyen las paredes. Trituran los escombros hasta convertirlos en polvo fino. Bueno, es la primera vez que los oigo plasmar todo eso en un disco». Y la crítica terminaba con un guiño a Bon: «Diez años mayor que los demás de la banda y, tanto en el corazón como en la mente, sigue siendo un crío inconformista. Nadie podría igualar la sencillez de sus homenajes a viejos conocidos en temas como "Crabsody In Blue" y "Whola Lotta Rosie". Cuando hicieron a Bon Scott, rompieron el molde».

La gira británica se inició el 12 de octubre en el Sheffield City Polytechnic. Entre el público se encontraban los cinco miembros de una joven banda de rock local llamada Def Leppard. Como recordaba Joe Elliott, el cantante de Leppard: «La banda [Def Leppard] solo llevaba unos meses en marcha, así que esa actuación era importante para nosotros». Durante esa gira, los AC/DC recibieron devastadoras noticias de Estados Unidos respecto a sus amigos de Lynyrd Skynyrd. El 20 de octubre, el avión de Skynyrd se estrelló en Gillsburg, Mississippi, con un total de seis muertos, entre los que se contaban Ronnie Van Zant, el guitarrista Steve Gaines y su hermana Cassie, corista de la banda.

Con la segunda gira de AC/DC por Estados Unidos muy próxima, el grupo se tomó un respiro, un breve descanso alejado del trabajo. Bon se fue a París con su novia, Silver Smith, a visitar a Ronnie Wood, aprovechando que los Rolling Stones estaban grabando su álbum *Some Girls* en los estudios Pathé-Marconi de la ciudad. En aquella primera visita a París, Bon conoció a la banda de rock francesa Trust. Se sentó con ellos a ver cómo grababan una versión del «Love At First Feel» de AC/DC, que habían modificado con letra en francés y un nuevo título: «Paris By Night».

A su regreso a Estados Unidos a mediados de noviembre, AC/DC fue telonero del trío canadiense Rush, una banda de hard rock muy diferente, con canciones largas y complejas, letras intelectuales, una fuerte influencia del rock progresivo y gran afición a salir con ropa de seda al escenario. Después, siguieron más fechas con UFO, que tocaba un hard rock directo y cuyo guitarrista, Michael Schenker, era todo un maestro de la guitarra al nivel de Angus. A los chicos de UFO les gustaba

Inferior: **el grupo estadounidense Cheap Trick** (I-D): **Robin Zander, Bun E. Carlos, Tom Petersson y Rick Nielsen.**

tanto el alcohol como a Bon. Entre Pete Way y Bon se fraguó una buena amistad a costa de noches en blanco. El 7 de diciembre, cuando AC/DC volvió a Nueva York, se tomaron un descanso de la gira para tocar frente a un público reducido en Atlantic Studios. La actuación se emitió en directo en Filadelfia a través de Radio WIOQ y, después, se repartió un álbum meramente promocional a las demás radios del país que se tituló *Live From The Atlantic Studios,* y contenía «Live Wire», «Problem Child», «High Voltage», «Hell Ain't A Bad Place To Be», «Dog Eat Dog», «The Jack», «Whole Lotta Rosie» y «Rocker».

La gira duró un par de semanas más como teleneros de Aerosmith, Kiss, Blue Oyster Cult y de los *pomp rockers* de Styx, y compartiendo cartel en unas cuantas actuaciones con otra banda emergente, los Cheap Trick de Rockford, Illinois, cuyo álbum de 1977, *In Color*, se reveló como uno de los mejores del año, un clásico del power-pop, cuyo guitarrista diría después que AC/DC era «indiscutiblemente la mejor banda de rock que había escuchado nunca».

La última actuación fue con Kiss, en Pittsburgh, el 21 de diciembre. Después, AC/DC volvió a Australia a pasar las Navidades. El año 1977 había sido bueno para ellos, con un disco que era pura dinamita, *Let There Be Rock*, y el mercado estadounidense empezando a interesarse por su música. El año siguiente sería aún mejor, puesto que la banda lanzó no uno, sino dos de los mejores discos de rock 'n' roll de la historia.

LET THERE BE ROCK

AUSTRALIA

Lanzamiento: 21 de marzo de 1977
Grabación: enero-febrero de 1977, Albert Studios, Sídney, Australia
Sello: Albert Productions
Productor: Harry Vanda, George Young

Todos los temas fueron escritos por Angus Young, Malcolm Young y Bon Scott.

Diseño de portada y fotografía: Colin Stead

CARA 1
«Go Down»
«Dog Eat Dog»
«Let There Be Rock»
«Bad Boy Boogie»

CARA 2
«Overdose»
«Crabsody In Blue»
«Hell Ain't A Bad Place To Be»
«Whole Lotta Rosie»

INTERNACIONAL

Lanzamiento: 25 de julio de 1977
El vinilo original se lanzó en todos los mercados, excepto en Estados Unidos, Canadá y Japón, con «Crabsody In Blue» en lugar de «Problem Child». Esta portada también presenta por primera vez el ahora mundialmente conocido logo de AC/DC.
Dirección artística: Bob Defrin
Fotografía de portada: Keith Morris

CARA 1
«Go Down»
«Dog Eat Dog»
«Let There Be Rock»
«Bad Boy Boogie»

CARA 2
«Overdose»
«Problem Child»
«Hell Ain't A Bad Place To Be»
«Whole Lotta Rosie»

MÚSICOS
Bon Scott: voz solista
Angus Young: guitarra solista
Malcolm Young: guitarra rítmica, coros
Mark Evans: bajo
Phil Rudd: batería

A
C
A
D

Si quieren sangre...

«Fue un concierto mágico. En una sola noche, guitarras desafinadas, acoples, el cantante tirándose pedos, de todo».

Angus Young

Del mismo modo que James Brown se definía como el tipo más trabajador del negocio del espectáculo, AC/DC trabajaba más duro que cualquier otra banda de rock de finales de la década de 1970. No aflojaron la marcha y pasaron directamente de la gira de *Let There Be Rock* a la grabación de su nuevo álbum, *Powerage*.

La diferencia fue que, esta vez, Atlantic Records se implicó un poco más, y, en especial, Phil Carson, el hombre que había captado a la banda. Carson les dejó claro que quería un álbum algo más accesible, y más dirigido al mercado estadounidense, y para ello presionó mucho para que se incluyera una canción que creía que tenía madera de éxito: «Rock 'n' roll Damnation», con un ritmo divertido y un estribillo pegadizo. La banda contaba con otros temas pegadizos como «Gimme A Bullet» y «What's Next To The Moon», este último con una letra retorcidamente divertida en la que Bon hacía referencia a Superman y a Casey Jones. También tenían un himno en forma de canción sobre jugadores, «Sin City». Pero el resto del material seguía manteniendo toda la crudeza sin pulir de *Let There Be Rock*.

Los dos temas presentados en junio de 1977 en Sídney eran de los que cargaban las pilas: «Up To My Neck In You» era toda una provocación para los sentidos; «Kicked In The Teeth», tan brutal como el propio título, comenzaba con un aullido de indignación de Bon por una mujer embustera antes de que la banda entrara al galope con una melodía rápida y furiosa. «Riff Raff» era otra canción de 1977, en la que se empezó a trabajar durante las sesiones de *Let There Be Rock*, una de las más enérgicas grabadas por la banda, de esos de «a por todas, sin dejar prisioneros» que contrastaba frontalmente con el tema de lenta combustión titulado «Cold Hearted Man», con un aire premonitorio en el tono insidioso con el que Bon contaba una historia de un misterioso solitario con hielo en los ojos. Como letrista, Bon tenía dos canciones de descarnada autenticidad. «Down Payment Blues» no era un blues en el sentido convencional, pero, sobre un agobiante riff, Bon plasmaba la dura realidad de los años que había vivido en precariedad. Mientras que en «Gone Shootin'», el tema más *funky* de AC/DC, cantaba su relación fracasada con una novia yonqui, seguramente refiriéndose a Silver. Lo terrible eran los detalles: cómo la chica nunca conseguía pasar de la puerta del dormitorio, y cómo él removía el café con la misma cuchara que ella usaba para la heroína.

El álbum *Powerage* se grabó principalmente por la noche. La banda empezaba alrededor de las ocho de la tarde y seguía trabajando hasta el amanecer. Lo terminaron en ocho semanas, lo que les permitió tener un par de semanas libres antes de que empezara la gira de Reino Unido en el Hanley Victoria Hall el 27 de abril. Por aclamación popular, la gira se amplió de ocho a veinticuatro conciertos. El 30 de abril, la banda entraba en el Apollo de Glasgow para tocar en un concierto que pasaría a la historia.

Llevaban un año o dos hablando de grabar un disco en directo, en parte como respuesta a la propuesta de Atlantic, un álbum de mejores

Página anterior: (I-D): **Bon Scott, Cliff Williams, Angus Young, Phil Rudd, Malcolm Young, 1978.**

Derecha: **el Apollo de Glasgow, Reino Unido, donde AC/DC grabó su primer álbum en directo el 30 de abril de 1978.**

Página 75: **Angus Young y Bon Scott en el escenario del Apollo de Glasgow con la equipación completa del equipo de fútbol de Escocia.**

R6

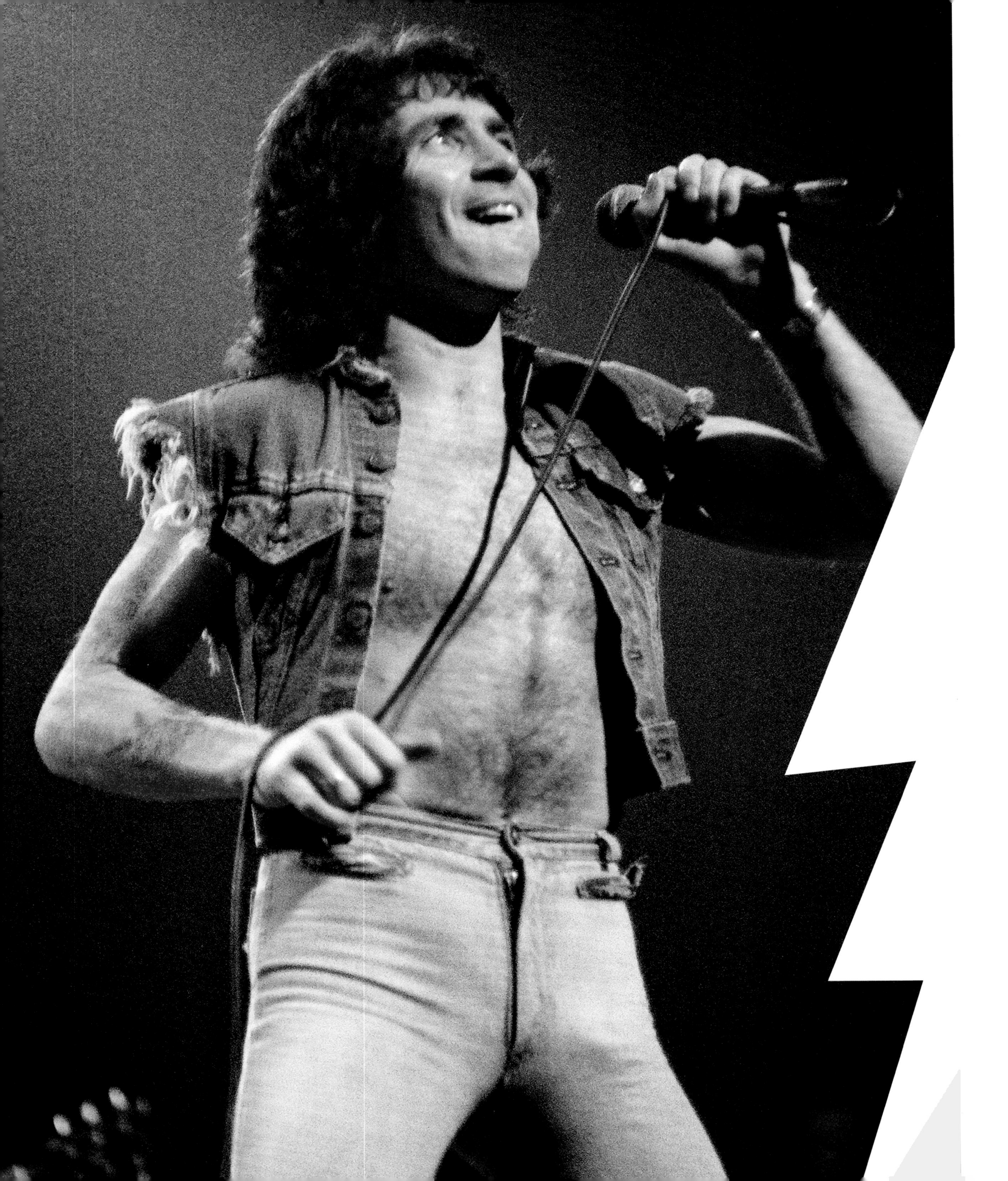

temas de AC/DC, que la banda había descartado enseguida. AC/DC pensó que sería mucho mejor grabar en directo. Estaban en su mejor momento sobre el escenario y, en la década de 1970, un álbum en directo era una declaración de intenciones que definía a los grandes del rock como Deep Purple con *Made In Japan*, The Allman Brothers Band con *At Fillmore East*, Led Zeppelin con *The Song Remains The Same*, KISS con *Alive!* y Peter Frampton con el fenómeno de ventas multimillonarias de *Frampton Comes Alive!* Para AC/DC no existía un lugar mejor donde grabar un álbum en directo que Glasgow, la ciudad natal de los hermanos Young. Además, el Apollo era conocido por su público agitado. Status Quo había grabado allí su álbum *Live!* en 1977. Lo que *Live!* había captado, esa interacción entre la banda y el público, el ambiente caldeado, era justamente lo que AC/DC obtuvo la noche del 30 de abril de 1978.

«Fue un concierto mágico —me dijo Angus después—. En una sola noche, guitarras desafinadas, acoples, el cantante tirándose pedos, de todo». Aquel era solo el tercer compromiso de la gira, pero la banda, acostumbrada a viajar y bien entrenada, era como una máquina. Abrieron con «Riff Raff» y tocaron dos temas más del disco que estaba a punto de salir: «Rock 'n' Roll Damnation» y «Gimme A Bullet». A aquellas alturas, el resto del *set list* ya estaba casi grabado a fuego: «Problem Child», «Hell Ain't A Bad Place To Be», «Bad Boy Boogie», «Dog Eat Dog», «The Jack», «High Voltage», «Whole Lotta Rosie», «Let There Be Rock» y «Rocker». Para los bises, la banda al completo salió con la camiseta de la selección de fútbol de Escocia, y eso lo hicieron en un momento en el que toda la nación estaba sumida en una fiebre futbolística hiperoptimista con vistas al Mundial de 1978 en Argentina, adonde la hinchada escocesa, el Tartan Army, viajaría para animar a su equipo. El público estaba alborotado durante la introducción a «Whola Lotta Rosie», y un cántico de «¡Angus!, ¡Angus!» acompañó a los primeros guitarreos. El cántico se repetiría a lo largo de los años en todos los conciertos de AC/DC. Aunque también se grabaron otras actuaciones de la gira, la banda, y Angus en especial, sabían que en las cintas de Glasgow tenían todo lo que necesitaban.

El 5 de mayo en el club Mayfair de Newcastle, el redactor de *Sounds*, Phil Sutcliffe, quedó maravillado con el progreso de la banda desde la primera vez que los vio en el escenario del Marquee de Londres, dos años atrás. «La guitarra solista de Angus suena más limpia y con mayor autoridad —afirmó—. La banda al completo va girando la tuerca hacia un ajuste óptimo que espero que nunca alcance, porque sería demasiado para cualquier cráneo humano. El resultado es una secuencia infinita de riffs gratificantes, "Hell Ain't A Bad Place To Be", "High Voltage" y la nueva "Riff Raff". Bon está casi todo el tiempo sonriendo con un placer lascivo al ver qué bien suena». Sutcliffe también comentó que Angus se había arreglado la boca: «una elegante ristra de dientes de marfil regulares que bien podrían pertenecer a la sonrisa de Donny Osmond». En este pequeño detalle había algo más importante. «Parece el único detalle en el que AC/DC ha hecho una mínima concesión a la inminente probabilidad de convertirse en estrellas —escribió Sutcliffe—. En su música y en su conducta, es tan ajena la presuntuosidad que estoy

Izquierda: **Bon Scott actúa en directo en la gira británica de *If You Want Blood*, Coventry Theatre, Reino Unido, 8 de noviembre de 1978.**

Inferior: **el periodista musical Phil Sutcliffe apuntó que la única concesión que había hecho la banda en relación a convertirse en estrellas había sido que Angus se había arreglado la boca: su música seguía sin ser pretenciosa.**

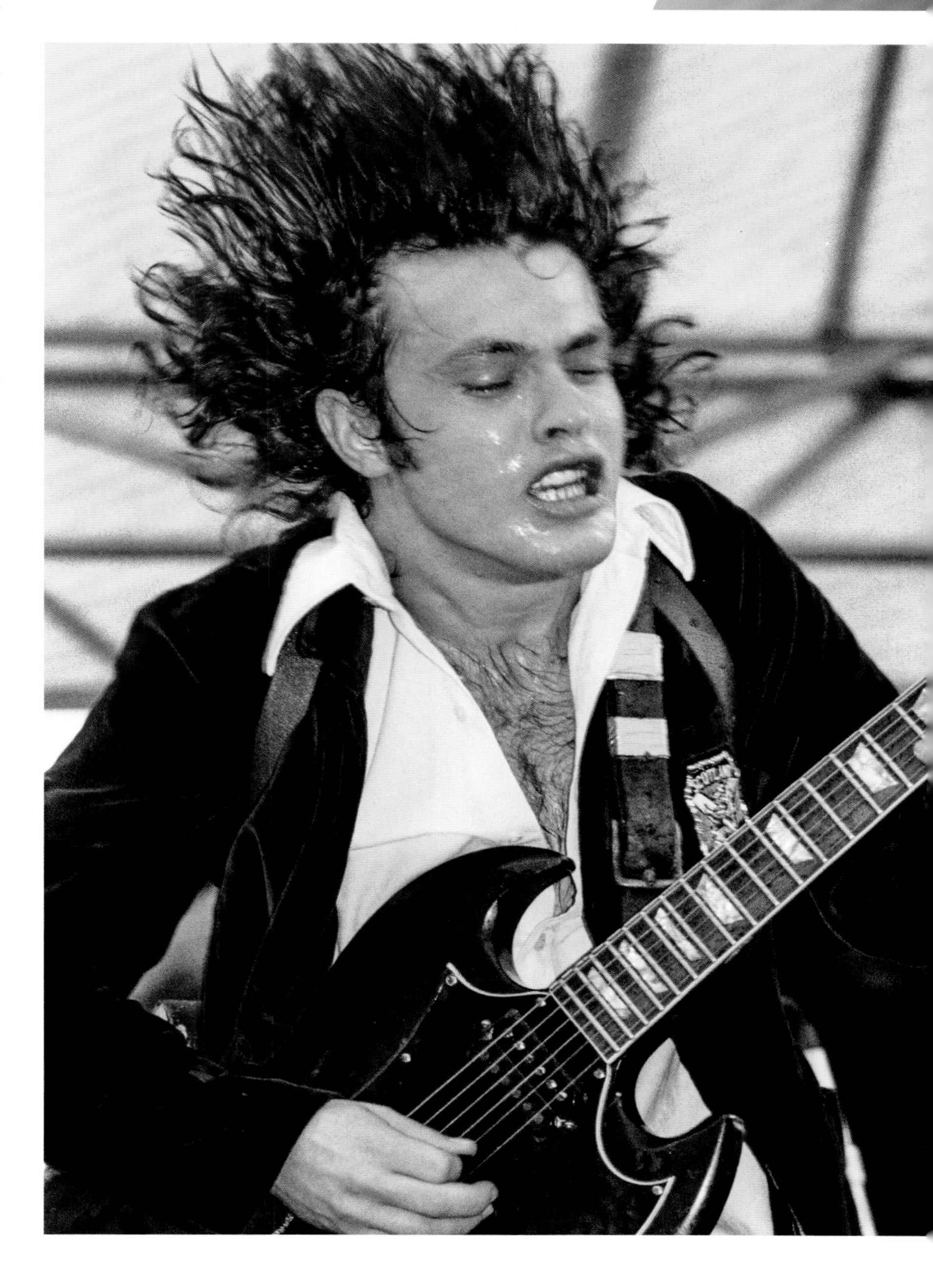

seguro de que nunca la tendrán. Se están perfilando como el Status Quo de la nueva generación, como piedra angular del rock 'n' roll».

Powerage se publicó en Europa y Estados Unidos el 5 de mayo, y en Australia dos semanas después. En Reino Unido alcanzó el número veintitrés y, a pesar de que las críticas del momento eran positivas, hasta muchos años más tarde no se reconocería el álbum como un clásico. Si bien Malcolm Young creía que era el álbum «más insuficiente» de la carrera de la banda, para Keith Richards, cuyo ritmo en los Rolling Stones servía de inspiración a Malcolm, *Powerage* era el mejor álbum de la historia de AC/DC. «Me encanta —dijo—. Son grandes canciones. La banda entera tiene intención, y yo lo oigo. Tiene alma. Eso es lo que me gusta del disco. No solo el sonido, sino que puedes captar literalmente su espíritu. Atemporal».

Al mes del lanzamiento de *Powerage*, AC/DC obtuvo su primer éxito al situar el single «Rock 'n' roll Damnation» en el puesto veinticuatro de las listas británicas. Con esto, el instinto de Phil Carson demostró su acierto. A esto, siguió la primera aparición de la banda en el programa musical más importante de Reino Unido. *Top of the Pops*, tras la que Angus

Superior: el promotor musical Bill Graham (izquierda), **organizador del Day on the Green #3, y Eddie Van Halen** (derecha) **actuando en el festival de 1978.**

hizo un viaje promocional a Australia, donde acabó improvisando en el escenario del club War And Peace de Sídney con los antiguos compañeros de Phil Rudd en Rose Tattoo, con una versión explosiva del «Keep A Knockin» de Little Richard. Después, Angus se reunió con el resto de la banda en Miami para disfrutar de un descanso de dos semanas antes de iniciar la gira de sesenta y tres actuaciones en Estados Unidos.

Primero actuaron en la Costa Este como teloneros de Alice Cooper, el legendario roquero que recientemente había ingresado en un centro para intentar dejar el alcohol. En sus peores tiempos, Cooper bebía tanto whisky cada noche que para intentar limpiarse el cuerpo desayunaba una Budweiser caliente para inducirse el vómito. Bon Scott, a pesar de los males despertares que tenía, todavía era un alcohólico funcional.

En Estados Unidos, las ventas de *Powerage* fueron modestas. El álbum ascendió al número 133 de *Billboard*. Donde AC/DC creaba sensación era en directo. Después de las giras con Alice Cooper, hicieron de teloneros de Aerosmith, cuyo guitarrista, Joe Perry, estaba anodadado con la energía de las actuaciones de AC/DC. Como recordó ante el escritor Murray Engleheart: «Reducían los elementos del rock 'n' roll a la mínima expresión y no tenían pelos en la lengua».

Cuando Aerosmith y AC/DC tocaron en el Forum de Los Ángeles el 13 de julio, entre el público había un chaval de quince años llamado James Hetfield. Tres años antes de convertirse en uno de los fundadores de Metallica, asistía a su primer concierto de rock, y la ocasión le marcó profundamente. «Era muy fan de Aerosmith —me contó Hetfield en el año 2008—. Pero no tenía ni idea de que AC/DC fuera tan guay. Ir a un concierto de rock en un recinto tan grande fue una experiencia reveladora por la sensación: las luces que se apagan, las ganas, la gente, los olores. Participaban todos los sentidos. Recuerdo que olí aquel aroma tan extraño en el bolo. No sabía mucho de hierba, pero... ¡aprendí rápido! Fui con mi hermano mayor, y recuerdo que señaló a Angus y dijo: "¡Ese chaval que no para es irritante!". Pero yo quería ser ese chaval del escenario».

Diez días después del concierto de Los Ángeles, AC/DC volvió a compartir escenario con Aerosmith en uno de los eventos más grandes del circuito del rock estadounidense. El Day on the Green era un acontecimiento anual que consistía en una serie de conciertos en el Oakland Coliseum en California, con capacidad para ochenta mil personas. El organizador era el influyente promotor Bill Graham. Desde su creación en el año 1973, el Day on the Green había acogido actuaciones fundamentales de superestrellas del nivel de Grateful Dead, y Crosby, Stills, Nash & Young. En 1977, hubo siete conciertos repartidos durante todo el verano, con grupos de primera fila como Fleetwood Mac, The Eagles, Peter Frampton y Led Zeppelin. Para estos últimos, sería su última actuación en Estados Unidos. En 1978, se habían programado cinco conciertos. El primero, el Day on the Green #1, fue tranquilo, con la actuación de The Beach Boys, Linda Ronstadt y Dolly Parton. El segundo fue más propio del rock 'n' roll, con Steve Miller, Bob Seger y Ronnie Montrose, mientras que el tercero, el Day on the Green #3 del 23 de julio, ya estaba destinado al hard rock, con la actuación de Aerosmith, Foreigner, el célebre guitarrista Pat Travers, una nueva banda de Los Ángeles llamada Van Halen y los teloneros del evento, AC/DC.

El horario de salida al escenario fue como un torpedo a la línea de flotación. Como me reveló Angus: «Salimos a las diez y media de la mañana y la mayoría no nos habíamos ni acostado». Pero Bill Graham era un buen amigo, le encantaba la banda y había hecho todo lo posible para publicitarlos en la radio local antes del día del concierto. Como consecuencia, el estadio ya estaba casi lleno cuando los AC/DC se estaban preparando en el *backstage*. Fue en ese momento, cuando

Inferior: **James Hetfield de Metallica, inspirado por AC/DC tras verlos actuar en directo cuando tenía quince años.**

«No tenía ni idea de que AC/DC fuera tan guay. Fui con mi hermano mayor y recuerdo que señaló a Angus y dijo: "¡Ese chaval que no para quieto es irritante!". Pero yo quería ser ese chaval del escenario».

James Hetfiled, Metallica

«En Cleveland, nos barrieron del puto escenario. Angus estuvo increíble».

Gary Moore, Thin Lizzy

Página anterior: **Angus y Bon Scott arrastrados por fans y periodistas en el The Oakland Coliseum, 1978, California, Estados Unidos.**

Izquierda: **AC/DC en el Hammersmith Odeon, Londres, mayo de 1978.**

Inferior: **Gary Moore** (izquierda), **guitarrista de la banda de rock irlandesa Thin Lizzy, y** (derecha) **el grupo francés de hard rock Trust** (I-D): **Moho Schemlek, Nono Krief, Bernie Bonvoisin, Yves Brusco y Kevin Morris.**

Bon y Angus, agudos incluso tan temprano, hicieron la broma que se convertiría en el título del álbum en directo de la banda. Como me comentó Angus: «Ese tipo del equipo de filmación se acercó a Bon y a mí y nos preguntó qué clase de concierto sería. Bon le dijo: "¿Recuerdas cuando tiraban a los cristianos a los leones? Vale, ¡pues nosotros somos los cristianos!". Entonces el tipo me preguntó a mí y yo le respondí: "¡Si quieren sangre, la van a tener!"».

Cuando la banda salió al escenario, sus componentes se quedaron estupefactos con la cantidad de público. «¡Vinieron ochenta mil!», me dijo Angus con una sonrisa. Igual de admirado estaba el guitarrista de la banda siguiente, que observaba la escena desde un lateral. Eddie Van Halen dijo más tarde a VH1.com: «Yo estaba en un lateral del escenario pensando: "¿Tenemos que salir después de estos cabrones?"».

El triunfo de AC/DC en el Day on the Green #3 fue seguido de otros conciertos en Estados Unidos junto a Aerosmith, Rainbow y Ted Nugent. El 2 de septiembre volvieron a Oackland para el Day on the Green #5, con Nugent como cabeza de cartel. El evento también contaba con Blue

Oyster Cult y Journey, los héroes locales. AC/DC subió un peldaño y los teloneros fueron Cheap Trick. El resto del mes, actuaron con Blue Oyster Cult, UFO y los roqueros irlandeses de Thin Lizzy, cuyo guitarrista, Gary Moore, confesó más tarde al redactor Murray Engleheart que existía una fuerte rivalidad entre Lizzy y AC/DC. «En Cleveland, nos barrieron del puto escenario —dijo Moore—. Esa noche nos jodieron bien». Moore también describió a AC/DC como «una gran banda» y, a modo de cumplido de un gran guitarrista a otro, se limitó a añadir: «Angus estuvo increíble».

Cuando terminó la gira estadounidense de AC/DC el 3 de octubre, con un último concierto con Aerosmith, se habían vendido doscientas mil copias del álbum *Powerage*, más de las que habían vendido *High Voltage* y *Let There Be Rock* juntos. El 13 de octubre, justo tres días después de que la banda concluyera su gira europea, salió el álbum en directo *If You Want Blood (You've Got It)*. Angus comentó que «el show mágico» de Glasgow

«Le dábamos mucho a la botella, y Bon se tomaba un Jack Daniel's doble para desayunar».

Pete Way, UFO

POWERAGE

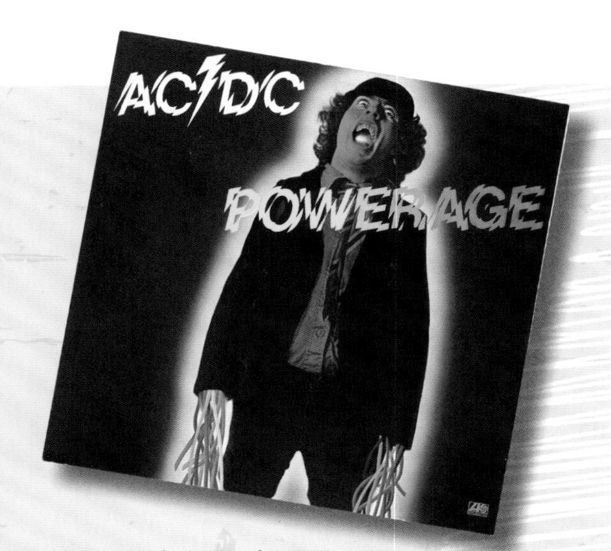

Lanzamiento: 5 de mayo de 1978
Grabación: enero-marzo de 1978, Albert Studios, Sídney, Australia
Sello: Atlantic
Productor: Harry Vanda, George Young

Todos los temas fueron escritos por Angus Young, Malcolm Young y Bon Scott.

CARA 1
«Rock 'n' Roll Damnation»
«Down Payment Blues»
«Gimme A Bullet»
«Riff Raff»

CARA 2
«Sin City»
«What's Next To The Moon»
«Gone Shootin'»
«Up To My Neck In You»
«Kicked In The Teeth»

LANZAMIENTO LP EUROPEO

CARA 1
«Rock 'n' Roll Damnation»
«Gimme A Bullet»
«Down Payment Blues»
«Gone Shootin'»
«Riff Raff»

CARA 2
«Sin City»
«Up To My Neck In You»
« What's Next To The Moon»
«Cold Hearted Man»
«Kicked In The Teeth»

MÚSICOS
Bon Scott: voz solista
Angus Young: guitarra solista
Malcolm Young: guitarra rítmica, coros
Cliff Williams: bajo, coros (en todos los temas, salvo «Cold Hearted Man»)
Phil Rudd: batería

Personal adicional
Mark Evans: bajo (en «Cold Hearted Man»)
Bob Defrin: dirección artística
Jim Houghton: fotografía portada

Powerage fue el primer álbum en el que participó Cliff Williams como bajista. También fue el primero con la misma portada para el lanzamiento australiano y el internacional, aunque existieran ciertas diferencias en el *track listing*.

sonaba incendiario en el disco, desde las primeras notas frenéticas de «Riff Raff» hasta el desenfrenado «Rocker». *If You Want Blood* se conoce hoy como uno de los álbumes más grandes de todos los tiempos, y su portada, como el título, representaba con gran fuerza simbólica a una banda que lo daba todo en el escenario: Angus Young con el pecho atravesado por el traste de su guitarra, con la boca, la barbilla y la camisa blanca de colegial manchadas de rojo, y Bon mirándolo lascivamente, con los ojos vidriosos. En la contraportada, Angus aparece tendido en el suelo del escenario, bocabajo, con el clavijero y medio mástil de la guitarra saliéndole por la espalda ensangrentada. Angus me describió la portada como «irónica», pero a otro nivel; para Bon, el título del disco le daba un sentido más profundo.

En una entrevista que concedió en 1978, confesó: «Llevo de gira treinta años. Aviones, hoteles, *groupies*, priva, gente, ciudades: todo te arranca una parte de ti». En aquel momento, tomaba una botella de whisky escocés al día. Como comentó Pete Way más tarde: «Le dábamos mucho a la botella, y Bon se tomaba un Jack Daniel's doble para desayunar. Siempre estaba listo para beber. Recuerdo que Angus me dijo una vez: "¿Sabes? Bon se ha emborrachado tres veces hoy. Se ha levantado, ha vuelto a la cama, se ha levantado, se ha emborrachado. Y así, tres veces"».

La gira europea incluía un concierto en Le Stadium Paris y, como invitación de Bon, llevaban a sus amigos de Trust de teloneros. En la gira británica posterior, la BBC filmó una actualización en la University of Essex, Colchester, para su serie *Rock Goes To College*. Aquella humilde sala estaba a años luz del Day on the Green, con tan solo unos pocos centenares de personas apretujadas en el interior y la banda confinada sobre un pequeño escenario. Pero AC/DC tocaba en todos los conciertos, grandes o pequeños, con la misma intensidad y, en esta actuación, los niveles de energía se les fueron de las manos mientras tocaban con ganas «Live Wire», «Problem Child» y «Let There Be Rock». Angus no dejaba de moverse y corretear por el escenario, mientras Bon iba sin camisa y empapado en sudor, pero sin perder la onda que un cantante de rock 'n' roll debe tener.

La gira terminó con dos carteles de todo vendido en el Hammersmith Odeon, mientras *If You Want Blood* ascendía hasta el número trece de las listas británicas. En Estados Unidos alcanzó el puesto 113. A principios de diciembre, la banda había regresado a Australia y había comenzado a trabajar en un nuevo disco en Albert Studios con Vanda y Young. Podría parecer que era lo de siempre, pero durante la creación de este álbum se impusieron cambios importantes en el funcionamiento de la banda.

Powerage no fue el éxito que esperaba Atlantic Records y, a medida que la presión iba en aumento, la banda tenía que pensar en prescindir de tres de las personas que habían sido decisivas para llegar hasta donde habían llegado. Para Malcolm y Angus, era como romper lazos familiares, pero ya habían echado a otros antes. Sabían cómo funcionaba el mundo del espectáculo. Era un juego como cualquier otro. Cuando juegas para ganar, alguien tiene que perder.

IF YOU WANT BLOOD (YOU'VE GOT IT) LIVE ALBUM

Lanzamiento: 13 de octubre de 1978 (Europa)
21 de noviembre de 1978 (Norteamérica)
27 de noviembre de 1978 (Australia y Nueva Zelanda)
Grabación: 30 de abril de 1978, Apollo, Glasgow, Escocia
Sello: Atlantic
Productor: Harry Vanda, George Young

Todos los temas fueron escritos por Angus Young, Malcolm Young y Bon Scott.

CARA 1

«Riff Raff» (de *Powerage*)
«Hell Ain't A Bad Place To Be» (de *Let There Be Rock*)
«Bad Boy Boogie» (de *Let There Be Rock*)
«The Jack» (de *T.N.T.*)
«Problem Child» (de *Dirty Deeds Done Dirt Cheap*)

CARA 2

«Whole Lotta Rosie» (de *Let There Be Rock*)
«Rock 'n' Roll Damnation» (de *Powerage*)
«High Voltage» (de *T.N.T.*)
«Let There Be Rock» (de *Let There Be Rock*)
«Rocker» (de *T.N.T.*)

MÚSICOS

Bon Scott: voz solista
Angus Young: guitarra solista
Malcolm Young: guitarra rítmica, coros
Cliff Williams: bajo, coros
Phil Rudd: batería

Personal adicional

Mike Scarfe: sonido (MHA Audio)
Bob Defrin: dirección artística
Jim Houghton: fotografía portada

La tierra prometida

«Fue el primer atisbo de que realmente íbamos a conseguir grandes cosas».

Cliff Williams

Durante las primeras semanas de 1979, Malcolm y Angus Young tuvieron que tomar una de las decisiones más duras de su vida. El vicepresidente de Atlantic, Michael Klenfner, había viajado a Sídney para reunirse con la banda y escuchar el nuevo material en el que estaban trabajando con Harry Vanda y George Young. Lo que oyó le decepcionó. Quería algo más que otro disco de rock 'n' roll agresivo como *Let There Be Rock* y *Powerage*. Deseaba escuchar canciones que pudieran ponerse en las radios norteamericanas, y en las pruebas que George Young le puso, no había nada de eso.

George y Harry sabían cómo hacer que un disco fuera un éxito. Lo habían hecho antes con The Easybeats y, a principios de 1978, habían conseguido como productores un éxito internacional con «Love Is In The Air», del cantante australiano John Paul Young, un tema pop con influencias disco que había entrado en los diez primeros puestos en las listas de Estados Unidos. Pero con AC/DC era diferente. Veían la banda del mismo modo que Malcolm y Angus: rock 'n' roll crudo, simple y llano.

Alguien tenía que ceder. Malcolm y Angus se resistían muchísimo ante la idea de cambiar de productores. Es más, George era de la familia, y Harry también, en un sentido más amplio. Tal vez eso fuera parte del problema: que George y Harry estaban demasiado cercanos a la banda para ver un poco más allá, como hacía Michael Klenfner. Klenfner creía que, para que AC/DC pasara al siguiente nivel, necesitaba un nuevo productor y, por último, después de hablarlo con George, Malcolm y Angus estuvieron de acuerdo. Fue un golpe duro para George y Harry. Y también para Malcolm y Angus. Y aunque era evidente que se trataba de la decisión correcta, el primer productor que les propuso Atlantic no dio la talla.

Eddie Kramer tenía una gran reputación y una trayectoria intachable. Nacido en Sudáfrica, se había hecho un nombre como joven ingeniero de grabación a finales de la década de 1960, al trabajar en una de las mejores canciones de los Beatles, «All You Need Is Love»; en el álbum psicodélico de los Rolling Stones, *Their Satanic Majesty's Request*; y en los tres trabajos rompedores de The Jimi Hendrix Experience: *Are You Experienced, Axis: Bold As Love* y *Electric Ladyland*. Kramer también fue el ingeniero de Led Zeppelin en los álbumes *Led Zeppelin II, Houses Of The Holy* y *Physical Graffiti*. Como productor, grabó el doble álbum revelación de KISS, *Alive!*, y sus álbumes de estudio *Rock And Roll Over* y *Love Gun*.

En febrero de 1979, Kramer comenzó a trabajar con AC/DC en los Criteria Studios de Miami. Allí fue donde la banda creó la canción que daría nombre a su nuevo álbum, «Highway To Hell», con un alocado y brutal riff progresivo con reminiscencias al «All Right Now» de Free, un riff que, en palabras de Malcolm, «se veía venir como a un perro». Por eso, pronto se hizo evidente que Kramer y la banda no estaban en la misma onda. Malcolm Young dio por terminadas las sesiones, y no podía haberlo hecho en mejor momento. Michael Browning, el manager de AC/DC, compartía apartamento en Nueva York con un prometedor productor en auge, Robert John Lange, al que apodaban «Mutt». Procedente de Sudáfrica, como Kramer, Lange había saboreado su primer éxito en 1977 con el álbum de debut de la banda irlandesa punk The Boomtown Rats, que llegó al top 20 de Reino Unido. En 1978, estaba en la cresta de la ola, con un gran éxito de la banda de pop-rock City Boy, «5.7.0.5» y el segundo álbum de los Rats, *A Tonic For The Troops*, que incluía el single que fue número uno «Rat Trap». Michael Browning presentó a Lange a los miembros de Atlantic como el candidato perfecto para el trabajo de AC/DC, una persona con gusto por el hard rock y una astuta sensibilidad para el pop. Contrataron a Lange enseguida, a pesar de que ello significara cancelar la gira japonesa programada para marzo y pagar un alto precio por ello.

Páginas anteriores: **AC/DC en 1979.**

Izquierda: **Angus Young en una sesión fotográfica en París, Francia, 1979.**

Cuando se canceló la gira, la banda comenzó a trabajar con Lange en Londres. Primero, ensayaba y afinaba los temas en un local de ensayos de renta baja con el suelo sucio y una estufa de queroseno que les ayudaba a mitigar el frío invierno. Para grabar el álbum, se trasladaron a los Roundhouse Studios de Chalk Farm. Lo que Lange logró sacar de la banda era exactamente lo que Atlantic quería: un disco de hard rock directo, sin florituras y fiel a las raíces de AC/DC, pero con un acabado más limpio.

En los anteriores álbumes, Vanda y Young habían grabado a la banda con toda su gloriosa irregularidad. En *Highway To Hell*, el productor tenía un enfoque más práctico. En el nivel más simple, Lange trabajó lo básico. Como me dijo Joe Elliott, de Def Leppard: «Buena parte del material que AC/DC realizó con Vanda y Young tiene una enorme energía, pero la afinación de las guitarras es de pena. *Highway To Hell* es como lo de Vanda y Young pero afinado». Lange también aplicó sus conocimientos sobre el pop a AC/DC de un modo muy sutil. Como cantante por derecho propio, Lange puso su propia voz para subir el tono de los coros. También sacó lo mejor de Bon Scott. Lange consiguió que AC/DC sonara mejor, sin necesidad de cortarles las pelotas.

Todo esto resultó visible de inmediato en la primera canción del álbum, un tema punzante. El nombre lo eligió Angus, a quien pidieron que describiera la extenuante gira de 1978 y respondió sin pensar: «Es una puta autopista al infierno». Bon le tomó el relevo con una letra que hacía la peineta a lo que se conoce como moral mayoritaria y que se convirtió en un alegato desafiante de la actitud temeraria del rock 'n' roll proferido por un legendario provocador. Lange elevó el tono de los coros de salida con un sonido capaz de despertar a los muertos. Y en el *home run*, Angus llegó a un momento de puro abandono, en el que deslizaba los dedos por los trastes creando un sonido tan excitante como los que su héroe, Chuck Berry, había conjurado antes que él.

Con «Touch Too Much», una canción cuya primera demo se grabó en 1977, Lange logró al fin ajustar el sonido del grupo a los requisitos de la radio. El riff vibrante, en vez de un martilleo, era muy *twang*, y el estribillo era una bomba en la que la voz de Lange se elevaba a la altura

Páginas anteriores: **AC/DC tocan en directo durante la gira de *Highway to Hell* en el Long Beach Arena, California, Estados Unidos, el 10 de septiembre de 1979.**

Derecha: **el manager de AC/DC, Peter Mensch** (izquierda), **con Bun E. Carlos** (segundo por la izquierda), **y Robin Zander** (segundo por la derecha), **de Cheap Trick, y Bon Scott** (derecha), **de AC/DC, jugando al billar durante la gira de *Highway To Hell* en Nuremberg, Alemania, 1 de septiembre de 1979.**

Inferior: **AC/DC en el Oakland Coliseum, Oakland, California, 21 de julio de 1979.**

de la de Bon. La letra seguía el estilo clásico de Bon y elogiaba a una mujer con un cuerpo como el de la Venus de Miguel Ángel, pero con brazos. Joe Elliott escuchó en «Touch Too Much» el tipo de canción que deseaba crear con Def Leppard y Mutt Lange. Como me dijo el propio Joe: «Me pareció la mejor canción del álbum. Y es curioso, porque más tarde Mutt me comentó que AC/DC no soportaba "Touch Too Much". La consideraban demasiado pop. Sin embargo, a mí me encantaba cómo sonaba y el ritmo del tema. Si hubiesen grabado esa canción con Vanda & Young la habrían tocado demasiado deprisa y la habrían estropeado».

Del mismo estilo era «Girls Got Rhythm», uno de los temas más obscenos que ha grabado el grupo, con el ritmo del asiento de atrás del que hablaba Bon replicado en un riff vibrante. «Shot Down in Flames» y «Get it Hot» contaban con grandes ganchos y ritmos sucios. En la primera canción, el consumado machista Bon admitía que incluso él se quedaba hecho polvo de vez en cuando, y la segunda era una oda a la fiesta y la bebida en la cual el cantante atacaba al narigudo rey de la sensiblería, Barry Manilow. «Love Hungry Man» también presentaba un aire elegante, casi relajado, y el grupo también lo consideraba un tema demasiado ligero.

Por otra parte, el álbum también contaba con algunos temas duros. El más duro de todos ellos era «Walk All Over You», que comenzaba arrastrándose, con un Phil Rudd que iba aumentando la tensión antes de que el resto del grupo entrase a toda marcha. El estribillo también era brillante. El tema más rápido era «Beating Around The Bush», un viaje frenético en el que Bon sonaba como si echase espuma por la boca y otro eco de un viejo clásico rock en un riff similar al de «Oh Well», de Fleetwood Mac, interpretado a doble velocidad. El tema que dio nombre al disco en directo del grupo, «If You Want Blood (You've Got It)», desborda una energía arrolladora, y en su letra Bon difunde la broma que dio a conocer en el Day on the Green sobre los cristianos arrojados a los leones. El disco acaba con un tono siniestro con «Night Prowler», un blues tenso e inquietante en el que Bon adoptó el personaje de un villano asesino. Angus nunca tocó un solo de blues mejor que el de «Night Prowler». A pesar de las espeluznantes imágenes presentes en la letra, la canción acababa con un chiste raro en el que Bon citaba el lenguaje extraterrestre de la comedia de situación de ciencia ficción *Mork & Mindy*: «¡Shazbot! ¡Nanu nanu!».

Años más tarde, «Night Prowler» regresaría para atormentar al grupo, ya que la canción se asoció al asesino en serie estadounidense Richard Ramírez, un fan de AC/DC al que los medios apodaron «The Night Stalker» («el Acosador Nocturno»). Sin embargo, lo que hizo saltar las alarmas en Atlantic cuando el álbum se construyó durante la

«Buena parte del material que AC/DC realizó con Vanda and Young tiene una enorme energía, pero la afinación de las guitarras es de pena».

Joe Elliott, Def Leppard

primavera de 1979 no fue esta canción. Lo que preocupó a los de arriba fue el tema que daba título al disco. Como me dijo Angus Young: «En cuanto decidimos titular el disco *Highway To Hell*, la discográfica estadounidense entró en pánico de inmediato. Yo creía que los temas religiosos se enfocaban en todo el mundo como en Australia. Allí, a los religiosos los llaman beatos y son muy pocos, ¡muy pocos! El cristianismo nunca fue un movimiento muy popular. ¡Por el pasado de los convictos!». Sin embargo, en Estados Unidos, donde la moral cristiana estaba más arraigada, *Highway To Hell* era polémica en potencia. A pesar de todo, fue precisamente en Estados Unidos donde se inició el gran impulso que recibió el disco el 8 de mayo, con el primero de los cincuenta y tres conciertos en los que los AC/DC actuaron como teloneros de sus viejos amigos de UFO.

El anuncio que los hermanos Young realizaron el 1 de julio, tras la gira, dio una nueva muestra de su determinación inquebrantable de llevar al grupo al éxito. Del mismo modo que Vanda & Young cedieron su puesto a Mutt Lange, Michael Browning fue despedido como manager de AC/DC cuando el grupo firmó con la empresa estadounidense Leber-Krebs, entre cuyos clientes se contaban grupos de altos vuelos como Aerosmith y Ted Nugent. Una figura clave para alcanzar este acuerdo fue Peter Mensch, que fue consciente por primera vez del potencial de AC/DC durante su gira de 1978 junto a Aerosmith, para quienes Mensch trabajaba como contable de la gira. Ante la insistencia de Malcolm y Angus Young, Mensch ocupó el puesto de manager de AC/DC dentro de la empresa Leber-Krebs, y estableció su sede de operaciones en Londres, la ciudad adoptiva del grupo. Fue allí donde Phil Sutcliffe, el periodista de *Sounds*, se volvió a reunir con Angus y Bon a principios de julio en un Holiday Inn.

Durante la entrevista con Sutcliffe, realizada a primera hora de la tarde, Bon estaba tan borracho que apenas podía articular una sola frase coherente. El artículo de Sutcliffe, publicado la última semana de julio, exhibía un tono sobre todo humorístico, y su titular bromeaba con los valores centrales del nuevo álbum del grupo: «Más canciones sobre arrimar cebolleta y beber». Sin embargo, una de las observaciones que hizo Sutcliffe sobre Bon resultó inquietantemente premonitoria: «Es extraño, pero no parece del todo descabellado decir que Angus, o tal vez todo el grupo, llevan a Bon de la mano de un modo casi paternal, a pesar de que, a sus treinta y tres años, es el mayor de todos con diferencia. Bon sigue siendo el miembro del grupo al que creen que no pueden quitar el ojo de encima».

Mientras, los engranajes de la máquina seguían en marcha. A mediados de julio, el grupo siguió su gira estadounidense como telonero de Cheap Trick, cuyo disco en directo *At Budokan*, grabado en el famoso recinto de Tokio, les había dado un top 10. El 21 de julio, AC/DC regresó a Oakland para el Day on the Green #3, cuyo cartel de 1979 estaba compuesto íntegramente por grupos de Leber-Krebs, con Ted Nugent como cabeza de cartel por encima de Aerosmith, y AC/DC ubicados sobre Frank Marino & Mahogany Rush y St. Paradise.

«Este será uno de los grupos más grandes que jamás haya visto el rock. Dadnos un año o dos y llenaremos este estadio nosotros solos».

Bon Scott en el Madison Square Garden de Nueva York

Seis días más tarde, *Highway To Hell* apareció en Reino Unido, donde se convirtió en el primer álbum que el grupo situaba en el top 10 fuera de Australia. El 28 de julio, tocaron en otro enorme concierto en Estados Unidos, el World Series of Rock, celebrado en Cleveland, Ohio, de nuevo junto a Aerosmith y Nugent, a quienes se sumaron Journey y Thin Lizzy. Un mes más tarde, el 4 de agosto, un día después del lanzamiento en Estados Unidos de *Highway To Hell*, AC/DC actuó por primera vez en el Madison Square Garden de Nueva York, como teloneros de Nugent. Para el grupo fue muy emocionante actuar en aquel lugar emblemático en el que habían tocado todas las grandes estrellas, desde Elvis a Led Zeppelin, y donde Muhammad Ali había boxeado por primera vez contra Smokin' Joe Frazier. Sin embargo, los integrantes de AC/DC no se dejaron amilanar. Más bien lo contrario. Hicieron que el público se levantara de sus asientos desde el primer minuto, y tras la actuación, en el *backstage*, Bon vaticinó con confianza a Andy Secher, reportero del *Hit Parader*: «Este será uno de los grupos más grandes que jamás haya visto el rock. Dadnos un año o dos y llenaremos este estadio nosotros solos».

No era una fanfarronada. El single del tema «Highway To Hell», que daba nombre al álbum, permitió que AC/DC firmase al fin una tregua con la radio de Estados Unidos. Además, tal como había previsto Atlantic, el título del álbum espoleó a la llamada «mayoría moral» estadounidense, como también hizo la portada del disco, una fotografía del grupo con un Angus sonriente tocado con cuernos de diablo y, para coronarlo, una cola en forma de tridente. La controver-

Superior: **Angus en el concierto World Series of Rock, celebrado en el Municipal Stadium de Cleveland el 28 de julio de 1979, en Cleveland, Ohio.**

Superior: **el 18 de agosto de 1979, en el Wembley Stadium de Londres, los AC/DC actuaron como teloneros de The Who frente a un público de sesenta mil personas.**

Derecha: **Angus Young y Bon Scott en directo en el escenario del Wembley Stadium, 18 de agosto de 1979.**

sia que se desató divirtió al grupo, que se reía de lo absurdo de la situación. Como me dijo Angus en 2003: «En Estados Unidos había tíos que montaban manifestaciones a la puerta de los conciertos con sábanas y pancartas con oraciones. Pregunté: "¿Por quién vienen?". Y me contestaron: "¡Por ti!". Además, circulaba un rumor sobre "Highway To Hell", según el cual si ponías la canción al revés escuchabas mensajes satánicos. Hostia puta, ¿para qué la quieres poner al revés? Lo dice bastante claro: ¡autopista al infierno!».

AC/DC se tomaba a broma lo que rodeaba a *Highway To Hell*. Y rieron los últimos. Hablando conmigo, Angus recordó: «Ese fue el disco que nos abrió el camino en Estados Unidos».

El 18 de agosto, AC/DC se encontraba de vuelta en territorio conocido, en Londres, actuando como teloneros de las leyendas británicas del rock The Who en el Wembley Stadium. El cartel también contaba con el grupo de punk The Stranglers y con el guitarrista estadounidense Nils Lofgren. El público, formado por sesenta mil personas, era el más numeroso frente al que había tocado AC/DC en Reino Unido. Para Malcolm Young, en particular, era todo un honor compartir escenario con The Who, un grupo que, en 1965, había encendido la llama en su interior, y en el de millones de otros muchachos, con el himno juvenil «My Generation». Según Harry Doherty, un crítico de *Melody Maker* que asistió al concierto, aquel fue un momento clave para AC/DC. Doherty destacó de The Who su «capacidad de funcionar, por muy letárgicamente que sea, instigando una adulación total por parte de su público». En marcado contraste, lo que escribió de AC/DC fue: «El buen rock duro debe mucho al hambre. Puede que necesiten acabar de engrasar la maquinaria, pero forman un equipo muy compacto que avanza con un paso inexorable. El público dejó bien clara su afinidad con AC/DC. Podríamos estar hablando del último empujón que necesitaba el grupo para trasladar su éxito a casa, a Inglaterra».

Entre el 5 de septiembre y el 21 de octubre, AC/DC se encontraba de gira por Norteamérica cuando alcanzó un hito significativo. *Highway To Hell* se convirtió en el primer disco de oro del grupo en Estados Unidos, con medio millón de copias vendidas. Como declaró el bajista Cliff Williams: «Fue el primer atisbo de que realmente íbamos a conseguir grandes cosas». AC/DC ya no era tan solo un grupo de culto, un grupo de tíos raros de Australia que llevaba a un tipo pequeño vestido con uniforme

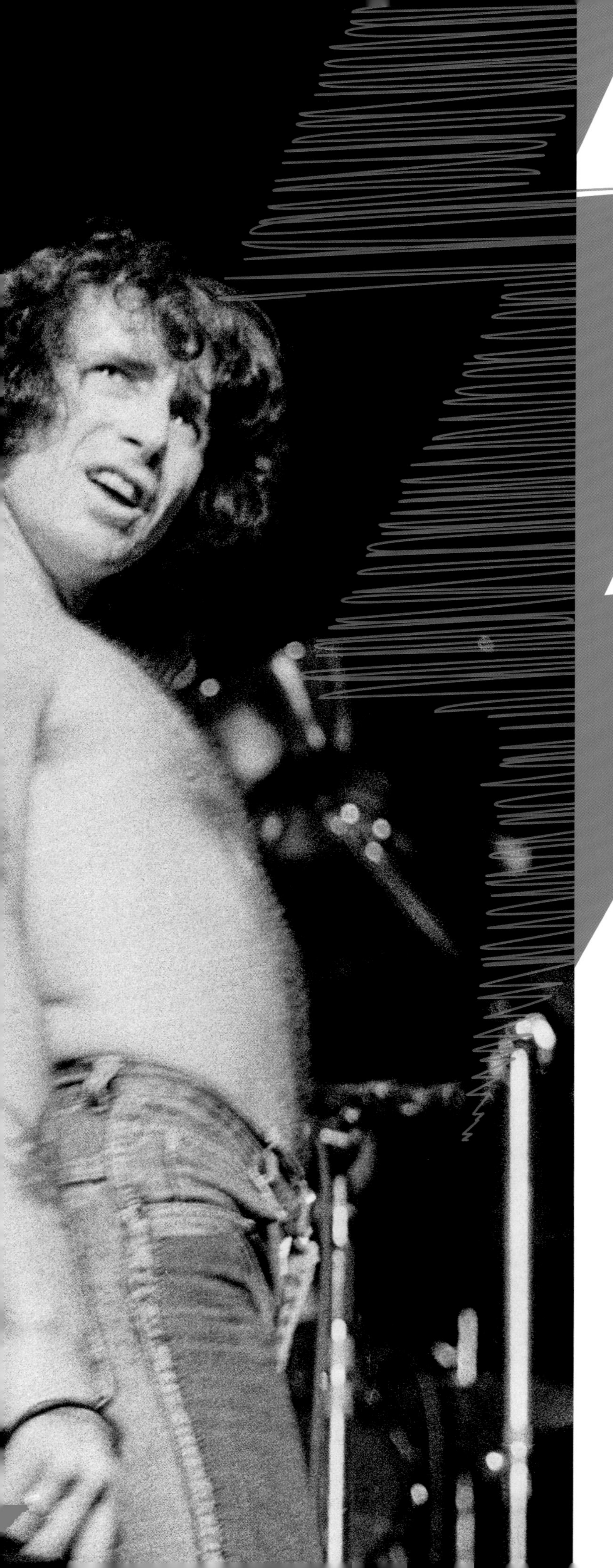

escolar para dar espectáculo. Empezaban a tomar forma como contendientes a tener en cuenta y encaminados a obtener un éxito importante.

El 26 de octubre, tan solo cinco días después de estar en Estados Unidos, iniciaron una gira por Reino Unido en el Mayfair Ballroom de Newcastle. El telonero de la gira fue el joven grupo británico que pronto cogestionaría Peter Mensch: Def Leppard. Para Joe Elliott, el cantante de Def, que acababa de cumplir veinte años, esa gira sería una experiencia que jamás olvidaría. Según me confió él mismo: «Dos años después de ver a AC/DC en Sheffield, éramos sus teloneros. Era una locura».

El concierto que Joe recuerda más vívidamente fue el de la segunda etapa de la gira, en el lugar en el que se grabó *If You Want Blood (You've Got It)*. «Estuve entre el público del Apollo en Glasgow —declaró—, en lo alto del gallinero. Cuando abrieron con "Live Wire" y el bajo empezó a palpitar, te juro que el anfiteatro se desplazó treinta centímetros. Fue como si se hubiese producido un terremoto. El público enloqueció de tal modo que pensé que el anfiteatro se venía abajo. Observé al público, me fijé en su reacción y pensé: "¡Quiero algo parecido!". Al recordarlo, todavía se me ponen los pelos de punta».

A lo largo de toda la gira, Joe y el resto de miembros de Def Leppard vieron las actuaciones de AC/DC desde el lateral del escenario. «Como grupo, aprendimos mucho de AC/DC durante esa gira —explicó—. Nos fijamos en la presentación y en el alto grado de energía. Bon hablaba mucho entre canciones, y me encantaba su charlatanería. La comunicación con el público es una parte integral del rock 'n' roll, y Bon era un maestro en ese campo. A veces ni siquiera tenía que decir nada. Lo lograba con sus expresiones faciales. Era majestuoso. Y también observé lo que hacía cuando no cantaba. Se situaba frente al pedestal de la batería con una pose. Bon iba sin camisa tras la tercera canción, sudando a chorros, y su voz destilaba una agresividad controlada. No parecía costarle ningún esfuerzo. Era como un grifo: bastaba con abrirlo. Había nacido para aquello».

La gira incluía cuatro noches en el Hammersmith Odeon de Londres, y la primera de ellas coincidía con el decimosexto cumpleaños de Rick Allen, baterista de Def Leppard. El 11 de noviembre, AC/DC se trasladó a la Europa continental con Judas Priest actuando de teloneros en lugar de Def Leppard, y el 9 de diciembre, grabaron un concierto en el Pavillon de París para la película *AC/DC: Let There Be Rock*, cuyo estreno en cines estaba programado para 1980. Además, las cámaras también grabaron entrevistas en el *backstage* con los miembros del grupo, durante las cuales Bon admitió: «Bebo demasiado». Se rio cuando le sugirieron que era una estrella y bromeó: «A veces sí que veo las estrellas». Angus describió AC/DC como una banda de *hooligans*. «Me escondería del grupo —declaró—. Si los viera por la calle, echaría a correr, ¿sabes? Probablemente son el tipo de personas capaces de asesinarte».

Izquierda: **Bon Scott en el escenario en Nueva York, agosto de 1979. El cantante de Def Leppard, Joe Elliott, aprendió mucho de la costumbre de Bon de bromear con el público entre canciones.**

ATLANTA
79

Izquierda: **Angus Young (saltando) y Bon Scott sobre el escenario del Hammersmith Odeon de Londres, 1979.**

Un accidente fortuito empañó las últimas semanas de la gira. El 15 de diciembre, tras un concierto en Niza, Bon sufrió un tirón muscular en la pierna mientras se peleaba en broma y medio borracho con uno de los *roadies* del grupo. Aunque Bon realizó dos actuaciones más en Reino Unido, en el Hammersmith Odeon y en el Brighton Centre, y otras dos en el Birmingham Odeon, la lesión les obligó a aplazar un concierto en el Southampton Gaumont, que se pospuso al mes siguiente. Bon regresó a Australia en Navidad. Visitó a Irene, su exesposa, que estaba embarazada de seis meses. Aunque fue un periodo de cierta tristeza para Bon, su regreso al lugar en el que había empezado su largo camino al estrellato del rock 'n' roll también tuvo cierto aire triunfal. *Highway To Hell* estaba a punto de convertirse en el primer disco de AC/DC que vendía más de un millón de copias.

La predicción que Bon había hecho en el Madison Square Garden en agosto con respecto a que AC/DC iba a ser «uno de los grupos más grandes que jamás haya visto el rock» no era un sueño vano. Lo creía de verdad. Todo el grupo lo creía. Y también estaba convencido de ello el presidente de Atlantic Records, Jerry Greenberg, que recordaba de esa época: «Se percibía claramente que ese grupo estaba a punto de petarlo».

En ese momento parecían imparables.

HIGHWAY TO HELL

Lanzamiento: 27 de julio de 1979
Grabación: diciembre de 1978 en Albert Studios, Sídney, Australia
enero-febrero de 1979 en Criteria Studios, Miami, Florida
marzo-abril de 1979 en Roundhouse Studios, Londres, Inglaterra
Sello: Atlantic
Productor: Robert John «Mutt» Lange

Todos los temas fueron escritos por Angus Young, Malcolm Young y Bon Scott.

CARA 1
«Highway To Hell»
«Girls Got Rhythm»
«Walk All Over You»
«Touch Too Much»
«Beating Around The Bush»

CARA 2
«Shot Down In Flames»
«Get It Hot»
«If You Want Blood (You've Get It)»
«Love Hungry Man»
«Night Prowler»

MÚSICOS
Bon Scott: voz solista
Angus Young: guitarra solista
Malcolm Young: guitarra rítmica, coros
Cliff Williams: bajo, coros
Phil Rudd: batería

Highway to Hell fue el primer álbum de AC/DC que no produjeron Harry Vanda y George Young. Con medio millón de copias vendidas, se convirtió en el primer disco de oro del grupo en Estados Unidos. También fue el último álbum en el que participó Bon Scott.

«En cuanto decidimos titular el disco *Highway To Hell*, la discográfica estadounidense entró en pánico de inmediato».

Angus Young

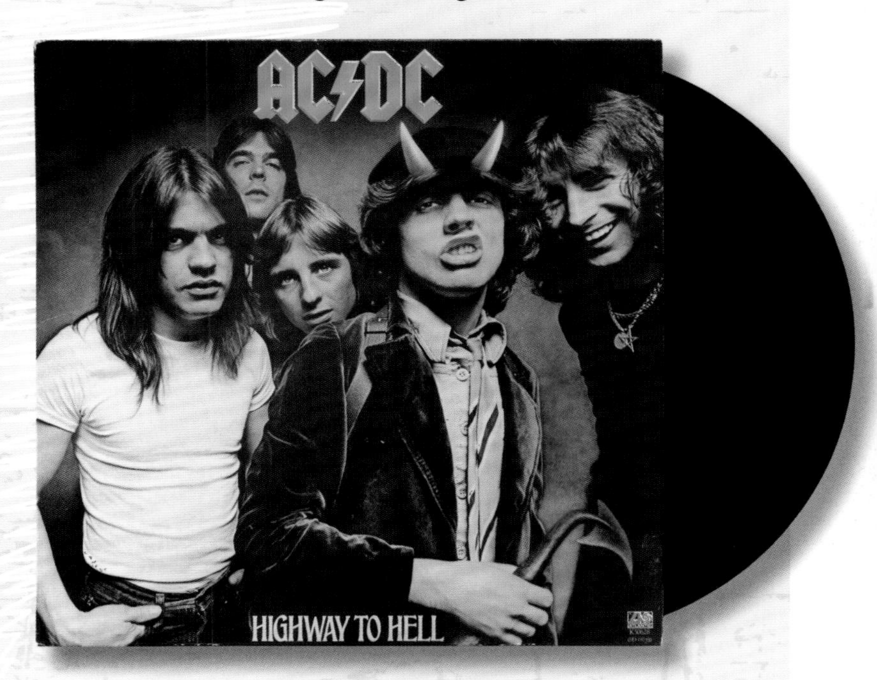

Personal adicional
Bob Defrin: dirección artística
Jim Houghton: fotografía de portada

Muerte accidental

«Cuando eres joven te crees inmortal. Pero tras la muerte de Bon, me sentí espantosamente adulto».

Angus Young

KOKO

Páginas anteriores: **Bon Scott (9 de julio de 1946-19 de febrero de 1980).**

Izquierda: **Pete Way, bajista de UFO, fue una de las últimas personas que vio a Bon Scott con vida.**

Superior: **sala de conciertos KOKO en Camden, antes denominada The Music Machine, donde Bon Scott estuvo la noche antes de su muerte el 19 de febrero de 1980.**

AC/DC comenzó 1980 por todo lo alto. A finales de enero, cuando Bon Scott regresó a Londres para empezar a trabajar en nuevas canciones junto a Malcolm y Angus Young, estaba pletórico. Uno de los temas, basado en un riff *funky* sincopado que Malcolm había elaborado durante una prueba de sonido en la gira de 1979, tenía un poder y un ritmo tan avasalladores que Bon estaba convencido de que el siguiente álbum sería aún más grande que *Highway To Hell* y vendería millones de copias. Bon había dicho a su madre Isa: «¡Este será el bueno!».

El 16 de junio, el grupo viajó a Francia para finalizar la gira de *Highway To Hell* y dar los conciertos que se habían cancelado tras la lesión de Bon. Fueron ocho días en Francia, y los dos últimos, en Reino Unido, el primero en el Mayfair Ballroom en Newcastle el 25 de enero, y una última parada en el Southampton Gaumont dos días después. En esa última etapa, el grupo interpretó un *set list* de temas que habían trabajado una y otra vez durante los ocho meses anteriores hasta construir un espectáculo con una fuerza irresistible: «Live Wire» para empezar, cuatro canciones de *Highway To Hell* y las eternas favoritas del público, como «Whole Lotta Rosie», «Bad Boy Boogie», «T.N.T.» o «The Jack». La última canción de esa noche fue «Let There Be Rock».

A principios de febrero, AC/DC tenía mucho que celebrar. Mientras el grupo conseguía que su primer single entrara en el top 30 de Reino Unido con «Touch Too Much», Angus se casaba en una pequeña ceremonia privada celebrada en Londres. La vida sentimental de Bon era mucho más complicada. Aunque seguía en contacto con su novia esporádica Silver Smith, también salía con una mujer japonesa llamada Anna Baba, que se había instalado en el nuevo piso de Bon en Victoria. Bon comenzaba el día con un vaso de whisky escocés y después comenzaba a trabajar en letras para las nuevas canciones, pero estaba inquieto. Echaba de menos la aventura y el dinamismo de la vida en la carretera, y Anna y él ya se estaban distanciando.

La primera semana de febrero, Bon fue a ver a sus amigos de UFO, que actuaban en el Hammersmith Odeon, donde tomaron una fotografía de Bon junto a Pete Way, el bajista de UFO, tras el escenario. Esa misma semana, AC/DC apareció en *Top Of The Pops* interpretando «Touch Too

«Bon bebía tanto que no me puedo creer que muriera por eso».

Pete Way, UFO

Much». Bon llevaba una camisa negra desabrochada, iba arremangado para mostrar sus antebrazos tatuados y provocaba a la cámara con una expresión socarrona, pero algo, tal vez las arrugas y la palidez de su rostro, le hacían aparentar más de sus treinta y tres años.

Unos días más tarde, Bon se encontraba con Malcolm y Angus en los estudios de E-Zee Hire, cerca de King's Cross. Según me comentó Angus en 1991: «Empezamos a componer la música con Bon a la batería. Comenzó siendo baterista, y tocaba mientras Malcolm y yo trabajábamos en los riffs». Como baterista, Bon no estaba a la altura de Phil Rudd, pero tampoco se le caían las baquetas. Y aunque las nuevas canciones estaban a medias y las letras estaban inacabadas, todos sabían que tenían algo bueno entre manos. Quizá, como había dicho Bon, el siguiente disco sería el definitivo.

Al anochecer del lunes 18 de febrero, Bon llamó a Silver para preguntarle si quería acompañarle a ver a un grupo en el Dingwalls de Camden. Había bebido y no quería salir solo, pero a Silver no le interesaba el plan, así que le sugirió que fuese con un amigo suyo, Alistair Kinnear, que ese día había ido a su piso. Bon aceptó.

Lo que ocurrió esa noche ha sido una fuente de conjeturas desde hace casi cuarenta años. Solo hay un testigo conocido de los hechos, y se trata de Alistair Kinnear, un hombre cuyo nombre estará para siempre ligado a la historia de AC/DC, ya que fue la última persona que vio a Bon Scott con vida.

Derecha: **el consumo desmesurado de alcohol empezaba a pasar factura a Bon Scott.**

Kinnear expuso su versión de los hechos en su declaración a la policía. Según su explicación, sobre la medianoche había ido a recoger a Bon a su piso de Victoria, y desde allí no se habían dirigido al Dingwalls, que ya había cerrado, sino a otro club de Camden, The Music Machine. Según se dijo, Bon bebía grandes vasos de whisky solo, de hasta cuatro veces más en un solo vaso. Tras un par de rondas, Kinnear se llevó a Bon a casa en automóvil, pero al llegar, Bon se había desmayado a causa de la borrachera y Kinnear fue incapaz de despertarlo. Kinnear decidió dirigirse a East Dulwich, donde vivía en un piso situado en la tercera planta del número 67 de Overhill Road. De nuevo, Kinnear no pudo despertar a Bon, y tampoco pudo levantarlo para sacarlo del vehículo, por lo que decidió taparlo con una sábana y se fue solo al piso a dormir. Kinnear declaró que había dormido hasta la tarde siguiente, y que cuando regresó al automóvil a las 7.45 de la tarde, había comprobado que Bon seguía inconsciente y no se había movido. Según explicó él mismo en una entrevista para el *London Evening Standard*: «Supe de inmediato que algo iba mal».

Durante las últimas horas del 19 de febrero de 1980, Bon Scott fue declarado muerto a su llegada al Hospital de Kings College. Angus y Malcolm Young conocieron la noticia la mañana siguiente. En 2003, Angus me explicó en tono solemne: «Todos vivíamos en pisos minúsculos repartidos por todo Londres. Nos llamó una de las novias de Bon, pero estaba histérica. Le dije que no se preocupase, que siempre circulaba algún rumor de este tipo. Entonces nos llamó una chica japonesa que decía lo mismo. Llamé a Mal y había oído algo. Nadie lo sabía con certeza. Entonces nos lo dijo nuestro manager».

Una de las primeras personas ajenas al círculo íntimo de AC/DC que conoció la noticia de la muerte de Bon fue Joe Elliott, que la tarde del 20 de febrero se encontraba en la sala Top Rank de Sheffield, en la que Def Leppard iba a tocar esa noche. «Siempre recordaré el momento en el que supimos que Bon había muerto —me dijo Joe—. Habíamos ido al Top Rank para hacer la prueba de sonido y Peter Mensch nos comunicó la noticia. Fue horrible. Evidentemente, teníamos trabajo por delante, pero dedicamos la actuación a Bon diciendo: "Anoche falleció un buen amigo nuestro". Y lo sentíamos de corazón». El concierto de Def Leppard de esa noche acabó con una versión de «Whole Lotta Rosie». Joe Elliott nunca tuvo la oportunidad de devolver a Bon el dinero que le había prestado.

Los demás miembros de AC/DC quedaron devastados. Como admitió el baterista Phil Rudd, que habitualmente es la estrella del rock más taciturna del mundo: «Nos golpeó con fuerza a todos». En 1991, Angus Young me dijo: «Como persona, Bon desafiaba mucho a la muerte. Solía decir: "Nos tenemos que ir un día u otro. Hay que ser duros". Era su forma de hablar». En otra entrevista, Angus añadió algo que desvelaba un aspecto más profundo del asunto: «Cuando eres joven te crees inmortal. Pero tras la muerte de Bon, me sentí espantosamente adulto».

Durante los años posteriores, un halo de misterio se ha instalado alrededor de la muerte de Bon Scott, como ya sucediera con otras famosas estrellas del rock, como Brian Jones, de los Rolling Stones, o Jim Morrison, de The Doors. El informe del forense sobre la muerte de Bon mencionaba una «intoxicación etílica aguda», y constataba que no se habían encontrado restos de drogas en su organismo. Se consideró una «muerte accidental». Más tarde, Silver Smith declaró: «Nadie le ofrecía drogas a Bon. Podría haberlas usado cuando quisiese, pero nadie le dejaba». Sin embargo, Pete Way, otro de los mejores amigos de Bon, cree que es posible que Bon falleciera a causa de una sobredosis de heroína. Way usaba heroína en aquella época, y asegura que vio a Bon hablando con un traficante la noche del concierto de UFO en el Hammersmith Odeon, donde se tomó la que se supone que fue la última fotografía del cantante: Way y él juntos, apenas dos semanas antes de su muerte. Way dijo que no recordaba haber visto a Bon usar heroína, pero también apuntó la posibilidad de que el traficante que habló con Bon en el concierto de UFO estuviera con Bon la noche de su muerte. A pesar del informe del forense, Way me dijo en una ocasión: «Bon bebía tanto que no me puedo creer que muriera por eso».

Un factor clave del misterio fue la desaparición de Alistair Kinnear tan solo tres días después de la muerte de Bon. Kinnear tardó veinticinco años en romper su silencio en una entrevista concedida en 2005 a la periodista Maggie Montalbano. Kinnear le explicó que llevaba veintidós años trabajando de músico en la Costa del Sol y repitió la misma versión de los hechos de febrero de 1980, la que había contado a la policía ese año. «Lamento de veras la muerte de Bon —dijo Kinnear, y concluyó

Superior: **ofrendas en la lápida en memoria de Bon Scott en el cementerio de Fremantle en Perth, Australia.**

Izquierda: **aunque Bon Scott** (izquierda) **bebía demasiado, Angus Young** (derecha) **sigue siendo abstemio.**

declarando—: Todos deberíamos cuidar más de nuestros amigos, y ser cautelosos cuando desconocemos todos los hechos».

Entre todos los rumores, las insinuaciones y las medias verdades que han circulado desde la muerte de Bon, se cuenta una extraña teoría de la conspiración que implica a los hermanos Young. Como dijo Angus, incrédulo: «¡Hasta se inventaron que lo envenenamos!». Las declaraciones de Malcolm Young al respecto fueron, sobre todo, respetuosas con la memoria de Bon, y también protectoras. «Nos dijeron qué le había pasado a Bon exactamente —afirmó—. Todavía no hemos dicho lo que sabemos por una cuestión personal con Bon. Circulan distintos rumores... Y siguen creciendo. Pero nosotros sabemos lo que ocurrió esa noche. Un amigo le falló. Bon era un bebedor empedernido, y esa noche se pasó un poco de la raya, pero lo que está claro es que no bebió solo hasta la muerte. Tenía demasiadas razones para vivir».

El periodista Malcolm Dome, que en 1976 presenció el primer concierto de AC/DC en Reino Unido en el Red Cow, y posteriormente entrevistó varias veces a Bon para revistas como *Record Mirror*, comenta respecto a la muerte del cantante: «Me dejó totalmente de piedra. Sabía que Bon bebía demasiado y consumía demasiadas drogas, pero por algún motivo daba la sensación de que era indestructible. Las veces que lo vi no cambió nada. Bon era un tipo formidable. Sé que sonará a tópico, pero era exactamente como te habría gustado que fuese. Creo que, en realidad, su muerte fue un horrible accidente. No considero que haya que buscar más explicaciones».

Joe Elliott está de acuerdo. Como me comentó: «Los rumores sobre la muerte de Bon son cuentos chinos. Pasa como con la Biblia, son buenas historias con retazos de verdad. Después de todos estos años, todavía no

Izquierda: **en el Puerto de Barcos Pesqueros de Fremantle, en Australia Occidental, hay una escultura de Bon Scott.**

Derecha: **Bon Scott fotografiado en los Albert Studios en 1976.**

conocemos del todo la historia porque cada persona tiene un recuerdo distinto de las cosas. No sé si alguien conocerá algún día la verdad. Pero yo diría que la noche que murió nadie se dio cuenta de lo que estaba pasando. Alguien estaba demasiado borracho para darse cuenta del frío que hacía fuera. Y a Bon no le había pasado nada las otras veces que había hecho lo mismo. Solo se muere una vez. El resto, salvas el pescuezo».

Puede que fuera inevitable que la vida de Bon Scott acabase como lo hizo, tras una noche de una borrachera excesiva. No vivió lo suficiente para ver cómo AC/DC se convertía en el grupo de rock 'n' roll más importante del mundo. Como dijo Angus en 1980 durante una entrevista: «Bon no había alcanzado su techo». Sin embargo, aunque fue una vida que se extinguió demasiado pronto, también fue una vida aprovechada al máximo.

En el funeral de Bon, celebrado el 29 de febrero en Fremantle, el suburbio de Perth donde se crio, los miembros de AC/DC tomaron una decisión respecto a su futuro. Chick, el padre de Bon, habló con Malcolm Young para dar su bendición a que el grupo siguiera adelante sin su hijo. Aquello les dio el empujón que necesitaban. «Bon habría hecho lo mismo —declaró Angus más tarde—. Teníamos la impresión de que también contábamos con su bendición».

Tras el funeral, Angus, Malcolm, Cliff y Phil regresaron a Londres. Pasaron unos días de duelo, totalmente desanimados. «Todavía estábamos muy abatidos —declaró Malcolm—. Nos costó levantar cabeza». Finalmente, y ante la insistencia de Malcolm, Angus y él se encontraron en el E-Zee Hire para volver a componer. «Fuimos solos —recordaba Malcolm—. Tomamos las guitarras, solo como terapia. Pensamos que tal vez sería la única forma de superarlo». Tenían las demos de las dos canciones que habían empezado con Bon. En 1991, Angus me confió: «Bon escribió una pequeña parte del material una semana antes de morir». A medida que empezaban a tomar cuerpo las canciones, comenzaron a pensar en quién las cantaría.

En marzo de 1980, durante una entrevista para *Sounds* en una fase temprana de las audiciones para encontrar a un nuevo cantante, Angus admitió todos los problemas a los que se iban a enfrentar los candidatos potenciales. «Bon era un personaje único —declaró—, y es difícil para cualquiera venir a vernos sabiendo que Bon acaba de morir y pensando que el hecho de que una persona nueva cante sus canciones nos incomodará un poco. Es una presión añadida».

No iba a ser una tarea fácil. El vacío que había dejado Bon era enorme. «Era un tipo genial —dijo Phil Rudd—. Todo un personaje». Para Malcolm Young, Bon era una especie de talismán. «Él nos mantenía unidos —valoró Malcolm—. Tenía una actitud auténtica que parecía decir: "Que les den". Bon era la persona más influyente de todo el grupo». Pese a todo, tenían que pasar página. Y en cuanto Malcolm y Angus recuperaron el ritmo y empezaron a completar canciones a toda velocidad, se produjo un cambio de humor en el entorno de AC/DC.

Angus declaró a *Sounds*: «No queremos a un simple imitador de Bon. Buscamos algo un poco diferente. Podéis estar seguros de que haremos todo lo posible para publicar un gran álbum. Y si mañana mismo entrase alguien que encajase, iríamos directamente a grabarlo, porque tenemos todas las ideas y las canciones necesarias. Solo necesitamos encontrar el ingrediente que nos falta».

Lo que Angus no sabía en ese momento era que ese ingrediente que les faltaba, el hombre que se convertiría en el nuevo cantante de AC/DC, era alguien a quien el propio Bon había puesto por las nubes hablando con Angus hacía años. A veces es cierto que la realidad supera la ficción.

Perdido y hallado

«Mi nombre era el primero de la lista, pero no me encontraban. Había desaparecido del mapa. Nadie sabía dónde estaba».

Brian Johnson

Brian Johnson no olvidaría jamás el día de febrero de 1980 en el que se enteró de que Bon Scott había muerto. «Lo recuerdo muy bien —me dijo Johnson en 2003—. Lo leí en *The Daily Mail* de camino al trabajo. Dedicaron cinco putos centímetros del periódico a la muerte de Bon. Me asqueó».

El inicio de una nueva década había traído pocos motivos para el optimismo a Johnson. Vivía en Newcastle, en el noreste de Inglaterra, cerca de Dunston, Gateshead, y a sus treinta y dos años, creía que había dejado atrás sus tiempos de estrella del rock 'n' roll.

Johnson había saboreado brevemente las mieles del éxito como cantante del grupo de glam rock Geordie en la década de 1970. El grupo firmó un contrato con EMI, hogar de The Beatles, y en 1973 llevó un single al top 10, gracias al himno agitador de «All Because Of You». En una época en la que Slade era uno de los grupos más importantes de Gran Bretaña, Geordie tenía un estilo y sonido similares, y, además, Johnson era tan capaz de cantar como Noddy Holder, el vocalista de Slade. Sin embargo, lo que Geordie no ofrecía era el genio pop de los éxitos con una ortografía chistosa de Slade como «Cum On Feel The Noize», «Gudbuy T'Jane» o «Coz I Luv You». Cuando Geordie se disolvió a finales de la década de 1970, tras pasar algunos años duros en el circuito de salas del noreste del país, Brian Johnson pasó por un bache. Como él mismo contó a *Classic Rock*: «No tenía nada. Tenía dos hijos y una hipoteca. Conducía un Volkswagen Escarabajo de catorce años. No tenía ni un puto duro».

En 1980, regentaba un pequeño negocio en Newcastle, reparando parabrisas y colocando techos de vinilo a coches deportivos. Se había separado recientemente de su esposa y vivía en casa de sus padres. El negocio le permitía llegar a fin de mes, y para ganarse un sueldo extra, actuaba con una nueva versión del grupo, bautizada como Geordie II. Los conciertos del grupo tenían cierto aire de cabaret, con gags cómicos entre canciones, pero cuando tocaban rock seguían haciéndolo con convicción, y entre los temas más populares que tocaban había uno que siempre hacía vibrar a la sala: «Whole Lotta Rosie», de AC/DC. Disfrutaba actuando, pero no era un ingenuo. Sabía que las segundas oportunidades no eran frecuentes en el mundo del rock 'n' roll, y lo había aprendido por las malas, tras hacer una prueba para Rainbow, el grupo de Ritchie Blackmore, en 1978, tras marcharse su cantante, Ronnie James Dio. Graham Bonnet, otro británico con la voz rasgada, consiguió el puesto en Rainbow. A Brian Johnson se le acababa el tiempo. Se sentía viejo y caduco. No se podía imaginar que, apenas unos días más tarde, iba a tener la oportunidad de su vida.

Los días posteriores a la muerte de Bon, un paquete remitido por un fan de Cleveland, Ohio, resultaría clave. Contenía un disco de Geordie y una breve nota que decía: «Tenéis que escuchar a este cantante». No era el único que abogaba por Brian, ya que Mutt Lange también le había dicho a Malcolm Young que había «un tipo al que deberías escuchar», lo que hizo pensar a Malcolm: «Es la segunda vez que oigo ese nombre...». Lo

Páginas anteriores: **en 1980, tras la muerte de Bon Scott, Brian Johnson se incorporó a AC/DC como cantante.**

Derecha: **Brian Johnson vivía en Newcastle y reparaba parabrisas antes de ser cantante solista de AC/DC.**

NEWCASTLE
BROWNS

Geordi
GEORDIE

«No tenía nada. Tenía dos hijos y una hipoteca. Conducía un Volkswagen Escarabajo de catorce años. No tenía ni un puto duro».

Brian Johnson

que Malcolm no recordaba por aquel entonces era la gira de Geordie por Australia a mediados de la década de 1970 que había publicitado Albert Productions. Y lo que Angus constató fue que ese era el cantante al que Bon había visto hacer aquella magnífica imitación de Little Richard en 1973, cuando Fang, el grupo de Bon, había actuado como telonero de Geordie. Bon había contado a Angus lo bueno que fue ese músico esa noche en Torquay, cantando y dándolo todo sobre el escenario. Bon no supo nunca que Brian había sufrido lo indecible durante aquel concierto, y que sus gritos y convulsiones estaban inducidos por una apendicitis. A Bon simplemente le pareció que ese tipo era un cantante de rock 'n' roll muy bueno y, como me dijo Angus en 1991: «No era nada habitual que Bon elogiase tanto a algo o a alguien».

A principios de marzo de 1980, el nombre de Brian Johnson se incluyó en una breve lista de potenciales cantantes para AC/DC. Como el propio Brian explicó a *Classic Rock*: «Mi nombre era el primero de la lista, pero no me encontraban. Había desaparecido del mapa. Nadie sabía dónde estaba». Entre los demás nombres, algunos eran famosos y otros, no. Más tarde se rumoreó que Malcolm y Angus Young se habían planteado ponerse en contacto con dos de los grandes cantantes de rock británicos de la época: Steve Marriott, que había cantado para Small Faces y Humble Pie, y Noddy Holder, de Slade. Al final, ninguna de ambas opciones les pareció adecuada. En Australia había cantantes que parecían encajar mejor, como Jimmy Barnes, de Cold Chisel, o Angry Anderson, el antiguo compañero de grupo de Phil Rudd, de Rose Tattoo. Ambos poseían voces tan poderosas y ásperas como la de Bon. También estaba John Swan, un cantante escocés que, como Bon, había sido baterista. Y el parecido no acababa ahí, porque como Swan confesó al periodista Murray Engleheart: «Creo que habría sido una locura por su parte elegirme, porque se habrían encontrado con otro Bon. Por aquel entonces tomaba speed y coca, y bebía a todas horas».

También se consideraron otros dos cantantes británicos: Terry Slesser y Gary Holton. El primero era de Newcastle, donde vivía Brian Johnson, y había actuado con Back Street Crawler, el grupo para el que AC/DC iba a actuar como telonero en 1976 antes de la muerte del guitarrista Paul Kossoff. Holton, que era de Londres, había sido el líder de los Heavy Metal Kids, un grupo que parecía destinado a lograr grandes hazañas a mediados de la década de 1970, y que tocaba un rock 'n' roll gamberro que se asemejaba al de Faces y Slade, y contaba con la figura carismática y arrogante de Holton. Una fuente que no desea que publique su nombre me dijo que Holton llegó a realizar una audición para AC/DC, pero no prosperó al hacer un chiste desafortunado al decir al grupo que era capaz de soportar la bebida mejor que Bon.

Más tarde, Holton alcanzó la fama como actor en la exitosa serie de televisión *Auf Wiedersehen, Pet*, pero también sucumbió víctima del estilo de vida propio del rock 'n' roll que había matado a

Página anterior: **Brian Johnson** (izquierda) **ya había probado las mieles del éxito en la década de 1970, con el grupo de glam rock Geordie.**

Bon. La muerte de Holton en 1985 se atribuyó a una sobredosis de morfina. Murió a los treinta y tres años, la misma edad que Bon.

AC/DC llevó las audiciones a cabo en los Vanilla Studios de Pimlico, Londres, donde instalaban una tosca cabina para cada candidato.

Angus Young recordaba: «Cada vez que empezábamos una audición con cantantes, nos preguntaban: "¿Cómo queréis que cante con la música a este volumen?", y les contestábamos: "No queremos que cantes. ¡Queremos que grites!"». Unos cuantos candidatos cayeron en el primer obstáculo al sugerir hacer la prueba con canciones poco adecuadas para AC/DC, como el clásico de Deep Purple «Smoke On The Water». Fue un proceso pesado, pero, al final, el equipo del grupo localizó a Brian Johnson y lo llamaron.

Johnson recuerda que una mujer con acento alemán le informó de que lo habían recomendado para un puesto con un grupo de primera fila, y lo invitó a que fuera a Londres para una audición. Johnson le preguntó el nombre del grupo y la mujer le dijo que no podía desvelarlo. Johnson le explicó que estaba sin blanca y que no pensaba recorrer el largo camino hasta Londres sin saber para quién iba a hacer la audición, así que le sugirió que, por lo menos, le dijese las iniciales del nombre del grupo. Se hizo un silencio, tras el cual la mujer dijo: «De acuerdo. Son A.C. y D.C.». Como Brian me dijo riéndose más tarde: «No era muy lista».

En ese momento, Brian no podía creerse la suerte que había tenido. Se había divertido mucho cantando «Whole Lotta Rosie» con sus antiguos compañeros en las salas de conciertos. La idea de cantar ese tema con AC/DC era alucinante.

El día que Brian viajó a Londres para la audición, los presagios no eran buenos. Como temía que su Escarabajo destartalado no lo llevase muy lejos, pidió prestado a un amigo su Toyota Crown, y se le pinchó una rueda pocos kilómetros después de abandonar Newcastle. Trabajó frenéticamente para arreglar el pinchazo y bajó por la M1 pisando a fondo. Al llegar a la puerta de los Vanilla Studios, estaba tan nervioso que temblaba. Pasó cerca de una hora sentado en una cafetería situada frente al estudio, encadenando cigarrillos y bebiendo té. Intentó comerse un trozo de tarta, pero no pudo tragarlo porque estaba tan duro que tuvo miedo de romperse un diente. Tenía tan poca confianza en sí mismo que quería levantarse e irse a casa. Tuvo que armarse de valor para entrar en el estudio.

Una vez en su interior, vio a algunos hombres jugando al billar y los tomó por los integrantes del grupo. Eran los *roadies* de AC/DC. Pasó una hora con ellos, hasta que se dio cuenta del error y le acompañaron a la sala de ensayos, donde le presentaron al grupo. Se tranquilizó de inmediato cuando Malcolm Young le dio una botella de cerveza Newcastle Brown Ale. Brian la engulló de un trago y se sintió aliviado al comprobar que los miembros del grupo eran, en sus propias palabras, «tíos normales y corrientes».

«Los chicos habían perdido a un buen amigo y a un gran cantante. Bon era su mejor colega».

Brian Johnson

Otros candidatos que optaron al puesto de cantante principal de AC/DC fueron Steve Marriott (extremo izquierda), **Noddy Holder** (izquierda), **John Swan** (superior izquierda), **el cantante de Feather, y su hermanastro, Jimmy Barnes** (superior derecha), **cantante de Cold Chisel.**

Izquierda: **Brian Johnson no era una copia de Bon Scott. Tenía su propio estilo obrero, que complementaba con una boina.**

Inferior: **Gary Holton, que más tarde alcanzó la fama como actor en *Auf Wiedersehen, Pet*, no pudo encabezar AC/DC por culpa de un desafortunado chiste sobre Bon y su hábito de beber.**

Le preguntaron qué tema le gustaría cantar con ellos y Brian escogió el éxito de 1973 de Ike & Tina Turner «Nutbush City Limits», un tema vibrante y con mucha alma, pero con un toque de rock 'n' roll tan sucio y gamberro como el de los Rolling Stones en la cumbre de su decadencia. A Malcolm y a Angus les encantaba la canción, y cuando Brian la cantó con el grupo, sonó bien. Todos sintieron lo mismo. El siguiente tema que probaron fue «Whole Lotta Rosie». Brian conocía todos sus entresijos, y como el personaje de la canción, se entregó por entero a ella. «Mientras cantaba Rosie, sentía un cosquilleo por todo el cuerpo», declaró más tarde.

Phil Rudd estaba del todo seguro de que AC/DC había encontrado a su hombre. Al terminar la audición, y mientras Brian volvía a casa por la M1, Rudd les dijo a los demás: «A la mierda, vamos a quedarnos con Brian. ¡Vamos!». Malcolm y Angus tardaron un poco más en tomar la decisión. Organizaron una segunda audición y se volvió a presentar tarde. Mientras el grupo esperaba en Vanilla Studios, Brian estaba en otro lugar de Londres haciendo otra cosa: cantando en un anuncio para Hoover. El remuneración eran trescientas cincuenta libras en efectivo, muchísimo dinero en esa época, sobre todo para una persona que tenía dificultades para llegar a fin de mes. Brian supuso que así, si fracasaba en su segunda prueba con AC/DC, al menos habría ganado un poco de dinero gracias a otro trabajo.

El jingle para Hoover era dinero fácil. Cuando entrevisté a Brian en 2009 para *Classic Rock*, recordaba la letra y me la cantó: «The new high-powered mover from Hoover, it's a Little groover!». Durante su segunda audición para AC/DC, revisaron algunos temas antiguos y un par de las canciones nuevas en las que había estado trabajando el grupo. Esa noche, Brian se alojó en un hotel de Londres, donde habló con Keith Evans, uno de los *roadies* del grupo. Evans le dijo: «Me parece que lo tienes, colega», y ante la respuesta cauta de Brian, insistió: «Qué va, creo que solo se están haciendo a la idea».

No volvió a hablar con Malcolm ni con Angus antes de regresar a Newcastle.

A lo largo de los días siguientes, los medios publicaron artículos en los que vinculaban a otros dos cantantes con AC/DC. La revista australiana *TV Week* proclamaba: «Steve es el hombre idóneo para AC/DC», y vaticinaba que Stevie Wright, antiguo cantante de The Easybeats, era el candidato con más posibilidades. Por su parte, en Reino Unido, *NME* aseguraba en su número del 29 de marzo que Allan Fryer iba a ser el nuevo cantante de AC/DC. En ese momento, Fryer era miembro del grupo de Adelaide Fat Lip. Años más tarde, tras colaborar con el antiguo bajista de AC/DC Mark Evans en el grupo Heaven, Fryer reveló que en 1980 había viajado a Sídney para reunirse con George Young, con quien grabó la pista de voz de tres temas de AC/DC: «Whole Lotta Rosie», «Sin City» y «Shot Down In Flames». Sin embargo, cuando *NME* publicó el artículo, la oportunidad de Fryer ya se había desvanecido.

Una noche de finales de marzo, Brian Johnson volvió solo a casa de sus padres tras celebrar el cumpleaños de su padre en el pub local. Ya era tarde cuando sonó el teléfono y Malcolm Young, tras ofrecerle las disculpas

Izquierda: **AC/DC tocando sobre el escenario con su nuevo cantante, Brian Johnson.**

Página siguiente: **Brian Johnson fue presentado como nuevo cantante de AC/DC el 1 de abril de 1980.**

de rigor, fue directo al grano. «Tenemos que grabar un álbum —anunció—. Nos vamos en un par de semanas, así que... si te parece bien...». Brian se había pasado toda la tarde bebiendo y necesitó unos segundos para procesar las palabras, hasta que por fin preguntó: «¿Me estás diciendo que el puesto es mío?». Malcolm replicó en un tono tajante: «Sí, claro».

En ese momento, Brian contestó: «Voy a colgar. ¿Te importaría volverme a llamar otra vez en diez minutos para asegurarme de que no es alguien gastándome una broma?». Malcolm accedió, y volvió a llamar diez minutos más tarde. La conversación empezó con una pregunta simple: «¿Vas a venir o qué?». Y la respuesta fue también muy simple: «¡Joder, claro que sí!».

Un poco más tarde, finalizó la llamada y un grito de «¡Sí! ¡Joder!» resonó por toda la casa en la que Brian Johnson todavía temblaba. Justo después, abrió la botella de whisky que le había regalado a su padre por su cumpleaños y le dio un largo trago directamente de la botella. No había estado tan emocionado en toda su vida.

El 1 de abril de 1980, solo seis semanas tras la muerte de Bon Scott, AC/DC presentó a Brian Johnson como su nuevo cantante. Cuando Brian comunicó la noticia a su hermano menor, un fan de AC/DC, el chico se rio. Pensó que era una broma del día de los inocentes. Esa noche, Brian pagó las rondas. Unos días más tarde, en su primera entrevista como cantante de AC/DC, Brian habló con *Sounds* sobre el reto que tenía por delante. «Todavía no sé dónde estoy —confesó—. Solo sé que tenemos mucho trabajo por hacer y que el resto del grupo todavía tiene que conocerme. ¡La verdad es que todavía estoy aterrorizado!». También era una época en que el resto de miembros de la banda seguía con las emociones a flor de piel. Como Brian dijo más tarde a *Classic Rock:* «Los chicos habían perdido a un gran amigo y a un gran cantante. Habían superado aquella mala jugada juntos. No era solamente el cantante del grupo. Bon era su mejor colega».

Con abundante material, los ensayos finales del nuevo disco de AC/DC se realizaron en el E.-Zee Hire, donde Malcolm, Angus y Bon habían trabajado en las dos primeras canciones. Según relató Brian Johnson, «al entrar, los chicos tenían el título de algunas canciones, pero no la letra. Ni siquiera sabían cómo iban a ser mis letras. Literalmente, me dijeron: "¿Nos puedes escribir algunas letras?·, y yo les contesté: "¡Lo puedo intentar!". Un par de títulos salieron de las letras que compuse más tarde, pero cuesta recordar cuáles, porque todo fue muy deprisa».

A finales de abril, con nueve canciones completadas, el grupo voló a la isla tropical de Nassau, en las Bahamas, para grabar el nuevo álbum con Mutt Lange de nuevo como productor. Bon siempre había dicho que el siguiente álbum de AC/DC iba a ser algo grande. Lo que el grupo y su nuevo cantante crearon en *Back in Black*, el disco elaborado como homenaje a Bon, fue más grande de lo que él jamás habría imaginado.

Rolling Thunder

«*Back In Black* salvó el rock 'n' roll. Fue el disco clave del rock de aquel momento, ¡y lo petó!».

Slash, Guns N' Roses

El lugar donde AC/DC creó su álbum de retorno no podía haber sido más distinto del frío y gris Londres, donde quedó atrás la tragedia de Bon. Estaban en las Bahamas, en Nassau, en la isla de Nueva Providencia. Lo que les había llevado a Nassau era el calibre de Compass Point Studios, unas instalaciones de mucha calidad que había creado el fundador de Island Records, Chris Blackwell. Según Tony Platt, el ingeniero que trabajó en este álbum junto con el productor Mutt Lange, también era bueno para la banda estar en un lugar tan remoto, lejos de las distracciones de Londres y Sídney. «Eso ayudó a unir a todo el mundo», repuso.

En el estudio, bajo una nube de humo de tabaco, la primera canción que grabaron fue un tema *funky* que habían ensayado en Londres durante el mes de febrero, con Angus y Malcolm a las guitarras, y Bon a la batería. La llamaron «Back In Black», y su letra era una oda a la invencibilidad, donde, como señaló Malcolm, el grupo recordaba «los buenos tiempos» que había pasado con Bon. Era un tema que habían rescatado junto al otro que habían trabajado con Bon, «Have A Drink On Me», un brindis de Brian en honor a su predecesor. «El objetivo del álbum —declaró Brian— era celebrar la vida de Bon».

Como me explicó Angus en 1991, en las canciones usaron algunas letras escritas por Bon. Brian también admitió que, en aquellos momentos, le costaba encontrar palabras para las letras de las canciones, porque se sentía abrumado ante la gran cantidad de material que Bon había escrito antes. «Estaba un poco preocupado —admitió—. ¿Quién soy yo para intentar seguir los pasos de este gran poeta?». Brian se ciñó principalmente al tema central que giraba en torno al rock 'n' roll y el blues, algo en lo que AC/DC estaba muy versado. El título de muchas de las canciones hablaba por sí solo: «Shoot To Thrill», «Let Me Put My Love Into You», «Given The Dog A Bone». Brian tenía un don para los dobles sentidos, igual que Bon, y algunas de sus mejores líneas se concentran en «You Shook Me All Night Long», una canción en la que cantaba las glorias de los muslos de una chica estadounidense hasta que acababa con la puntilla: «She told me to come but I was already there» («Me dijo que me corriera pero yo ya lo había hecho»).

Para Brian, el mayor reto como letrista fue «Hells Bells». El lento riff majestuoso, considerado «de mal agüero» por Malcolm y «místico» por Angus, exigía una entrada potente, pero cuando llegaron a Compass Point, Brian seguía trabajando en la letra. Una noche, Brian estaba sentado en su habitación junto al estudio —una austera celda de hormigón con tan solo una cama, una mesa y un lavabo—, solo y con la mirada clavada en un papel en blanco, diciéndose a sí mismo: «Me estoy quedando sin ideas». Y, entonces, le vino un momento de inspiración divina. Cuando Mutt Lange entró en la habitación para ver cómo lo llevaba, un rugido en la distancia apuntaba el inicio de una tormenta sobre la isla. «Es un trueno vibrante», dijo Brian. A Mutt se le iluminaron los ojos: «¡Escribe eso!». En un santiamén, una cortina de lluvia repiqueteaba en el techo con tanta fuerza que los dos hombres apenas se oían. Brian escribió: «Pourin' rain...». Y con el mismo ímpetu con el que el viento aullaba, añadió: «I'm comin' on like a hurricane».

Páginas anteriores: **Brian Johnson** (centro) **con Angus Young** (Izquierda) **y Cliff Williams** (derecha) **en el Orpheum Theatre, Boston, Estados Unidos, 9 de octubre de 1980.**

Izquierda: **Brian Johnson en 1980.**

Junto a estas líneas: ***Backstage* durante la gira Back in Black, Hammersmith Odeon, Londres, 12 de noviembre de 1980** (I-D): **Brian Johnson, Malcolm Young, Angus Young, Phil Rudd y Cliff Williams.**

ctric lady studios
Roland
LOUGHBOROUGH
HELLS BELL

Superior: **Brian Johnson en el Rosemont Horizon, Chicago, Illinois, 20 de septiembre de 1980. Brian no estaba seguro de cómo iban a reaccionar los fans de AC/DC, en especial cuando cantara las viejas canciones con letra de Bon.**

Izquierda superior: **Electric Lady Studios de Manhattan, Estados Unidos, donde *Back In Black* recibió los últimos dramáticos retoques.**

Izquierda: **una campana hecha a medida por una fundición especializada de Leicestershire, en Reino Unido, proporcionó las campanadas que señalaban el inicio de «Hells Bells», el primer tema de *Back In Black*.**

Brian concluyó el tema aquella misma noche, no sin añadir el clásico chascarrillo a la cultura cristiana: «If God's on the left, then I'm sticking to the right!» («Pues si el bien está a la izquierda, me quedo a la derecha»).

Era una frase semejante a las de Bon y, como Brian comentó después, hubo momentos durante la elaboración del álbum en los que se sintió como si Bon le estuviera observando. Cuando Brian habló conmigo en 2003, me dijo: «No puedo negarlo. Me pongo sentimental cuando lo digo, pero hubo ciertos momentos en los que estaba sentado en mi taburete de esos pequeños cubículos de grabación de las Bahamas... Ah, joder. Se me está poniendo el vello de punta ahora mismo, coño». Angus explicó que la banda al completo notaba una presencia a su alrededor aquellos días. Como declaró a la revista *Sounds* en 1980: «Todavía creemos que Bon está por aquí».

Al final de su quinta semana en Nassau, AC/DC tenía nueve temas. Y eran pura dinamita. También eran diferentes de lo que habían hecho antes, y no solo porque la banda tuviera un nuevo cantante. Si bien la música del grupo era de todo menos sutil, el cambio que se percibía en ella sí lo era. Aunque la esencia de AC/DC continuaba intacta con sus potentes riffs y su ritmo con mucha fuerza, el tono había cambiado un poco. Era rock 'n' roll, pero aproximándose más al heavy metal. Lo que Mutt Lange había empezado con *Highway To Hell,* ese toque pulido sin renunciar a la máxima potencia, había tomado plena forma. El sonido era inmenso y, en la parte más alta, la voz de Brian Johnson se llevaba al límite.

Algunos de los nueve temas grabados eran tan sencillos como la facilidad con la que surgieron: canciones creadas sin pensar demasiado, como «Have A Drink On Me», «What Do You Do For Money Honey», «Given The Dog A Bone» y el frenético «Shake A Leg». En los demás, intervino cierta sofisticación, como en la canción que daba nombre al álbum, con la introducción del tictac de una bomba y los riffs distorsionados; en la lenta combustión de «Let Me Put My Love Into You» y en la vibrante sucesión de solos de «Shoot To Trill». «You Shook Me All Night Long» fue el «Touch Too Much» de este álbum, un tema de rock 'n' roll creado para la radio, con su introducción llamativa, su riff pegadizo, su ritmo galopante y sus coros a todo volumen. «Hells Bells», con su evocador estribillo, tenía un tinte épico, una dignidad que AC/DC no había tenido hasta entonces.

Los integrantes de la banda creyeron que tenían material suficiente, pero Mutt Lange y otras figuras muy importantes de Atlantic Records consideraron que el álbum necesitaba otro tema. Y cuando Malcolm y Angus estuvieron de acuerdo, no perdieron ni un segundo. Escribieron una canción nueva, de cero, y en quince minutos: un boogie fanfarrón al que titularon «Rock And Roll Ain't Noise Pollution». «Pensé que iba a ser una parida de borrachera —confesó Brian a *Classic Rock* posteriormente—. Mal vino con el título y me dijo: "Eh, Jonna, lo llamaremos 'Rock And Roll Ain't Noise Pollution'". Yo pensé: "¿eh? ¡Es genial para rimar!"». En la letra de la canción, inspirada en los predicadores evangelistas que la banda había visto en los canales estadounidenses de televisión por cable, había otra alusión al pasado y a las palabras que Bon había cantado en «Let There Be Rock». Y en línea con el carácter acelerado y laxo con el que se escribió la letra, Brian recibió el encargo de «marranear» en la intro. «Tú, habla», le dijo Mutt. Cuando la cinta empezó a girar, Brian se abrió una lata de cerveza, se encendió un cigarrillo, inhaló profundamente y se dejó ir con lo que él llamaba «la cosa esa de predicador sureño», que consistía en hablar por hablar y alabar con fervor misionero el poder revitalizante del rock 'n' roll. «Sinceramente —dijo—, fue una sola toma. Y nunca pensé que fuera a salir en el disco».

Mientras el reportero de *Rolling Stone* David Fricke (superior izquierda) **declaraba que *Back In Black* era una «obra maestra», el histórico seguidor de AC/DC y colaborador de *Sounds* Phil Sutcliffe** (superior derecha) **manifestaba sus reservas, en especial sobre Brian, a quien menospreció calificándolo de copia de Bon.**

Derecha: **AC/DC en directo, Londres, 1980, uno de los seis conciertos con todo vendido.** (I-D): **Brian Johnson, Malcolm Young, Angus Young y Cliff Williams.**

Había nacido un himno del rock, y con él, *Back In Black* estaba listo, salvo por un detalle importante. Cuando concluyó el trabajo en Nassau, Malcolm Young viajó con Mutt Lange y Tony Platt a Nueva York para acabar las mezclas, mientras el resto de la banda se dirigía a Londres. Malcolm solía tener inspiración mientras orinaba, y eso fue lo que ocurrió en el baño de Electric Lady Studios de Manhattan. Se había decidido que «Hells Bells» abriría el álbum y, mientras llenaba el urinario, Malcolm se dio cuenta de que al tema le faltaba una campana en la intro, una floritura dramática.

De inmediato enviaron a Tony Platt al otro lado del Atlántico para que grabara la campana de una gran iglesia antigua de Loughborough. Según explicó el propio Platt, fue «una auténtica pesadilla». El campanario era el hogar de decenas de palomas que levantaban el vuelo cada vez que la campana sonaba. El aleteo hacía imposible que Platt pudiera obtener una grabación limpia de las campanadas. Como Malcolm recordó entre risas en 2003: «Tony Platt se pasó todo el día intentando ahuyentar a esas palomas». Como última solución, le pidieron a Platt que encargara una campana hecha a medida a una fundición especializada de Leicestershire. El hombre que la construyó tañó la campana mientras la cinta de Platt estaba en marcha. Por fin, misión cumplida.

Desde que la banda había regresado a Londres, Brian Johnson había permanecido encerrado en una habitación de hotel. Tenía demasiadas cosas en la cabeza. Como declararía más adelante: «Sencillamente estaba ahí sentado preguntándome si lo habría hecho bien o mal». Sus temores

se esfumaron cuando Malcolm regresó de Nueva York con el álbum terminado. «Es flipante —dijo Brian—. No podía creer que fuera tan bueno». Angus pensó lo mismo. Brian recordó: «Cuando lo escuché por primera vez en toda su gloria, pensé: "¡Joder! ¡Es mágico!"».

Atlantic Records también lo sabía. El único problema era, según la discográfica, la idea de portada que tenía la banda: todo negro, con el logo de AC/DC y el título como único detalle. Atlantic les sugirió que no era buena idea para el negocio, pero la banda no cedió.

Según me explicó Angus: «Todo el álbum de *Back In Black* era nuestro homenaje a Bon. Por eso la portada era del todo negra y por eso el álbum empieza con una campana tañendo, algo lúgubre y diferente a todo lo que habíamos hecho».

Con el lanzamiento del álbum programado para julio, se organizó una gira mundial que empezó a finales de junio con seis actuaciones de poca relevancia en Bélgica y Países Bajos para calentar motores. Brian Johnson se sentía abrumado. Le preocupaba cómo iban a reaccionar los seguidores de AC/DC con él, en especial cuando cantara las canciones más antiguas, las de Bon. Su primer concierto fue el 29 de junio en el Palais des Expositions (actualmente Namur Expo) de la ciudad belga de Namur, y momentos antes de que la banda saliera al escenario, el cantante estaba, en palabras de Angus, «¡cagado!». Cuando salieron, algo captó la atención de Brian: una pancarta entre el público en la que se leía: «R.I.P. Bon Scott. Suerte, Brian». En ese instante, la ansiedad del cantante se evaporó. «Me levantó los ánimos», dijo. Aquella noche, la banda tocó un *set* basado sobre todo en el nuevo álbum. Abrieron el espectáculo con «Hells Bells», el primero de siete temas de *Back In Black*. Los otros ocho, interpretados por primera vez sin Bon, fueron: «Shot Down In Flames», «Hell Ain't A Bad Place To Be», «Problem Child», «Bad Boy Boogie», «Highway To Hell», «Whole Lotta Rosie», «Rocker» y, para terminar, «Let There Be Rock». Posteriormente, Brian dijo las siguientes palabras tras el concierto: «Tal vez me dejé algún detalle aquí y allá, pero teníamos la personalidad suficiente para tapar los errores».

A pesar de la presión que recaía sobre Brian en esas primeras actuaciones, el cantante se ganó el respeto del público de AC/DC, dándolo todo al cantar los temas y siendo él mismo. Con su gorra, signo distintivo de sus raíces obreras del norte de Inglaterra, Brian tenía una imagen muy diferente a la de Bon, y un talante muy distinto en el escenario, un encanto de jovenzuelo rudo y afable, sin ese brillo de locura que Bon siempre tenía en los ojos. Brian también sabía desde el principio cómo se comportaba la banda en escena y cedía el primer plano a Angus, como había hecho Bon. En uno de los conciertos de Países Bajos, Brian se dio cuenta del apoyo que le ofrecían los fans. Conoció a un tipo que llevaba a Bon Scott tatuado en el brazo. «Bon era mi héroe —dijo el fan—, pero ahora se ha ido y te deseo toda la suerte del mundo». Brian recordó más tarde el profundo efecto que tuvieron en él estas palabras. «Me quedé ahí temblando», repuso.

Derecha: **Brian Johnson en directo en Londres, 1980. Se ganó el respeto del público dándolo todo al cantar las canciones de la banda.**

El 25 de julio, cuando se lanzó *Back In Black*, la banda estaba en medio de la primera semana de una importante gira por Estados Unidos. Para un crítico británico que valoró el álbum, los sentimientos eran encontrados. Phil Sutcliffe había dado apoyo a AC/DC desde 1976 y tenía mucho afecto a los chicos de la banda, y a Bon en particular. En su crítica para *Sounds*, Sutcliffe puntuó el disco con cuatro de cinco estrellas, pero, en recuerdo a Bon, añadió: «Esta vez, la euforia con la que esperaba recibir un nuevo álbum de AC/DC no ha sido tal». Además, menospreció a Brian Johnson como «copia» de Bon. Con todo ello, Sutcliffe concluyó: «*Back In Black* sigue siendo un álbum excelente y auténtico».

Otros dos críticos de primera fila no tuvieron tantas reservas. El redactor David Fricke, de *Rolling Stone*, declaró que el álbum era una obra maestra y un pilar del rock. «*Back In Black* no solo es el mejor de los seis discos de AC/DC publicados en Estados Unidos —escribió Fricke—. Es la cúspide del arte heavy metal: el primer LP desde *Led Zeppelin II* que capta toda la arrogancia, todo el sudor y toda la sangre del género. En otras palabras, *Back In Black* pega como la madre que lo parió». En la crítica del *Record Mirror*, titulada «EL PODER RESTAURADO», Robin Smith afirmaba: «La resurrección empieza aquí. Brian era la opción perfecta: tiene una sensibilidad especial para la mayoría de las canciones de la banda».

Y en este reportaje sobre AC/DC en la edición de *Record Mirror* del 26 de julio, comenzaba Robin Smith a describir la creación de *Back In Black* con una línea poética: «El fantasma de Bon Scott acompaña a AC/DC». De este tema habló Brian Johnson en profundidad en la entrevista que le hizo Smith. «Bon sigue por aquí y nos observa —dijo Brian—. Por la noche, en mi habitación del hotel, supe con seguridad que estaba

«No podía creer que fuera tan bueno. Pensé: "¡Joder! ¡Es mágico!"».

Brian Johnson sobre *Back In Black*

allí de algún modo. Sé que aprueba lo que la nueva formación intenta hacer. No habría querido que la banda se disolviera o se sumiera en un largo periodo de duelo. Deseaba que siguiéramos construyéndola sobre el espíritu que él dejó».

Back In Black fue un éxito inmediato. Dos semanas después de su lanzamiento, el álbum fue número uno en Reino Unido. El primer single, «You Shook Me All Night Long», entró en el top 40 de Reino Unido y Estados Unidos, y en los diez mejores de Australia. A principios del mes de octubre, cuando la banda terminó su gira por Norteamérica, el álbum obtuvo la certificación de disco de platino en Estados Unidos y permaneció el increíble periodo de trece meses entre los diez primeros de *Billboard*.

El calendario de la gira por Estados Unidos y Canadá fue agotador: sesenta y seis conciertos en tres meses, y el trabajo parecía no descender. El 19 de octubre, solo ocho días después del último concierto, la banda dio el pistoletazo de salida a la gira británica en el Colston Hall de Bristol. Era tal la demanda por el directo de AC/DC, que la gira incluyó seis conciertos con las entradas agotadas en Londres; tres en el Hammersmith Odeon y tres en el Apollo Victoria Theatre. Uno de los fans que vieron a la banda en el Hammersmith Odeon fue Phil Alexander, que se convertiría en editor de las revistas *Kerrang!* y *Mojo*. «Antes del bolo, estaba nervioso —recuerda—. Los fans querían que la banda estuviera magnífica. Les deseábamos lo mejor. Pero teníamos cierta sensación de incertidumbre... ¿Cómo será este nuevo cantante? Pensaba que *Back In Black* era un disco sólido, pero seguía sin estar seguro de si iba a funcionar en directo. Y entonces, después de dos canciones, ya no había duda. La reacción del público fue magnífica desde el principio, y la personalidad de Brian, su afabilidad, afloró. La banda se forjó en este país, donde se ganó una reputación, así que se notaba cierta empatía en el público, una sensación de que seguía siendo nuestra banda y, al final de la actuación, una sensación de triunfo, sin duda. De algún modo, incluso tras la muerte de Bon, sentías que la banda era absolutamente imparable».

En ese momento, el single «Rock And Roll Ain't Noise Pollution» proporcionó a AC/DC su mayor éxito en Reino Unido hasta la fecha, al alcanzar el número quince. Mientras, en Estados Unidos, los informes de ventas revelaban que se vendían diez mil copias de *Back In Black* al día.

Desde el 20 de noviembre hasta las primeras semanas de 1981, la banda estuvo tocando por Europa, con una pequeña pausa en Navidad y fin de año. Después, tras cuatro compromisos en Japón a principios de febrero, llegaron los últimos y más importantes conciertos de la gira de *Back In Black*. Un año después de la muerte de Bon Scott, AC/DC regresaba a Australia.

En un retorno emotivo y triunfal a casa, AC/DC dio siete conciertos en Australia, y el tercer día en Sídney, el 23 de febrero, se produjo un momento que Brian Johnson recordará el resto de su vida. La madre de Bon, Isa, a la que habían invitado al concierto, le dijo a Brian al terminar: «Nuestro Bon estaría orgulloso de ti, hijo». Para Brian, no podía existir mejor reconocimiento que aquel.

La gira terminó con dos conciertos en el Sidney Myer Music Bowl de Melbourne. Unos días después, cuando Brian llegó a su casa en Newcastle, se produjo otro momento digno de saborear. Recibió su primer cheque por los *royalties* de AC/DC, con una cantidad de treinta mil libras. Pagó la hipoteca en efectivo, le dijo al irritante administrador de la comunidad de vecinos que no le volviera a llamar jamás y, tras años de conducir viejas cafeteras, se compró por fin un flamante automóvil. Como comentó a *Classic Rock*: «Me regalé un Chevy Blazer. Un monovolumen, uno de los primeros. Y nunca olvidaré a mi vecino de al lado, que siempre se burlaba de cualquier cosa que yo hacía. Él solía comprarse un Cortina nuevo cada cuatro años. Y cuando llegó mi Chevy, recuerdo que soltó: "Eso es un estúpido armatoste, ¿no?". Y yo le dije: "¿Estás celoso, colega?". Me moría del gusto. Era un estúpido armatoste, pero me daba igual. Sabía que lo había conseguido».

Se puede decir que la resurrección de AC/DC con *Back In Black* fue el mayor retorno de la historia del rock 'n' roll. De su hora más oscura había surgido una victoria heroica.

El álbum que convirtió a AC/DC en superestrellas era exactamente como David Fricke de *Rolling Stone* lo describió: «La cúspide del arte heavy metal». Con el tiempo, *Back In Black* sería aclamado como uno de los mejores discos de rock de la historia. A lo largo de los años, ha servido de inspiración a incontables bandas de rock, incluidos grupos famosos como Guns N'Roses, Def Leppard y Metallica. Las canciones clave del álbum («Back In Black», «Hells Bells», «Shoot To Thrill», «You Shook Me All Night Long») permanecerían en el *set* de los directos de AC/DC durante décadas. Lo más notable fue el éxito a gran escala que tuvo el álbum. *Back In Black* no es solo el álbum de rock más vendido de la historia (más que cualquiera de Led Zeppelin, Pink Floyd, The Rolling Stones, o incluso The Beatles), es, con más de cincuenta millones de copias vendidas, el segundo álbum más vendido de todos los tiempos después de *Thriller* de Michael Jackson.

Para Joe Elliot, de Def Leppard, lo que AC/DC consiguió con *Back In Black* fue la perfección. «Ese disco nunca va a pasar de moda —me dijo—. Su corrección sónica es tal, el sonido es tan real, que sencillamente es atemporal. Con *Back In Black*, AC/DC sentó un precedente que otros imitarían. Tomaron los instrumentos clásicos del rock 'n' roll e hicieron que sonasen del mejor modo posible. No se puede hacer una música rock que suene mejor que *Back In Black*. No puedes superar la cima».

Joe y los demás miembros de Def Leppard fueron de los primeros en escuchar *Back In Black*. Como un eco de lo sucedido en febrero de 1980, cuando el manager Peter Mensch informó a Def Leppard de la muerte de Bon Scott antes de que la noticia saltara a la prensa, también en esta ocasión, Mensch dejó que Leppard escuchara *Back In Black* antes de su lanzamiento. La banda se encontraba en sus primeros días de gira por Estados Unidos cuando Mensch subió al autobús con una copia del álbum en un

Izquierda: **los fans saltan al escenario y corren hacia Angus Young durante un concierto en Reino Unido, 1980.**

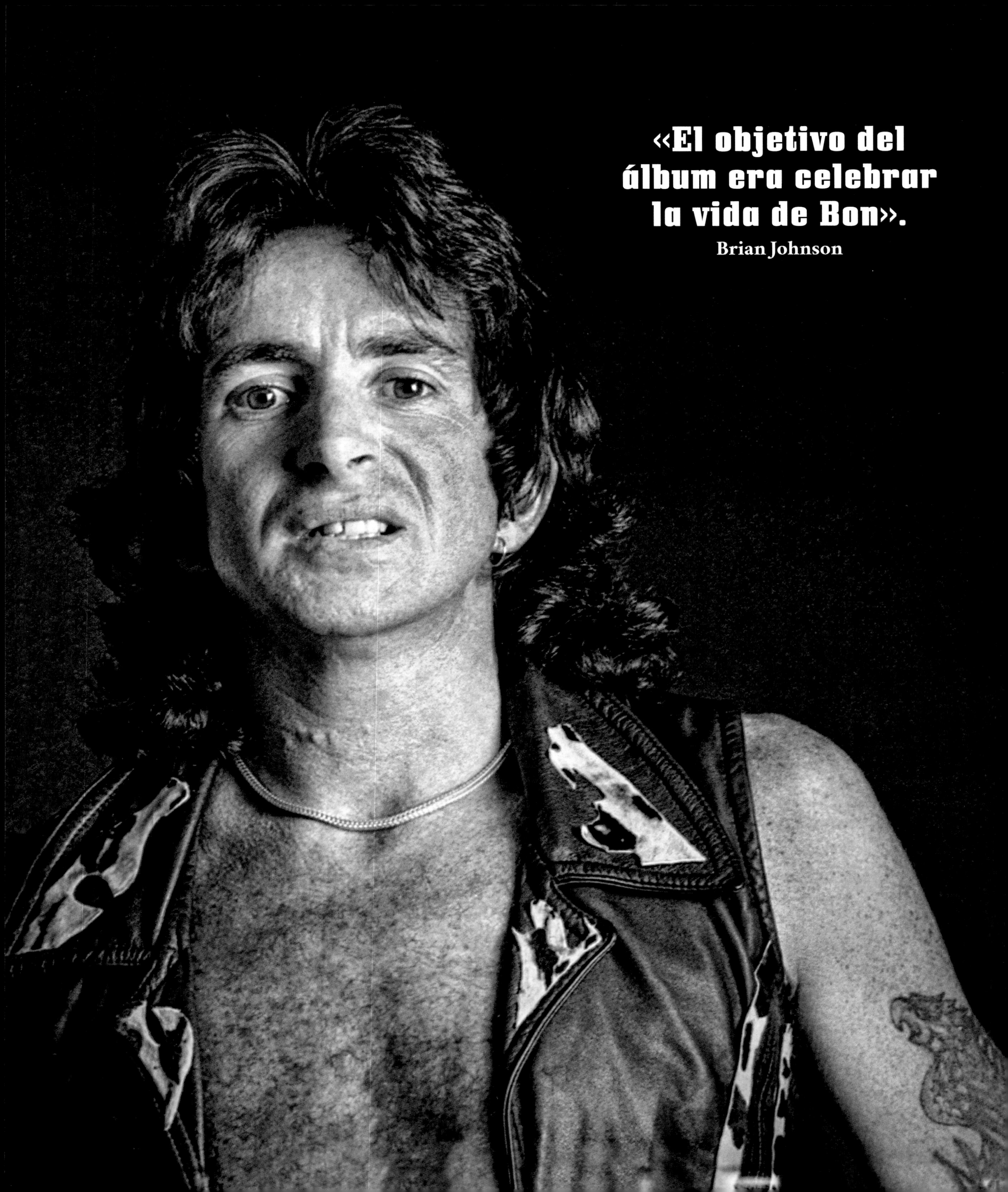

«El objetivo del álbum era celebrar la vida de Bon».

Brian Johnson

Páginas anteriores: **Angus en el escenario del Nippon Budokan de Tokio, Japón, donde AC/DC actuó cuatro días en febrero de 1981, antes de dirigirse a Australia para los últimos y más importantes conciertos de la gira Back In Black.**

Izquierda: **Bon Scott en 1976. *Back In Black* fue el homenaje de la banda al cantante. También es el disco de rock más vendido de la historia.**

casete. Como recordó Joe más tarde: «¡Cuando escuchamos la apertura de "Hells Bells" nos cagamos en los pantalones! Pensé, maldita sea, es buenísimo. ¡Demasiado bueno! Había mucha expectación alrededor de la primera interpretación vocal de Brian, y ahí estaba toda esa intro, la campana, la canción lenta... No es el "Whole Lotta Rosie", ¿eh? Pero cuando abrió la boca, pensamos, ¡funciona! No dejé de pensar ni un segundo. ¡Lo que están haciendo! Seguramente porque compré los singles de Geordie cuando tenía doce años y Brian Johnson ya me gustaba en aquel entonces».

Ciertamente, un comentario muy divertido que me hizo Joe encerraba una gran verdad: «Brian Johnson saltó sobre un caballo ganador que estaba a punto de cruzar la línea de meta». Y lo que añadió, con profundo respeto por un tipo al que conocía desde hacía años, también era verdad: «*Back In Black* es el disco de Brian. Es estelar. Brian era el sustituto perfecto para Bon porque no era un simple clon de Bon. Ojalá Bon hubiera podido experimentar esa clase de éxito. No lo de ser millonario, sino lo de ponerse delante de una verdadera multitud y acabar lo que había empezado. Pero si *Back In Black* era un homenaje a Bon, es el mejor homenaje del mundo».

Slash, el guitarrista de Guns N'Roses solo tenía quince años cuando se lanzó *Back In Black*. Muchos años después me explicó el impacto que había tenido sobre él y me habló del álbum como un triunfo, no solo para Brian Johnson y AC/DC, sino también para la música rock en general. «*Back In Black* salvó el rock 'n' roll —afirmó—. Fue el disco clave del rock de aquel momento. AC/DC siempre fue una gran banda, totalmente auténtica. Pero el milagro de verdad fue que *Back In Black* fue un disco genial, y seguía siendo AC/DC. Todos echábamos de menos a Bon, pero le dejamos marchar y, a la vez, le dimos la bienvenida a Brian».

Como Slash concluyó: «*Back In Black* es una de las grandes historias de la Cenicienta de la historia del rock 'n' roll».

Malcolm Young expresó con gran intensidad lo que la banda imprimió realmente en aquel álbum, al nivel más profundo: «Como habíamos pasado todo lo que habíamos pasado, todas esas emociones entraron en juego mientras grabábamos *Back In Black*. Así es como se hizo ese álbum. Era lo que queríamos. Es real. Sale de dentro. La emoción que hay en ese disco estará ahí para siempre».

BACK IN BLACK

Lanzamiento: 25 de julio de 1980
Grabación: abril-mayo, Compass Point Studios, Nassau, Bahamas
Sello: Albert Productions/Atlantic
Productor: Robert John «Mutt» Lange

Todos los temas fueron escritos por Angus Young, Malcolm Young y Brian Johnson.

CARA 1

«Hells Bells»
«Shoot To Thrill»
«What Do You Do For Money Honey»
«Given The Dog A Bone»
«Let Me Put My Love Into You»

CARA 2

«Back In Black»
«You Shook Me All Night Long»
«Have A Drink On Me»
«Shake A Leg»
«Rock And Roll Ain't Noise Pollution»

MÚSICOS

Brian Johnson: voz solista
Angus Young: guitarra solista
Malcolm Young: guitarra rítmica, coros
Cliff Williams: bajo, coros
Phil Rudd: batería

Back In Black es el álbum de rock más vendido de la historia. También es, con más de cincuenta millones de copias vendidas, el segundo álbum más vendido de todos los tiempos después de *Thriller* de Michael Jackson.

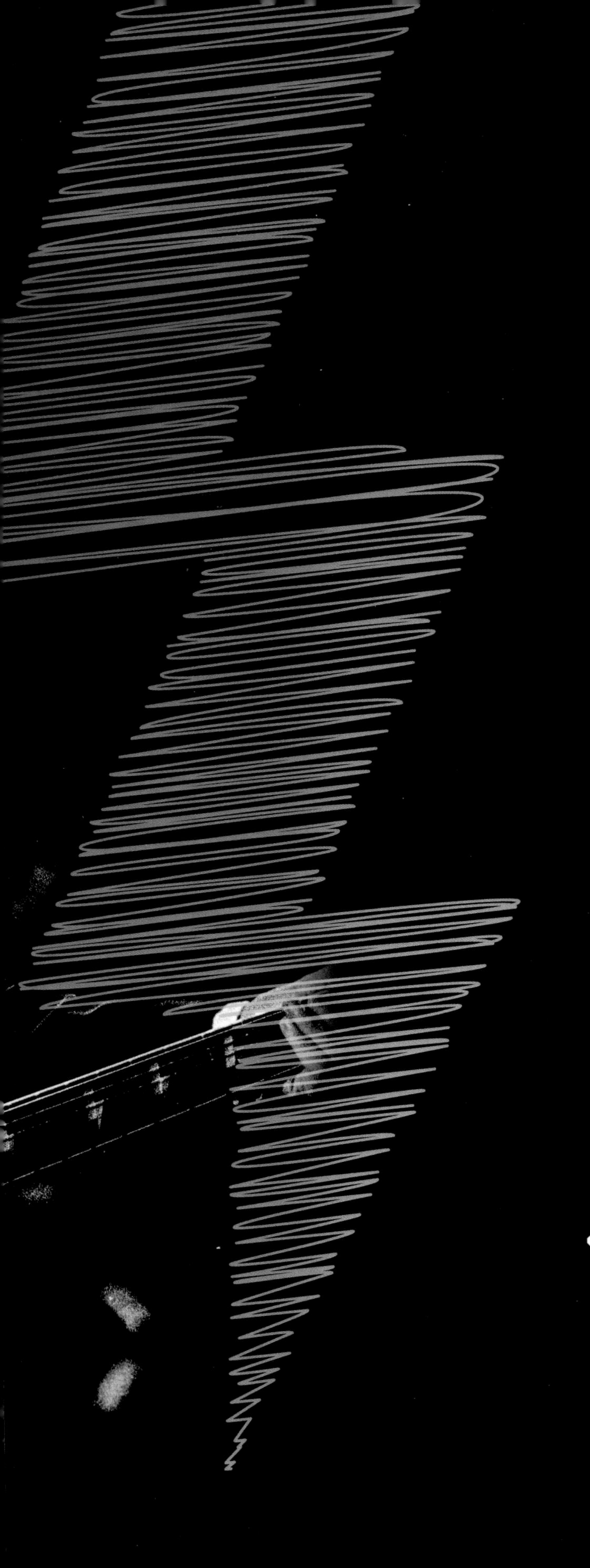

Monsters of Rock

«AC/DC es auténtico. Estamos ante una banda de rock 'n' roll insuperable».

Rolling Stone

El año en que AC/DC creaba el mayor álbum de rock de todos los tiempos, el mayor grupo de rock del mundo llegaba a su fin. La muerte del baterista John Bonham el 25 de septiembre de 1980 se produjo siete meses después que la de Bon Scott, y en circunstancias muy similares. Bonham era un bebedor empedernido, y falleció mientras dormía en casa del guitarrista de los Led Zeppelin, Jimmy Page, cerca de Windsor, tras los ensayos para la gira del grupo por Norteamérica. La investigación forense oficial reveló que Bonham había muerto ahogado por su propio vómito después de ingerir unos cuarenta tragos de alcohol en las últimas veinticuatro horas. La conclusión fue que había sido una muerte accidental. A sus treinta y dos años, Bonham falleció siendo un año más joven que Bon. Para Led Zeppelin no hubo vuelta atrás. En diciembre de 1980, se anunció la disolución de la banda. Fue el fin del grupo más grande del rock, y el fin de una era.

El ascenso de AC/DC y la caída de Led Zeppelin simbolizaron un cambio de guardia en el mundo de la música heavy. A finales de 1980, muchos de los grupos de rock más importantes de la década de 1970 habían llegado a su fin o estaban de capa caída. Deep Purple se había separado ya en 1976, aunque varios antiguos miembros de la banda seguían floreciendo en grupos nuevos: Rainbow, Whitesnake y Gillan. Black Sabbath despidió a Ozzy Osbourne en 1979 y fichó al antiguo cantante de Rainbow, Ronnie James Dio, hecho que abrió una larga y amarga enemistad entre ambas formaciones. Bad Company estaba dando los últimos coletazos y Status Quo estaba perdiendo fuerza. Entre las numerosas bandas para las que AC/DC habían actuado como teloneros, dos de los grandes grupos de rock estadounidenses estaban pasando por un momento complicado. Aerosmith, a los que antaño se consideró los «Rolling Stones de América», estaban metidos en temas de drogas, y el guitarrista Joe Perry, fan de AC/DC, se había marchado y había fundado The Joe Perry Project, cuyo álbum de debut de 1980 tenía un título incisivo: *Let The Music Do The Talking*. KISS había cometido lo que un gran número de seguidores consideró una herejía con la canción de influencia pop «I Was Made For Lovin' You» y, como consecuencia, su popularidad había caído en picado.

Mientras los gigantes caían, los nuevos héroes del rock 'n' roll subían como la espuma. De nuevo, muchos de ellos eran grupos con los que

AC/DC había compartido escenario. Con Aerosmith y KISS en tela de juicio, los Van Halen se habían convertido en los reyes del rock estadounidense, con un maestro de la guitarra revolucionario, Eddie Van Halen, y un cantante, David Lee Roth, que hablaba a toda velocidad y era un *showman* supremo. Rush había reinventado su sonido para la nueva década y registraron un gran éxito con el himno del rock moderno «The Spirit Of Radio». Judas Priest había tenido un grandísimo desembarco en Estados Unidos con el álbum de 1980 *British Steel*, y varios de sus singles en el top 20 de Reino Unido como «Breaking The Law» y «Living After Midnight». UFO, los viejos colegas de borrachera de AC/DC,seguían estando entre los grandes, aunque el guitarrista Michael Schenker ya no estaba con ellos. También Thin Lizzy, que había perdido a Gary Moore, pero aun así había alcanzado el éxito con el álbum *Chinatown*, a pesar de que la droga comenzaba a causar estragos entre ellos. La banda alemana Scorpions empezaba a despertar atención. Motörhead alcanzó el éxito en 1980 con el álbum *Ace Of Spades* y el single homónimo. Tras su estela, empezaron a despuntar estrellas emergentes de la New Wave of British Heavy Metal (nueva ola del heavy metal británico), con Iron Maiden, Def Leppard y Saxon a la cabeza.

Páginas 140-141: **Angus Young en el escenario del festival Donington Monsters of Rock de Reino Unido, 1981.**

A finales de 1980, muchos de los gigantes de la escena del rock de la década de 1970 estaban de capa caída: Aerosmith (página 142) **era víctima de la drogadicción; Led Zeppelin se hundió tras la muerte del baterista John Bonham** (superior) **y KISS** (izquierda) **se suicidó eligiendo mal sus canciones.**

A principios de 1981, *Back In Black* había vendido más de tres millones de copias en Estados Unidos y, junto con su éxito, llegó otro extraño giro en la historia de AC/DC y Bon Scott. Mientras se vendían millones de copias del disco alrededor del mundo, se disparó la demanda de material nuevo del grupo. En consecuencia, el 17 de marzo de 1981, Atlantic Records sacó una versión tardía del *Dirty Deeds Done Dirt Cheap* de 1976, cinco años después de que la misma compañía lo descartara por no adecuarse a los gustos del público.

En mayo, dos meses después de que concluyera la gira Back In Black, Malcolm y Angus Young comenzaron a escribir y ensayar canciones para el siguiente álbum. Lo que hicieron fue lo típico de AC/DC: canciones sobre sexo, y, entre ellas, la inequívoca «Let's Get It Up». Tenían dos canciones que, sin duda, escandalizarían a la moralidad imperante en Estados Unidos: «Evil Walks» y «C.O.D.», esta última un acrónimo de «Care Of The Devil». Y también una canción épica, incluso más que «Hells Bells», similar en cuanto al tono y estilo, con un riff que Angus describió como «mortal» y un título inspirado en un libro sobre gladiadores romanos que había leído Angus. La consigna de los gladiadores, traducida del latín, era: «Ave, emperador, los que van a morir te saludan». AC/DC tituló su nuevo himno como «For Those About To Rock (We Salute You)».

«AC/DC sigue siendo la mejor banda de hard rock del mundo».

Sylvie Simmons

Era tal la popularidad de la música heavy en 1981 que, en junio, salió una nueva revista como satélite de *Sounds*, dedicada por completo al hard rock y el metal, con un título onomatopéyico que evocaba la disonancia de una quinta vacía: *Kerrang!* Editada por Geoff Barton, un gran defensor de AC/DC en el pasado, en la portada de su primer número aparecía una fotografía en primer plano de Angus sobre el escenario, sin camisa, con la boca abierta y el pelo largo chorreando de sudor. En el interior, había una sección, «Heavy Hundred», una lista de los cien primeros, con los «temas favoritos del heavy metal de todos los tiempos, escogidos por los lectores de *Sounds*». Y en el número uno, por delante de clásicos como «Stairway To Heaven», de Led Zeppelin; «Stargazer», de Rainbow; «FreeBird», de Lynyrd Skynyrd; «Smoke On The Water», de Deep Purple; y «Paranoid», de Black Sabbath, se encontraba «Whole Lotta Rosie». Fue un homenaje a Bon Scott y, a la vez, una confirmación de la valía de AC/DC. En la lista había otros cinco temas de AC/DC: «Let There Be Rock» en el número dieciocho, «Touch Too Much» en el veintinueve, «Highway To Hell» en el treinta y nueve, «Hells Bells» en el cuarenta y cinco, y «Walk All Over You» en el cien. Angus recordó que al ver la revista por primera vez soltó una carcajada, porque pensó que *Kerrang!* era un juego de palabras con el diminutivo de su nombre, «Ang». En julio, la banda volvió al trabajo serio, ya que comenzaban a grabar en París con Mutt Lange de nuevo como productor. Sabían que *Back In Black* era un hito difícil de perpetuar y el objetivo de Lange fue crear un sonido aún mejor que el de antes, como el de «For Those About To Rock (We Salute You)», el tema que se erigía como piedra angular y daba nombre al álbum, con un ritmo lento, un riff enorme, un coro monumental y un clímax frenético, todo ello enfatizado por ensordecedores cañonazos. Como Angus explicó después a la periodista musical Sylvie Simmons: «Es una canción muy inspiradora. Te hace sentir poderoso, y creo que de eso es de lo que va el rock 'n' roll».

El auge de los nuevos héroes del rock 'n' roll. Los Van Halen (superior izquierda) **se convirtieron en los reyes del rock norteamericano, mientras que la nueva ola del heavy metal británico se abría paso con bandas como Iron Maiden** (superior centro) **y Saxon** (superior derecha).

Con Lang a la caza de la perfección del sonido, el trabajo en los estudios Pathé-Marconi cesó tras solo dos semanas. En cambio, los temas básicos se grabaron en un almacén de un suburbio parisino con un estudio móvil, y las voces, tanto la solista como los coros, se grabaron en otro estudio, el Family Sound. Fue un proceso lento y frustrante para la banda, que describía un día típico de grabación como un día sentados fumando mientras Lange trabajaba en la sala de control. Llegó un momento en el que, según Malcolm, hasta parecía que le hubieran chupado la vida a las canciones.

GOD
created
HARLEY-
DAVIDSON

El 22 de agosto llegó el descanso del trabajo de estudio, cuando AC/DC regresó a Reino Unido como cabeza de cartel del festival Monsters of Rock celebrado en el Donington Park de Leicestershire. Era el primer festival de este tipo, dirigido exclusivamente a fanáticos que sacudían la cabeza con atuendos de cuero y tejano. En 1980, la edición inaugural contó con Rainbow como cabeza de cartel de un elenco formado por Scorpions, Judas Priest, Saxon, April Wine, Riot y Touch, y un público de treinta y cinco mil personas. En 1981, con AC/DC como atracción principal, casi se duplicó la asistencia, con sesenta y cinco mil personas en el público. El cartel estaba reforzado con Whitesnake, Blue Oyster Cult, Slade —que disfrutaba de su regreso muchos años después de sus gloriosos días de la década de 1970—, los roqueros sureños Blackfood y la banda de la nueva ola del heavy metal británico More.

Llovió todo el día y toda la noche, y hubo problemas recurrentes con la electroacústica, pero, para AC/DC, fue un concierto clave, como una coronación. El *set list* de la banda no contenía avance alguno de lo que sería el nuevo álbum. El concierto fue una especie de colofón tardío a la gira de *Back In Black*, y la banda sacó su artillería pesada: «Hells Bells», «Shot Down In Flames», «Sin City», «Back In Black», «Bad Boy Boogie», «The Jack», «What Do You Do For Money Honey», «Highway To Hell», «Whole Lotta Rosie», «Rocker», «T.N.T.», «Rock And Roll Ain't Noise Pollution», «You Shook Me All Night Long» y, para terminar, «Let There Be Rock».

Entre los sesenta y cinco mil asistentes a Donington de ese día, se encontraba el fan de AC/DC Joe Mackett, que entonces tenía sesenta años. «Angus me fascinaba —dijo—, no podía quitarle los ojos de encima. Pero la banda entera parecía más viva que nunca. Les rodeaba un aura».

Cuando en septiembre se concluyó el álbum, Peter Mensch ya no era el manager de AC/DC, pero seguían con Leber-Krebs. El 21 de noviembre, diez días después de iniciar la gira mundial en Seattle, se publicó *For Those About To Rock (We Salute You)* con un cañón de color bronce dibujado en la portada.

La grandeza de sonido duro como el granito del tema que daba nombre al álbum estaba presente en todo el disco. Era un AC/DC a lo grande, justo lo que Mutt Lange buscaba. Aunque grande no significa mejor.

Izquierda: **Eric Bloom y Buck Dharma, de Blue Oyster Cult, en el escenario, Donington, 1981.**

Inferior: **Angus Young en Donington, 1981.**

Izquierda: **Brian Johnson en el escenario del festival Donington Monsters of Rock en Reino Unido, 1981.**

«Un cóctel entretenido de potente simplicidad musical, sexualidad animal, un sudoroso sentido del espectáculo y una verdadera fiesta de juerga, rebeldía y fantasía adolescente».

Garry Bushell, *Sounds*

Páginas anteriores: **Angus Young** (izquierda) **y Brian Johnson en la gira por Reino Unido, 1981.**

Superior: **AC/DC, cabeza de cartel en el Monsters of Rock, 1981.**

Izquierda: **Angus Young en directo con su guitarra Gibson SG en el Cow Palace de San Francisco, Estados Unidos, 16 de febrero de 1982.**

Mientras que *Back In Black* contaba con un perfecto equilibrio entre el ritmo del rock 'n' roll y la fuerza del heavy metal, en *For Those About To Rock (We Salute You)*, la balanza se inclinaba hacia lo último. Aunque el tema que daba nombre al álbum requería un sonido fresco y metálico, la pieza entera llevaba impresa una sensación de exageración y un aire distante que confirmaba que la impresión de Malcolm Young en cuanto a la sobreproducción del tema había sido correcta. El tema más rápido del álbum, «Snowballed», desprendía una energía furiosa, y se percibía una burbujeante intensidad en la última canción, «Spellbound». Pero en los temas de cariz boogie, «Let's Get It Up», «Evil Walks» y «C.O.D.», la banda parecía en cierto sentido rígida, para nada suelta como solía sonar. Además, mientras *Back In Black* era un disco realmente cargado de bombazos y sin nada de paja, *For Those About To Rock (We Salute You)* contenía algunos temas de relleno genéricos y carentes de inspiración: «Inject The Venom», «Put The Finger On You», «Night Of The Long Knives», «Breaking The Rules».

El álbum recibió críticas dispares. El titular del *Sounds* fue: «Para los que están a punto de bostezar». Phil Bell le otorgó tres estrellas de cinco y lo describió como «machacón, repetitivo, tedioso». La conclusión de Bell fue tajante: «Este disco ya estaba gastado antes de ponerlo». Kurt Loder, de *Rolling Stone*, lo vio desde el ángulo opuesto y recibió *For Those About To Rock (We Salute You)* como el «mejor álbum de AC/DC». En este comentario, como ocurrió con la crítica de *Rolling Stone* a *Back In Black*, se intuía que Atlantic Records había encontrado en AC/DC lo que había perdido con Led Zeppelin. Loder afirmó: «Los AC/DC son auténticos, tal vez los representantes más puros del rock sucio y ardiente desde que los Lez Zeppelin arrasaban en las listas. Los diez temas están pensados para el público cargado de testosterona del grupo. Estamos ante una banda de rock 'n' roll insuperable».

Sylvie Simmons se hacía eco de este mismo sentimiento en su reportaje para *Cream*. Simmons se unió a la gira de AC/DC en Indianápolis el 28 de noviembre, cuando la banda tocó ante diecisiete mil personas en el Market Square Arena. «AC/DC sigue siendo la mejor banda de rock duro del mundo —escribió—. Y en un país en el que las estadísticas demuestran que un estadounidense se queda sordo cada quince minutos, AC/DC consiguió las cifras de un año en solo una noche».

Brian Johnson charló con Simmons sobre el increíble éxito de *Back In Black*. «No podía creerlo —confesó—. Pensé: "Por todos los demonios, ¿lo he hecho? Sea lo que sea, ¡voy a seguir haciéndolo!"». También habló de su orgullo en la canción más sucia del álbum, «Let's Get It Up». «Obsceno —dijo—. ¡Pura obscenidad! Somos una banda guarra». Quien se llevó el mérito, o tal vez quien fue culpable de los dos temas

potencialmente más controvertidos del disco, «C.O.D». y «Evil Walks», fue Angus. «Llegué con "Care Of The Devil" —dijo alegremente— y con "Evil Walks! y dije: "Esos acordes suenan como mil demonios". Es un título con gancho. No somos satánicos ni nada de eso. No bebo sangre. Puede que lleve ropa interior negra de vez en cuando, pero ya está». Se reía de la moralidad mayoritaria: «Nos han estado molestando muchísimos de años —añadió—. Hay gente que está enferma. Si quiere dar el coñazo con Dios, debería ir a dárselo al papa. Que él lo necesita. Nosotros, no».

El 2 de diciembre, cuando la gira llegó a Nueva York, la predicción de Bon Scott de 1979 se hizo realidad. AC/DC salía como cabeza de cartel en el Madison Square Garden por primera vez en la vida. En el *set list* de esa noche aparecían nueve canciones que la banda había compuesto con Bon y ocho con Brian: seis de *Back In Black*, además de «For Those About To Rock (We Salute You)» y «Put The Finger On You». Otra primera vez para AC/DC y otra piedra angular de su carrera llegó a finales de año. A pesar de los millones de copias que había vendido *Back In Black* y del tiempo que había permanecido entre los diez primeros de las listas de Estados Unidos, jamás alcanzó el número uno. El 21 de diciembre, el álbum *For Those About To Rock (We Salute You)* apareció en el número uno de Estados Unidos. En Reino Unido y Australia, llegó al número tres.

La gira duró otro año, con una pausa de tres meses en la primavera de 1982. En septiembre, la banda volvió a Reino Unido, un poco más de un año después de su aparición en Monsters of Rock. Tenían diecisiete conciertos en Reino Unido, tres de ellos en Newcastle, el ámbito de Brian Johnson, y seis noches en Londres, cuatro en el Hammersmith Odeon y dos más en el Wembley Arena. La noche del debut en el Birmingham NEC, Garry Bushell realizó una crítica para *Sounds*, donde resumió el atractivo de la banda para las masas: «Un cóctel entretenido de una potente simplicidad musical, sexualidad animal, un sudoroso sentido del espectáculo y una verdadera gran fiesta de juerga, rebeldía y fantasía adolescente». Terminó con ironía: «¡El demonio sigue disfrutando del mejor ritmo!».

Cuando la gira concluyó en Zúrich, Suiza, el 12 de diciembre, AC/DC era indiscutiblemente el grupo de rock más grande del mundo. *Back In Black* les había llevado a la cima. *For Those About To Rock (We Salute You)* los mantuvo en su posición. De algún modo, el éxito sensacional de *Back In Black* había blindado a AC/DC, pero también era un álbum que jamás podrían igualar, un triunfo de los que se dan una sola vez en la vida. Y en los años que siguieron a *For Those About To Rock (We Salute You)*, hubo momentos difíciles para la banda, tanto en lo profesional como en lo personal, comenzando por los éxitos de dos figuras de capital importancia: el productor que tanto había hecho por transformarlos en estrellas y el baterista de la banda, tanto en los buenos como en los malos momentos, desde 1975.

Izquierda: **Malcolm Young toca en directo en el escenario con su guitarra Gretsch preferida en Donington, 1981.**

FOR THOSE ABOUT TO ROCK (WE SALUTE YOU)

Lanzamiento: 23 de noviembre de 1981
Grabación: mayo-septiembre de 1981, Mobile One Studios, París, y Family Sound Studios, Londres
Sello: Albert Productions/Atlantic Records
Productor: Robert John «Mutt» Lange

Todos los temas fueron escritos por Angus Young, Malcolm Young y Brian Johnson.

CARA 1
«For Those About To Rock (We Salute You)»
«Put The Finger On You»
«Let's Get It Up»
«Inject The Venom»
«Snowballed»

CARA 2
«Evil Walks»
«C.O.D.»
«Breaking The Rules»
«Night Of The Long Knives»
«Spellbound»

MÚSICOS
Brian Johnson: voz solista
Angus Young: guitarra solista
Malcolm Young: guitarra rítmica, coros
Cliff Williams: bajo, coros
Phil Rudd: batería, percusión

For Those About To Rock (We Salute You) fue el primer álbum de AC/DC que alcanzó el número uno en Estados Unidos. En Reino Unido y Australia llegó al número tres. Fue el último álbum de AC/DC producido por Robert John «Mutt» Lange.

Atlantic también publicó *Dirty Deeds Done Dirt Cheap* en 1981, cinco años después de su primer lanzamiento internacional.

Gruhn

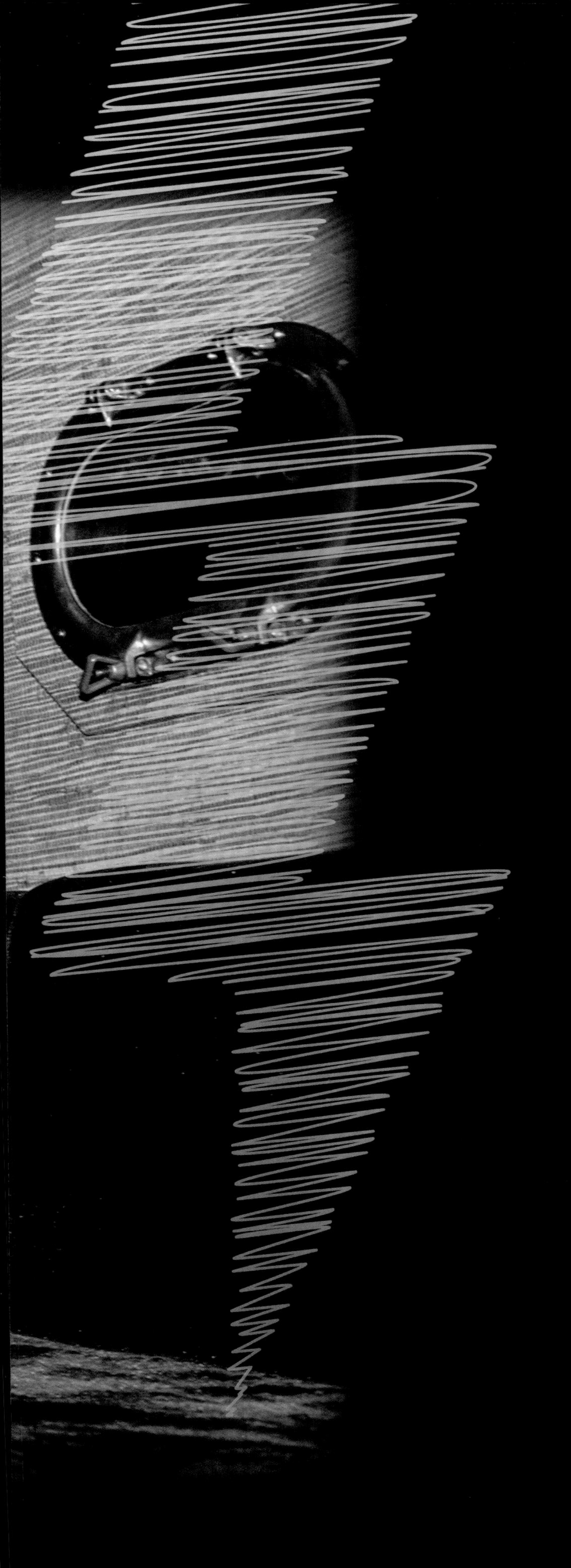

Un camino duro

«Los chicos estaban preocupados. Habían visto irse a Bon y yo lo estaba fastidiando. Sabía que me lo tenía que sacar del cuerpo si quería regresar alguna vez».

Malcolm Young

Cuando a principios de 1983 AC/DC volvió a Compass Point Studios de Nassau, donde habían grabado *Back In Black* tres años antes, Mutt Lange ya no formaba parte del equipo. El productor había conseguido tres grandes álbumes de éxito para la banda, pero el último, *For Those About To Rock (We Salute You)*, había requerido demasiado tiempo para su producción y el sonido era bastante exagerado para el gusto de Malcolm Young, que quería volver a lo básico, despojar la música de adornos y hacer un disco puro y sin florituras como *Let There Be Rock* y *Powerage*. Con este objetivo, el nuevo álbum lo produjo la propia banda. De hecho, Malcolm. Pero muy astutamente, llamó a dos viejos colaboradores para que le ayudaran. Su hermano mayor, George Young, y «The Dutch Damager» Harry Vanda, que habían producido los primeros álbumes de AC/DC, y sabían qué deseaba Malcolm. Y se hizo realidad.

El álbum se tituló *Flick Of The Switch*, y fue, a su modo, la oda más pura y decidida a la integridad artística que AC/DC había hecho jamás. Como una reacción a los álbumes producidos por Lange, *Flick Of The Switch*, en palabras de Malcolm, «salió a la carrera». Las canciones eran simplistas incluso para los estándares de AC/DC: duras y directas, con coros gritados como si de un puñado de borrachos de tratara, como solían hacer antes de que Mutt puliera su interpretación.

La producción fue muy seca. El conjunto era brutal en su minimalismo. Y mientras AC/DC hacía esta dura declaración de intenciones, las tensiones en la relación entre Malcolm Young y Phil Rudd comenzaron a aflorar.

Rudd era uno de los mejores bateristas del mercado. Para AC/DC era lo que John Bonham para Led Zeppelin, y lo que Charlie Watts para los Rolling Stones. Cuando él y Malcolm tocaban, había una comunión tan fuerte como entre Charlie Watts y Keith Richards. Sin embargo, en 1983, algo había sucedido entre ellos, algo que se calificó eufemísticamente como un «tema personal». También se rumoreaba que Rudd había comenzado a tener problemas con el alcohol y las drogas. No existía ningún problema con su forma de tocar la batería, ya que tocó con absoluta solidez en el álbum, pero con la perspectiva del inicio de una gira norteamericana en octubre, llegó la decisión. Como afirmó Angus Young en una entrevista para el periodista de *Kerrang!* Howard Johnson en 1990: «Teníamos que empezar en Estados Unidos justo después. Él (Rudd) habría tirado la casa por la ventana y habría hecho algo drástico contra sí mismo o contra otro».

Con Phil Rudd fuera de la banda, se hicieron varias audiciones para encontrar a un nuevo baterista, en las Bahamas, primero, y después en Nueva York, mientras se mezclaba el álbum, y, finalmente, en Londres. Hubo cientos de candidatos y aparecieron algunos grandes nombres, como Simon Kirke, de Free y Bad Company, y Paul Thompson, de Roxy Music, pero el puesto acabó en manos de un tipo relativamente desconocido que iba a cumplir veinte años en un mes. Simon Wright, nacido el 19 de junio de 1963 en Oldham, Lancashire, se había afilado los dientes con un par de bandas de heavy metal de bajo nivel, A II Z y Tytan. Aunque inexperto, Wright llegaba sin mochila y sabía cuál era su lugar. Y lo más importante: le pegaba fuerte a la batería. La salida de Rudd se anunció justo antes del lanzamiento de *Flick Of The Switch*,

Páginas anteriores: **Malcolm Young en el autocar de gira de AC/DC, 1985.**

Derecha: **con Phil Rudd fuera de la banda, las audiciones incluyeron nombres de primera fila, como Simon Kirke, de Free, y Bad Company (fotografía).**

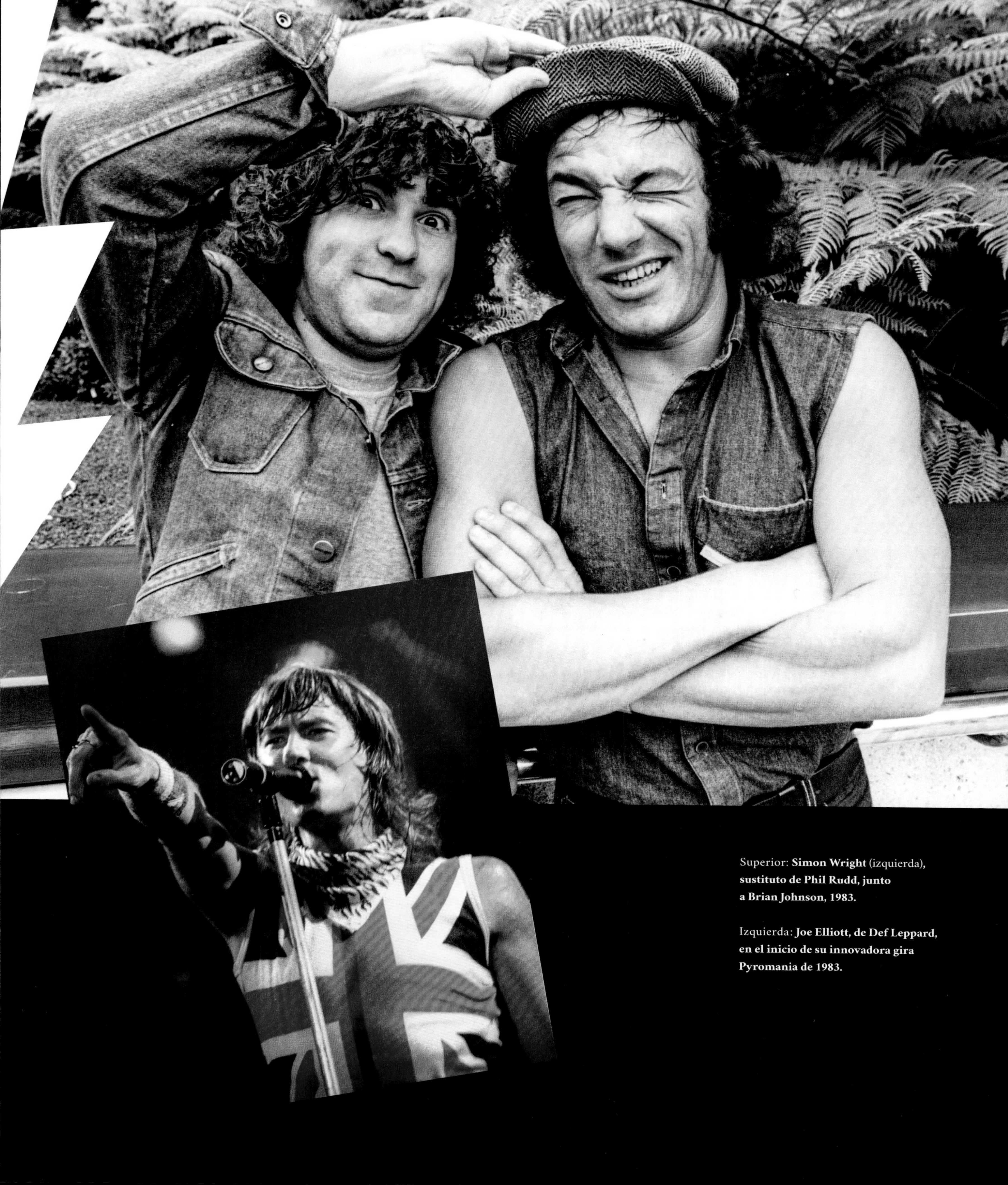

Superior: **Simon Wright** (izquierda), **sustituto de Phil Rudd, junto a Brian Johnson, 1983.**

Izquierda: **Joe Elliott, de Def Leppard, en el inicio de su innovadora gira Pyromania de 1983.**

AC/DC volvió a Donington Park el 18 de agosto de 1984 para su segunda aparición como cabeza de cartel en el festival Monsters of Rock (superior izquierda)**. El cartel de pesos pesados incluía a estrellas emergentes como Mötley Crüe** (superior centro: **Vince Neil, de Mötley Crüe, sale a la derecha, *backstage*) y Accept** (superior derecha), **la mayor banda de heavy alemana desde Scorpions.**

el 15 de agosto de 1983. La portada del disco, un dibujo de Angus en una interpretación literal del título del álbum, reflejaba el tipo de música espartana que contenía.

Una crítica de cinco estrellas en *Sounds* describió el álbum como «electrificante», pero el periodista musical Barney Hoskyns, de *NME*, dio un veredicto más clarividente que situaba este álbum, y a la banda, en un contexto más amplio. Por un lado, Hoskyns halagó el enfoque decidido de AC/DC: «Lo que sigue impresionándome es su simplicidad y su modestia intrínseca. Efectivamente, siguen trabajando la misma canción una y otra vez, y aun así, algo tan titánicamente tosco como "This House Is On Fire" escapa a la vorágine». Por otro lado, sugirió que AC/DC comenzaba a parecer desfasado. «Los que están modelando el sonido actual de la guitarra son los nuevos superproductores de rock», afirmó Hoskyns, citando a Mutt Lange como el máximo exponente. «En *Flick Of The Switch*, los AC/DC se producen a sí mismos y las guitarras son muy aburridas». El verdadero aguijón fue compararlos con una banda que había hecho de telonera a AC/DC y que había conseguido crear, junto a Lange, uno de los álbumes de rock que cambiarían las reglas del juego en 1983. «La música de AC/DC —repuso— ha sido superada por Def Leppard».

Como ha afirmado a menudo Joe Elliott, cantante de Leppard, el cianotipo de su banda fue «AC/DC unida a Queen». El primer álbum de Leppard con Lange, *High 'n' Dry*, de 1981, contenía un sonido y unos riffs con una marcada influencia de AC/DC y de *Highway To Hell* en particular. Sin embargo, con el álbum *Pyromania*, lanzado en enero de

1983, Leppard y Lange elevaron el rock duro a un nivel más allá, gracias a una producción en la que se emplearon las últimas tecnologías, armonías vocales de pistas múltiples y ganchos pop en todos los estribillos. ZZ Top tenía gustos similares a los de AC/DC, enraizados en las sencillas virtudes del rock duro, el boogie y el blues. Sin embargo, en el álbum *Eliminator* de 1983, el grupo modernizó su sonido característico, confiriéndole un efecto brillante con sintetizadores y secuenciadores que mejoraron su rock 'n' roll rudo con canciones de éxito como «Gimme All Your Lovin'» y «Sharp Dressed Man».

Lo que AC/DC había plasmado en *Flick Of The Switch* era un disco de rock agresivo sin ninguna esperanza de poder sonar en la radio. A finales de 1983, *Pyromania* había vendido seis millones de copias en Estados Unidos y *Eliminator*, cinco millones. *Flick Of The Switch* ascendió al puesto número quince en la lista de *Billboard*, pero solo se vendieron quinientas mil copias. En Reino Unido, el álbum salió mucho mejor parado, al alzanzar el número cuatro. Y aunque no fue un *Back In Black*, sigue siendo el álbum más infravalorado de la banda. Hay un par de temas, «Landslide» y «Brain Shake», que no son más que relleno, pero el atractivo monumental de «This House Is On Fire» —«titánicamente tosco», en palabras de Barney Hoskyns— inunda la canción que da nombre al álbum, «Rising Power», «Deep In The Hole» y «Bedlam In Belgium». En «Badlands», tenemos uno de los peores temas que ha grabado la banda. También hay un par de himnos de la tradición clásica de AC/DC: «Nervous Shakedown», con un magnífico riff de Malcolm, de esos que te dislocan la muñeca, y «Guns For Hire», con una intro convulsa que Angus toca como si tuviera un arpón clavado en la espalda.

La cosa fue como siempre mientras la banda recorrió los escenarios de Norteamérica entre el 11 de octubre y el 16 de diciembre, pero la gira no tenía ninguna fecha programada para Australia ni para Japón, que se completó tras ocho meses de pausa con una serie de festivales y conciertos en Europa, entre los cuales, el regreso a Donington Park el 18 de agosto de 1984, donde la banda hizo su aparición por segunda vez como cabeza de cartel en el festival Monsters of Rock.

Era un cartel de pesos pesados: AC/DC, Van Halen, Ozzy Osbourne, Gary Moore, Y&T, Accept y Mötley Crüe. Sin duda, la alineación más fuerte reunida en el Monsters of Rock. Los Mötley Crüe eran estrellas emergentes, los autoproclamados «chicos malos de Hollywood», con una imagen glam insuperable y un bombazo de álbum titulado *Shout At The Devil*. Accept eran la mejor y más importante banda del heavy metal alemán desde Scorpions. Los roqueros Y&T de San Francisco se habían ganado un nombre en Reino Unido con álbumes soberbios como *Earthshaker* y *Black Tiger*. Gary Moore, un guitarrista que no se debía a nadie, estaba triunfando en solitario. Ozzy Osbourne, el legendario loco del rock, había eclipsado a su antigua banda, Black Sabbath. Y los Van Halen habían subido a las alturas encabezando el US Festival de California de 1983 ante un público de trescientos cincuenta mil personas.

Antes del espectáculo, la prensa especializada en rock de Reino Unido hizo correr el rumor de que existía una gran rivalidad entre AC/DC y Van Halen, así como un enfrentamiento entre los héroes de la guitarra

«Lo que sigue impresionándome es su simplicidad y su modestia intrínseca».

Barney Hoskyns, *NME*

Angus y Eddie. En unas declaraciones a Mat Snow, de *NME*, Angus le restó importancia: «¿Rivalidad con Van Halen? Qué va. Un tío hace un coche y otro hace otro distinto. Ahora tienes un Rolls Royce, ahora tienes un Jaguar. Yo no lo veo como competencia. La gente simplemente los compra».

Durante el día, los honores fueron compartidos. Por la tarde, bajo un sol de justicia, Gary Moore, con un mono de color rojo intenso, dio el pistoletazo de salida a los guitarristas que le siguieron, tocando «Rockin' And Rollin'» de una forma explosiva y «Parisienne Walkways» con gran delicadeza. Ozzy, el héroe del público, amenazó con comerse a Van Halen y a AC/DC con la simple fuerza de su personalidad. Van Halen salió como un cohete abriendo con un doble revés, «Unchained» y «Hot For Teacher», en el que Eddie tocaba a un nivel sobrehumano y David Lee Roth se contoneaba con un aire estrambótico. Tuvieron momentos álgidos y más flojos, perdiendo embestida con un solo de batería que llegó demasiado pronto y un solo de guitarra que resultó demasiado largo, pero recuperaron el clímax con el éxito sintetizado «Jump», cuyo salto acrobático de Roth desde la plataforma de la batería arrancó un tremendo rugido al público.

Finalmente, cuando ya caía la noche, apareció el chavalillo gracioso del uniforme de colegial sobre un podio muy elevado por encima del escenario, tocando un solo frenético que ocultaba los vítores, y, a continuación, bajaba por una rampa dando saltitos sobre un pie, mientras lanzaba la intro de «Guns For Hire» y acababa llegando al centro del escenario justo cuando la banda se imbuía en un sabroso riff. Fue una entrada genial y, desde ahí, a medida que la banda sacaba toda su artillería pesada, fue coser y cantar: «Shoot To Thrill», «Sin City», «Back In Black», «Bad Boy Boogie», «Rock And Roll Ain't Noise Pollution», «Flick Of The Switch», «Hells Bells», «The Jack», «Have A Drink On Me», «Highway To Hell», «Dirty Deeds Done Dirt Cheap», «Whole Lotta Rosie», «Let There Be Rock», «T.N.T.» y el gran final: «For Those About To Rock (We Salute You)». A pesar del bombo que había precedido a la contienda, AC/DC no había salido escaldado del Monsters of Rock. Todo lo que siguió al festival fue soberbio: los conciertos del mes de septiembre en Francia agotaron la taquilla.

Con las últimas fechas de la gira Flick Of The Switch programadas para enero en el primer festival Rock in Rio de Brasil, la banda viajó a Montreux, Suiza, en octubre, para retomar el trabajo con las canciones que había escrito a principios de año. De las canciones que moldearon en Montreux, pocas habrían encajado en el disco *Flick Of The Switch*, y menos aún en los grandes álbumes que lo habían precedido.

También en octubre, Atlantic Records publicó material de archivo de AC/DC en forma de miniálbum, *'74 Jailbreak*, con cinco temas de las primeras épocas con Bon inéditos fuera de Australia: «Jailbreak», «You Ain't Got A Hold On Me», «Show Business», «Soul Stripper» y «Baby, Please Don't Go». La banda interrumpió el trabajo del nuevo álbum para tomarse un descanso antes de la última parada de la que había sido una larga gira sincopada.

Rock in Rio fue un gran evento que duró más de diez años con AC/DC como uno de los cabezas de cartel, junto con Queen, Rod Stewart y Yes. AC/DC actuó dos veces en aquella edición: el 15 y el 19 de enero. La primera noche, tocaron para cincuenta mil personas. La segunda, se estimó que asistió un público que se aproximaba al cuarto de millón. Fue un final triunfante de la gira.

Poco después, la banda volvió a Montreux para terminar el nuevo álbum en Mountain Studios. Con Malcolm y Angus como coproductores, este álbum, titulado *Fly On The Wall*, se situaba en la misma línea que *Flick Of The Switch*: duro, rudo, sin sofisticaciones. Como letristas, Malcolm y Angus se estaban quedando sin ideas. Canciones como «Danger», «Stand Up» y «Hell Or High Water» eran tan aburridas y genéricas como sus títulos indicaban. Un par de temas picantes, «Sink The Pink» y «Playing With Girls», conseguían levantar el ánimo. Solo una canción, «Shake Your Foundations», tenía la clase de *groove* y la grandilocuencia de los coros que habían caracterizado a AC/DC en el pasado. Había cierto aire de desesperación en los gritos de Brian Johnson al cantar todo este material. Como productores, Malcolm y Angus hicieron que la banda sonara como un homenaje a una mala noche.

Fly On The Wall salió en junio de 1985 y ascendió al número siete en Reino Unido, y al treinta y dos en Estados Unidos, donde finalmente obtuvo el disco de oro. En su crítica sobre el álbum publicada en la revista

Antes del Monsters of Rock, la prensa especializada en rock de Reino Unido hizo correr el rumor de una intensa rivalidad entre AC/DC y Van Halen. El salto acrobático de David Lee Roth en el escenario (superior) **arrancó un enorme rugido del público, pero la guitarra frenética de Angus Young** (izquierda) **demostró que AC/DC seguía sacándole ventaja.**

Rolling Stone, Tim Holmes los halagó, en cierto modo, por ser una banda que se mantenía fiel a sus principios tocando lo que él denominaba «los acordes repetitivos más estúpidos e irresistibles del repertorio». Cuando hablé con Malcolm en 2003, lo único que murmuró en defensa de este disco fue un cumplido muy dudoso: «Aunque puede que sea uno de los peores —dijo—, sigue estando más que bien».

Justo cinco años después de haber sacudido el mundo con *Back In Black*, con *Fly On The Wall*, AC/DC parecía consumido, pero aún quedaban tiempos mucho (muchísimo) peores por delante. En agosto de 1985, la víspera de una gira por Estados Unidos, el nombre de la banda saltó a los titulares de la prensa por una noticia que sacudió al mundo. Desde junio de 1984, un asesino al que la prensa había apodado el «Acosador nocturno» había cometido una serie de horribles asesinatos en la zona de Los Ángeles y San Francisco. El hombre al que arrestaron en agosto de 1985, acusado de asesinato, era Richard Ramírez, de veinticinco años, originario de El Paso, Texas. En los artículos de prensa posteriores a la detención, Ramírez alegó que se había inspirado en la canción «Night Prowler» de AC/DC. Uno de los titulares rezaba: «LA MÚSICA DE AC/DC ME LLEVÓ A MATAR A 16 PERSONAS». También se publicó que, tras su detención, se había hallado una gorra de béisbol de AC/DC en casa de Ramírez.

En una entrevista de 1991, Angus Young me dijo: «En Estados Unidos, hubo gente que se enfadó de verdad con la letra de "Night Prowler". Un

Superior: **AC/DC en la playa de Ipanema, Brasil, durante la etapa en Sudamérica de la gira Fly On The Wall, enero de 1985.**
I-D: **Brian Johnson, Cliff Williams, Simon Wright, Angus Young y Malcolm Young.**

Derecha: **AC/DC en el escenario del festival de música Rock in Rio, enero de 1985.**

tipo llegó incluso a decir que se había inspirado en la canción. Pero no nos lo tomamos en serio». Malcolm Young y Brian Johnson también se refirieron al tema cuando los entrevisté en 2003. Malcolm verbalizó su desprecio por Ramírez y por los periódicos que implicaron a AC/DC en el asunto. «La respuesta a eso es: "¿Le hicieron un lavado de estómago para ver si había comido en McDonalds?" —dijo—. Si eres un tarado, eres un tarado».

La banda se centró en los negocios que tenía entre manos, la gira Fly On The Wall. Esta iba a durar de septiembre de 1985 a febrero de 1986 y, aunque el álbum no fuera nada bueno, AC/DC seguía siendo una gran atracción, e iba a tocar en lugares importantes: el Madison Square Garden, el LA Forum y dos noches en el Wembley Arena de Londres. Después, en mayo de 1986, se lanzó un nuevo single en el que la banda descubrió su punto fuerte.

«Who Made Who» fue el tema que dio nombre a un álbum poco convencional de AC/DC, la banda sonora de una película de terror, *Maximum Overdrive* (*La rebelión de las máquinas*), escrita y dirigida por el autor de *bestsellers* Stephen King, gran fan de la banda. El álbum fue, en parte, un recopilatorio de grandes éxitos, con clásicos entre los que se contaban «Hells Bells», «You Shook Me All Night Long», «For Those About To Rock (We Salute You)» y un tema profundo de la época de Bon, «Ride On». Además, incluía tres temas inéditos: «Who Made Who» y los instrumentales «D.T.» y «Chase The Ace». Si bien estos dos últimos temas eran poco relevantes, salvo por la novedad, «Who Made Who» era una canción especial, con un riff *funky* y con un coro impactante que tanto se echó en falta en el álbum anterior. Como no podía ser de otro modo, lo produjeron Harry Vanda y George Young. Tal vez una admisión

tácita del desastre que habían creado Malcolm y Angus con *Fly On The Wall*. «Who Made Who» fue uno de los singles con más éxito de AC/DC. Alcanzó el número nueve en Australia y el dieciséis en Reino Unido. El álbum fue un gran éxito, aunque la gira de promoción se limitó a cuarenta y un conciertos en Estados Unidos y Canadá.

En 1987, AC/DC hizo un parón. Hasta finales de ese año no comenzaron a trabajar en un nuevo álbum en el Studio Miraval del sudeste de Francia. Sin embargo, durante su ausencia, la influencia de AC/DC siguió siendo intensa en dos de las bandas que definieron el rock duro de ese año. The Cult, con el álbum *Electric*, realizó una transformación radical del rock gótico al heavy metal, y en el tema que abría el disco, «Wild Flower», había un riff que parecía extraído directamente del «Rock 'n' roll Singer» de AC/DC. Guns N'Roses, la banda más salvaje de Los Ángeles después de Mötley Crüe, citó a AC/DC como fuente de inspiración, junto a Aerosmith, los Stones, Sex Pistols y Hanoi Rocks. En sus primeros conciertos británicos de junio de 1987 —tres noches en el famoso Marquee Club, donde AC/DC había actuado en 1976—, tocaron «Whole Lotta Rosie» en los bises para cerrar la noche. Axl Rose, el cantante de Guns N'Roses, tendría un gran papel en la historia de AC/DC muchos años más tarde. Del mismo modo, Rick Rubin, el productor del álbum *Electric* de The Cult, también se vería atraído a la órbita de AC/DC en la década de 1990.

En febrero de 1988, el lanzamiento de un nuevo álbum de AC/DC, *Blow Up Your Video*, generó grandes expectativas. «Who Made Who» había sido una promesa de retorno en plena forma. Además, era el primer álbum de la banda producido por Vanda y Young desde *Powerage*. Lo que la banda ofreció en *Blow Up Your Video* fue lo bastante sólido: muy lejos de lo que había sido *Powerage*, pero muchísimo mejor que *Fly On The Wall*. El disco empezaba con una bomba, el duro y rápido

Inferior: **Brian Johnson y Angus Young en el escenario del Wembley Arena de Londres, Reino Unido, el 17 de enero de 1986, durante la gira Fly On The Wall.**

Superior: **los dobles de Angus en el videoclip de «Who Made Who», 1986.**

Derecha: **Billy Duffy** (izquierda) **e Ian Astbury, de The Cult. Su álbum de 1987, *Electric*, contenía fuertes influencias de AC/DC, al igual que la peligrosa nueva banda llamada Guns N' Roses** (inferior)**, que citó a AC/DC como fuente de inspiración.**

Derecha: **Malcolm Young en el camerino del Wembley Arena de Londres durante la gira Blow Up Your Video, 1988.**

«Heatseeker», y la fuerza rítmica de la banda se hacía evidente en temas como «Meanstreak», «Go Zone», «Some Sin For Nuthin'» y «That's The Way I Wanna Rock 'n' Roll». Algunas canciones no eran demasiado buenas, como «Kissin' Dynamite», «Two's Up», «Ruff Stuff» y «This Means War», pero la crítica de *Rolling Stone* acentuó sus puntos positivos.

El crítico Jim Farber citó la «onda» renovada de AC/DC y la influencia de la banda en los discos producidos por Rick Rubin para The Cult y los agitadores del rock-rap Beastie Boys. Pero como afirmaba Farber: «Los maestros del riff originales aún funcionan. De hecho, los riffs ayudan a que sea el álbum más pegadizo de la banda desde su clásico *Back In Black*».

Blow Up Your Video fue un gran éxito: alcanzó el número dos en Reino Unido y Australia, y el doce en Estados Unidos. Otra gran gira se inició en Australia con cinco conciertos con todo vendido en Perth, seis en Melbourne y cinco más en Sídney. Sin embargo, cuando la banda llegó a Norteamérica en mayo, Malcolm Young no iba con ellos. Tras años de un consumo desmesurado de alcohol, acabó en rehabilitación. Su sustituto para la gira fue su sobrino, Stevie Young, cuyo grupo, Starfighters, había actuado como telonero de AC/DC en la gira Back In Black. Al hablar con Angus en 1991, me dijo: «Ya nos habíamos comprometido con la gira de Estados Unidos, así que nos llevamos a Stevie. Encajó bien con solo diez días de ensayo». Angus también fue descarnadamente sincero al hablarme de la lucha de Malcolm contra el alcoholismo. «Durante años, Malcolm había consumido mucho alcohol —dijo—. Al final, decidió que quería limpiarse. No quería convertirse en otra víctima».

Malcolm también fue muy franco cuando lo entrevisté en 2003. Recordó aquellos oscuros días de 1988, que le permitieron llegar hasta aquí, y cómo planeaba sobre él la muerte de Bon. De su decisión de retirarse de la gira de Estados Unidos de aquel 1988, dijo: «No lo ves venir. Nos tomamos dos Bloody Mary en el hotel por la mañana, luego fuimos directos al aeropuerto, y al bar. En el avión, dices: "Me tomaré un destornillador", y te tomas dos. Todos íbamos de ese palo, excepto Ang, que era abstemio. Me dio muchas satisfacciones». También me habló del efecto que tuvo en sus allegados, y de cómo tocó fondo. «Los chicos estaban preocupados — afirmó—. Habían visto cómo se había ido Bon y yo estaba fastidiado todo. Sabía que me lo tenía que sacar del cuerpo si quería regresar alguna vez».

FLICK OF THE SWITCH

Lanzamiento: 15 de agosto de 1983
Grabación: abril de 1983, Compass Point Studios, Nassau, Bahamas
Sello: Albert Productions/Atlantic, Sony
Productor: AC/DC

Todos los temas fueron escritos por Angus Young, Malcolm Young y Brian Johnson.

CARA 1
«Rising Power»
«This House Is On Fire»
«Flick Of The Switch»
«Nervous Shakedown»
«Landslide»

CARA 2
«Guns For Hire»
«Deep In The Hole»
«Bedlam In Belgium»
«Badlands»
«Brain Shake»

MÚSICOS
Brian Johnson: voz solista
Angus Young: guitarra solista
Malcolm Young: guitarra rítmica, coros
Cliff Williams: bajo, coros
Phil Rudd: batería, percusión

Personal adicional
Brent Richardson: portada artística, basada en un dibujo original de Angus Young

La portada de *Flick Of The Switch* era un dibujo de Angus, una interpretación literal del título del álbum que reflejaba el tipo de música que contenía: un retorno a lo básico. *Flick Of The Switch* fue el último disco en el que participó el baterista Phil Rudd antes de separarse durante once años de la banda.

'74 JAILBREAK

Lanzamiento: 15 de octubre de 1984
Grabación: 1974-1976
Sello: Atlantic
Productor: Harry Vanda, George Young

Todos los temas fueron escritos por Angus Young, Malcolm Young y Bon Scott.

CARA 1
«Jailbreak»
«You Ain't Got A Hold On Me»
«Show Business»

CARA 2
«Soul Stripper» (Young, Young)
«Baby, Please Don't Go» (Big Joe Williams)

MÚSICOS
Bon Scott: voz solista
Angus Young: guitarra solista
Malcolm Young: guitarra rítmica, guitarra solista, coros
George Young: bajo, coros, batería
Rob Bailey: bajo
Mark Evans: bajo en «Jailbreak»
Phil Rudd: batería y percusión en «Jailbreak»
Tony Currenti: batería y percusión en «You Ain't Got A Hold On Me», «Show Business» y «Soul Stripper»
Peter Clack: batería y percusión en «Baby, Please Don't Go»

'74 Jailbreak es un miniálbum con cinco temas de las primeras épocas con Bon, inéditos fuera de Australia.

FLY ON THE WALL

Lanzamiento: 28 de junio de 1985
Grabación: octubre de 1984-febrero de 1985, Mountain Studios, Montreux, Suiza
Sello: Albert Productions, Atlantic Records
Productor: Angus Young y Malcolm Young

Todos los temas fueron escritos por Angus Young, Malcolm Young y Brian Johnson.

CARA 1
«Fly On The Wall»
«Shake Your Foundations»
«First Blood»
«Danger»
«Sink The Pink»

CARA 2
«Playing With Girls»
«Stand Up»
«Hell Or High Water»
«Back In Business»
«Send For The Man»

MÚSICOS
Brian Johnson: voz solista
Angus Young: guitarra solista
Malcolm Young: guitarra rítmica, coros
Cliff Williams: bajo, coros
Simon Wright: batería, percusión

Personal adicional
Bob Defrin: dirección artística
Todd Schorr: ilustración portada

WHO MADE WHO

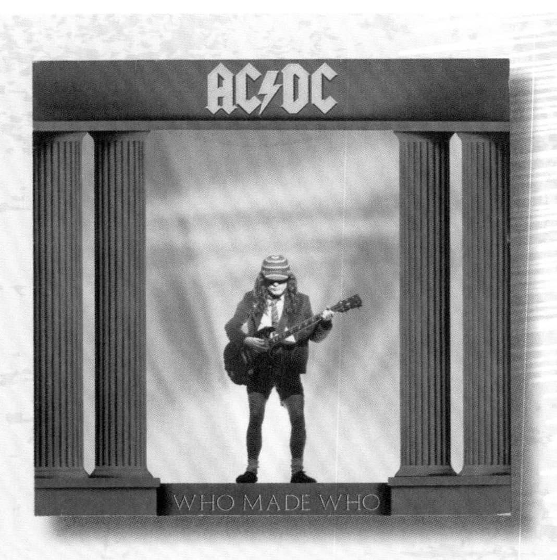

Lanzamiento: 24 de mayo de 1986
Grabación: diciembre de 1985
Sello: Albert Productions
Productor: Robert John «Mutt» Lange, Harry Vanda, George Young, Angus Young y Malcolm Young

Todos los temas fueron escritos por Angus Young, Malcolm Young y Brian Johnson, excepto los indicados.

Who Made Who es una banda sonora para la película de terror de Stephen King *Maximum Overdrive*.

CARA 1
«Who Made Who»
«You Shook Me All Night Long» (de *Back In Black*)
«D.T.» (Young, Young; instrumental)
«Sink the Pink» (de *Fly On The Wall*)
«Ride On» (de *Dirty Deeds Done Dirt Cheap*) Young, Young, Bon Scott

CARA 2
«Hells Bells» (de *Back In Black*)
«Shake Your Foundations» (de *Fly On The Wall*)
«Chase The Ace» (Young, Young; instrumental)
«For Those About To Rock (We Salute You)» (de *For Those About To Rock (We Salute You)*

MÚSICOS
Brian Johnson: voz solista
Angus Young: guitarra solista
Malcolm Young: guitarra rítmica, coros
Cliff Williams: bajo, coros
Simon Wright: batería
Bon Scott: voz solista en «Ride On»
Phil Rudd: batería en «You Shook Me All Night Long», «Ride On», «Hells Bells» y «For Those About To Rock (We Salute You)»
Mark Evans: bajo y coros en «Ride On»

Personal adicional
George Bodnar: fotografía portada

Superior (I-D): **Brian Johnson, Simon Wright, Cliff Williams, Malcolm Young y Angus Young en Australia, 1988, donde *Blow Up Your Video* fue disco de platino.**

Lanzamiento: 18 de enero de 1988, 1 de febrero de 1988 (Estados Unidos)
Grabación: agosto-septiembre de 1987, Miraval Studio, Le Val, Francia
Sello: Albert Productions
Productor: Harry Vanda, George Young

Todos los temas fueron escritos por Angus Young, Malcolm Young y Brian Johnson.

CARA 1

«Heatseeker»
«That's The Way I Wanna Rock 'n' Roll»
«Meanstreak»
«Go Zone»
«Kissin' Dynamite»

CARA 2

«Nick Of Time»
«Some Sin For Nuthin'»
«Ruff Stuff»
«Two's Up»
«This Means War»

EQUIPO

Brian Johnson: voz solista
Angus Young: guitarra solista
Malcolm Young: guitarra rítmica, coros
Cliff Williams: bajo, coros
Simon Wright: batería

Personal adicional

Bill Smith Studio: dirección artística
Gered Mankowitz: fotografía portada

Blow Up Your Video fue el primer álbum de la banda producido por Vanda y Young después de *Powerage*.

Como si fuera dos personas, y ¡a veces tres!

«Una vez te conviertes en el escolar es muy difícil dejar de serlo».

Angus Young

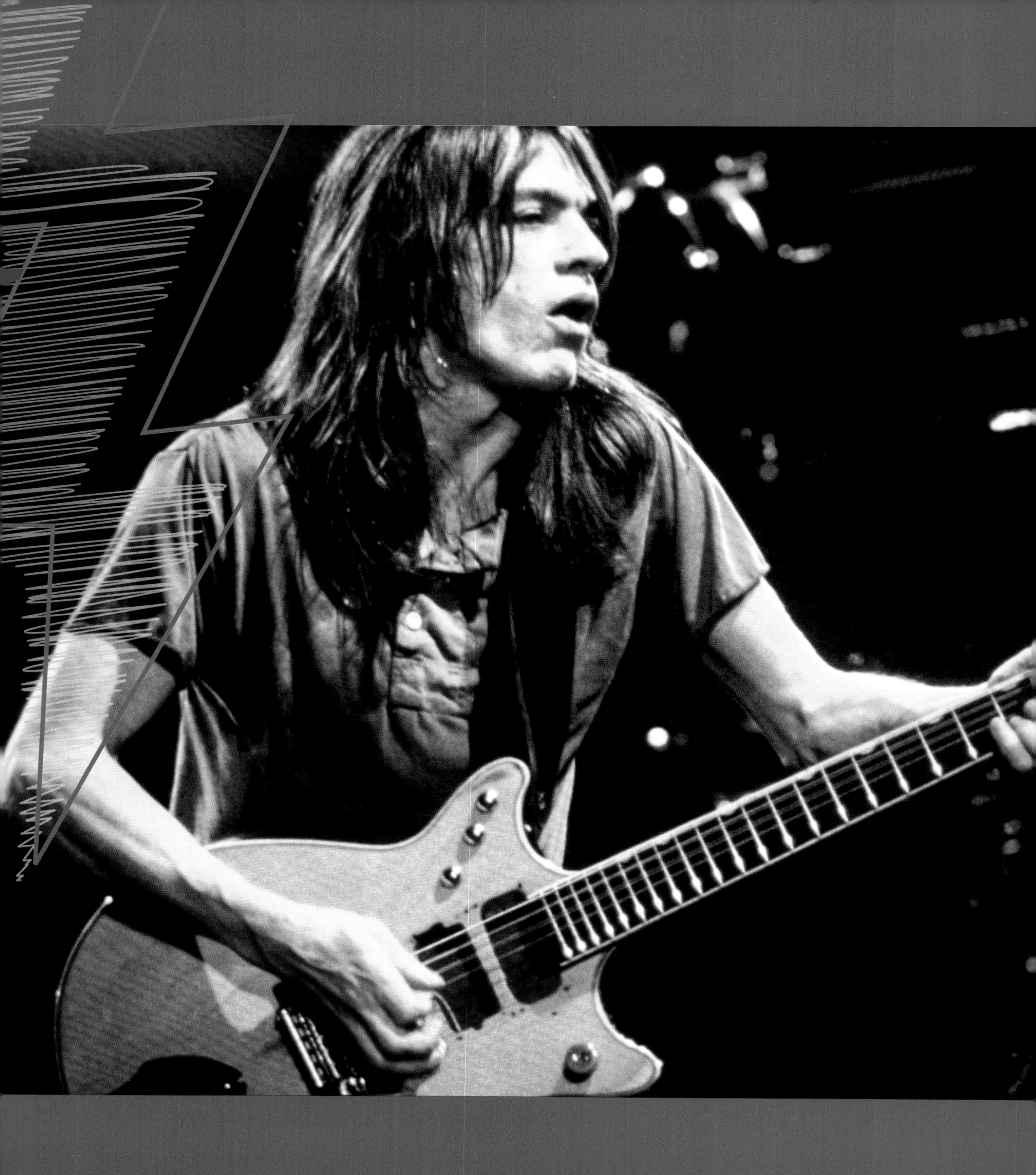

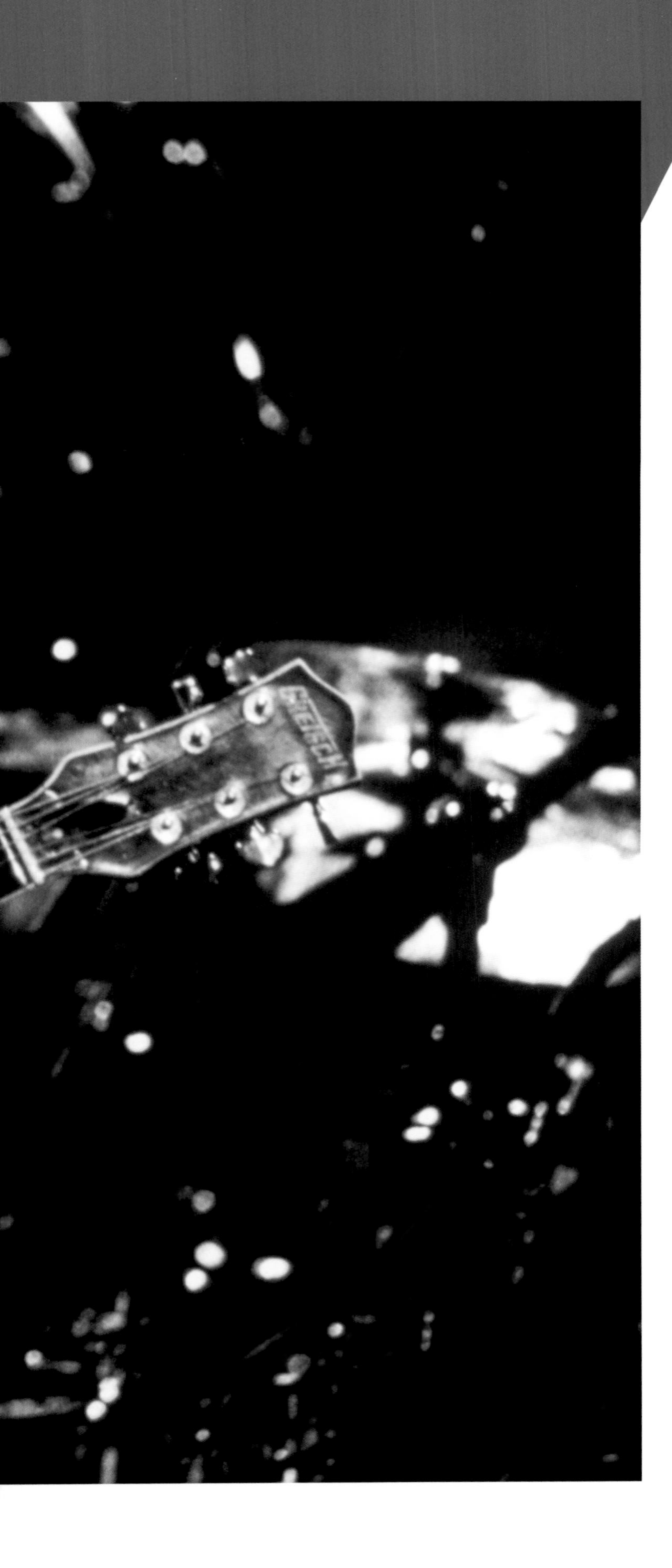

Había muchas razones por las que AC/DC decidió tomarse un año sabático después de terminar la gira Blow Up Your Video el 13 de noviembre de 1988. A pesar del perfil bajo que habían mantenido durante el año anterior, la banda permanecía activa en la rutina propia de los discos y las giras desde el principio de su días. Brian Johnson estaba en pleno proceso de divorcio. Y lo más importante de todo: Malcolm Young estaba en rehabilitación.

Para el baterista, Simon Wright, que solo tenía veinticinco años de edad y estaba dominado por la ambición, estar alejado de la acción le resultaba frustrante. Estuvo casi todo el año esperando, pero al final aceptó una invitación para tocar la batería en un disco de Dio, la banda liderada por el antiguo cantante de Rainbow y Black Sabbath, Ronnie James Dio. El álbum *Lock Up The Wolves* se grabó en Reno, Nevada, a finales de 1989. Después de esto, Wright decidió abandonar AC/DC para unirse a Dio.

El sustituto de Wright fue Chris Slade, que entonces tenía poco más de cuarenta años y una calva que lo demostraba. Lo que también tenía era un pedigrí impresionante.

Nacido el 3 de octubre de 1946 en la población galesa de Pontypridd, Slade era solo un chaval de dieciséis años cuando tocaba con el grupo de música beat de la década de 1960 Tommy Scott and The Senators, encabezado por el cantante que saltaría a la fama como Tom Jones. En la década de 1970, Slade formó parte de Manfred Mann's Earth Band. En la de 1980, trabajó con Uriah Heep, Gary Numan y David Gilmour, de Pink Floyd, antes de unirse al efímero supergrupo The Firm, liderado por Jimmy Page, antiguo guitarrista de Led Zeppelin, y el excantante de Free y Bad Company, Paul Rodgers. Slade estaba en la banda de Gary Moore cuando recibió la llamada de AC/DC. Fue una oferta que no pudo rechazar.

Páginas anteriores: **AC/DC, 1990. Chris Slade** (segundo derecha) **sustituyó a Simon Wright a la batería.**

Izquierda: **Malcolm Young actúa en casa, en Australia, 1991.**

Slade era una versión mejorada de Simon Wright, con más sensibilidad natural por el rock 'n' roll que hacia AC/DC. Se unió a una banda rejuvenecida tras una larga pausa. Las canciones que Malcolm y Angus Young habían escrito eran las más potentes después *Flick Of The Switch*. También habían compuesto todas a las letras, con la ausencia momentánea de Brian Johnson para hacer frente a las complicaciones de su divorcio. Había una canción que destacaba de verdad. Se basaba en un *lick* muy rápido que se le había ocurrido a Angus más por casualidad que otra cosa, cuando, en sus propias palabras, «andaba jugueteando con la mano izquierda». Malcolm tenía una parte rítmica que encajaba a la perfección, y de aquello nació una nueva canción épica. La llamaron «Thunderstruck». «Parecía que sonaba bien —explicó Angus—. AC/DC es igual a fuerza». A la introducción, le añadieron el cántico «Thunder!» para darle un efecto dramático. La canción principalmente estaba des-tinada a convertirse en un clásico de AC/DC.

La banda tenía la intención de quedarse con Harry Vanda y George Young como productores, pero cuando George se retiró del proyecto por motivos personales, se decidieron por el productor canadiense Bruce Fairbairn. En los años anteriores, Fairbairn había trabajado en un gran número de álbumes de rock de ventas multimillonarias, incluidos los dos que hicieron que Bon Jovi tuviera un nombre propio, *Slippery When Wet* y *New Jersey*, y los que habían resucitado la carrera de Aerosmith, *Permanent Vacation* y *Pump*. En mago de 1990, AC/DC comenzó a grabar su disco *The Razors Edge* en los Little Mountain Sound Studios de Vancouver, la ciudad de Fairbairn. El resultado fue el álbum con mejor sonido desde las producciones de Mutt Lange.

Contenía cuatro de los temas más extraordinarios. «Thunderstruck» es un gigante, la canción más destacada de AC/DC desde «For Those About To Rock (We Salute You)», con un coro con reminiscencias del clásico «T.N.T.», de los inicios y con Brian Johnson cantando de un modo que Angus me describió una vez como «si un camión le hubiera pasado por encima del pie». «Fire Your Guns» es un órdago a una velocidad de vértigo. «Moneytalks» es un rock 'n' roll espontáneo y pegadizo como los de *Back In Black*. El tema que da nombre al álbum revela una dureza de otro cariz: malas vibraciones y fuerza oscura. Entre los otros ocho temas hay algunos rutinarios, como «Rock Your Heart Out», «Shot Of Love» y «Are You Ready», y una canción humorística, «Mistress For Christmas», que desentona del conjunto, pero con las otras cuatro canciones fue suficiente, especialmente con «Thunderstruck», para hacer el mejor álbum de AC/DC en casi una década.

Lanzado el 24 de septiembre de 1990, *The Razors Edge* se posicionó en el número dos de las listas estadounidenses y en el cuatro de las británicas.

Izquierda: **Angus Young con su característico paso en el escenario durante la gira The Razors Edge, Londres, 1991.**

Extremo izquierda: **todavía en lo más alto, AC/DC volvió a encabezar el cartel del Monsters of Rock el 17 de agosto de 1991. También estaban en cartel Metallica** (superior izquierda), **Mötley Crüe, Queensrÿche y The Black Crowes** (superior derecha).

La crítica que John Mendelsohn hizo del álbum para *Rolling Stone* fue de una precisión fulminante: «A pesar de que el guitarrista Angus Young, el motor que mueve el engranaje de AC/DC, tiene ya más de treinta años, y Johnson, más de cuarenta, AC/DC no piensa en mucho más que en cantar sobre las glorias del sexo, el rock 'n' roll y obscenidades varias. De hecho, con *The Razors Edge*, AC/DC establece un nuevo récord de la carrera más larga sin aportar ni una sola idea nueva». Sin embargo, para la banda, esto era todo un honor. Las canciones sobre sexo, rock 'n' roll y obscenidades varias encantaban a millones de seguidores de AC/DC de todo el mundo.

La gira de *The Razors Edge* fue una maratón de doce meses en los que la banda experimentó grandes éxitos, pero también otra terrible tragedia. La primera parte de la gira empezó en Estados Unidos el 2 de noviembre, en el Worcester Centrum de Massachusetts. Con Malcolm de nuevo a bordo y Chris Slade debutando, aquella noche hubo otra nueva cara en el escenario: el bajista Paul Gregg, en sustitución de Cliff Williams, que se vio obligado a perderse unas cuantas actuaciones por enfermedad. El nuevo primer tema de los conciertos era «Thunderstruck», y en el *set list*, compuesto por veintiuna canciones, junto con los bises que nunca faltaban, llevaban tres temas más de *The Razors Edge*, los recientes éxitos «Who Made Who» y «Heatseeker», así como dos grandes viejas canciones que llevaban años fuera del repertorio: «Jailbreak» y «High Voltage».

Sucedió durante la segunda parte de actuaciones en Estados Unidos cuando aconteció la tragedia. Durante la actuación del grupo en el Salt Palace de Salt Lake City, el 18 de enero de 1991, tres fans fallecieron en un accidente cerca del escenario. Los tres eran adolescentes: Jimmie Boyd y Curtis Child, de catorce años, y Elizabeth Glausi, de diecinueve. La sensación de pérdida de la banda se expresó en un mensaje de «sentidas condolencias» a las familias de las víctimas. La gira siguió como estaba

previsto, pero Brian Johnson explicó tiempo después que el impacto de lo ocurrido en Salt Lake City no le permitió dormir en una semana.

En marzo y abril, la banda estuvo de gira por Europa y Reino Unido, con todas las entradas vendidas, y tres actuaciones en Birmingham y Londres. Algunos de los conciertos se grabaron para lanzar un álbum en directo. La tercera y última parte en Estados Unidos y Canadá tuvo lugar del 24 de mayo al 14 de julio. Los mayores conciertos se produjeron en agosto y septiembre, cuando AC/DC encabezó toda una serie de festivales del Monsters of Rock, incluido el regreso a Donington Park el 17 de agosto, donde compartieron cartel con Metallica, Mötley Crüe, Queensrÿche y The Black Crowes.

Antes de la actuación en Donington, entrevisté a Angus Young para *Kerrang!* Comenzó hablando del ritmo frenético de su vida, diciendo que había sido así desde los inicios de la banda. «Para nosotros —afirmó—, ha sido un corre, corre, corre. Este año pasado, por primera vez, me senté a pensar: ¿qué ha pasado durante estos últimos diecisiete años?». Me habló del peaje físico que supone tocar en directo a toda máquina, noche tras noche, durante meses. «Cuando estamos en ruta no descansamos demasiado —me explicó—. El día se confunde con el siguiente. Después de un bolo, me tumbo un par de horas. Intento esconderme para que nadie me pille y me diga: "¡Eh, no has tocado esta canción esta noche!". Necesito tiempo para relajarme. No quiero ser el "Angus Young del escenario" todo el tiempo. Me quemaría en una semana. En la última gira por Estados Unidos y Canadá, me quedé en cuarenta y tres kilos. Pesaba casi cincuenta cuando empezamos».

Angus admitió que seguía poniéndose nervioso antes de los conciertos. «A veces te entra el miedo —confesó—. Pero te tienes que mentalizar un poco, pegarte una buena patada en el culo. Al ser mayor, Malcolm es el mejor para darme ese empujón. Solo me dice: "Esos pies están lentos esta noche". Normalmente, después de ponerme el uniforme, se me pasa. Estoy atacado, nervioso, pero no es pánico. Por lo menos no me tengo que maquillar. Luzco mis granos. Pero por culpa de los nervios, tropiezo y hasta me he olvidado alguna vez de subirme la cremallera. Voy a hacer pis y se me olvida. Es lo último que hago antes de subir al escenario: siempre voy a mear y me fumo un cigarro. Si alguna vez ves que mis pantalones cortos sacan humo, ¡es que hice algo al revés!».

Me describió la euforia de tocar en directo. «En el escenario, estoy como en una nube. La adrenalina toma el control. Es como cuando despegas en un avión. Es excitante. Cuando tocas bien, es la mejor sensación del mundo. Y cuando te sale mal, es como si alguien te la metiera por detrás». También me contó, con su típico humor humilde, la razón por la que AC/DC es tan longevo. «La gente dice que ya llevamos demasiado tiempo —dijo—. Pero algunas bandas se difuminan cuando tratan de adaptarse a lo que se lleva. Nosotros tocamos rock. Es un poco tarde para que hagamos una balada. Lo que hacemos mejor es el rock. Alguna vez me han preguntado si quiero tocar algo que no sea lo de AC/DC. Claro, en casa toco un poco de blues, pero a los cinco minutos ya estoy diciendo, ¡qué coñazo! y vuelvo a tocar rock».

Lo que ochenta mil personas vieron en la actuación de AC/DC en Donington fue una banda que todavía estaba en pleno auge. Todos los grupos que los precedieron estaban en uno de los más altos niveles. The Black Crowes, la banda más de moda en toda Norteamérica desde Guns N'Roses, estaba promocionando su álbum debut de ventas multimillonarias, *Shake Your Money Maker*. Queensrÿche, una banda puntera del metal norteamericano, se imbuyó en su brillante álbum conceptual, *Operation: Mindcrime*, y terminó con el éxito inspirado en Pink Floyd «Silent Lucidity». Mötley Crüe, supervivientes de su voceada «década de decadencia», tocó los éxitos que les habían convertido en superestrellas: «Shout At The Devil», «Looks That Kill», «Girls, Girls, Girls», «Dr. Feelgood».

Metallica tocaba en Donington por tercera vez, igual que AC/DC. Abandonaron el escenario con una gran ovación del público. Una banda que pronto se convertiría en la más grande del mundo. Sin embargo, al final, AC/DC fue quien se llevó el gato al agua en Monsters of Rock.

«Thunderstruck» era una apertura espectacular, con Angus en lo alto de una rampa curva con una introducción impresionante y miles de fans saltando en pleno delirio mientras la banda se engranaba con una fuerza espectacular. Las tres canciones siguientes («Shoot To Thrill», «Back In Black» y «Hell Ain't A Bad Place To Be») no dejaron lugar a dudas sobre quién estaba dando el concierto. El *home run* fue imbatible. Tocaron ocho temas, todos clásicos inmortales: «Hells Bells», «High Voltage», «Whole Lotta Rosie», «You Shook Me All Night Long», «T.N.T.», «Let There Be Rock», «Highway To Hell» y «For Those About To Rock (We Salute You)».

Fue la mayor actuación de AC/DC en Donington, pero lo que sucedió el 28 de septiembre, con los últimos conciertos de Monsters of Rock, hizo que Donington, e incluso Rock in Rio, parecieran minucias. En la vasta extensión del aeródromo moscovita de Tushino, se reunió un público de medio millón de personas para ver a AC/DC, Metallica, The Black Crowes, la emergente banda de metal estadounidense Pantera y el grupo ruso E.S.T. Fue uno de los mayores conciertos jamás organizados.

Izquierda: **el gran público en el aeródromo de Tushino, Moscú, el 28 de septiembre de 1991. Donington y Rock in Rio se quedaron pequeños.**

Inferior (I-D): **Cliff Williams, Malcolm Young, Chris Slade, Angus Young y Brian Johnson en Australia durante la última parte de la gira The Razors Edge.**

Después de Moscú, quedaba una última parte de la gira The Razors Edge en tierras australianas durante los meses de octubre y noviembre. El último concierto era el 16 de noviembre en Auckland, Nueva Zelanda. Entre los invitados a aquella última actuación se encontraba Phil Rudd,

Derecha: **Angus Young y Brian Johnson, 1995.**

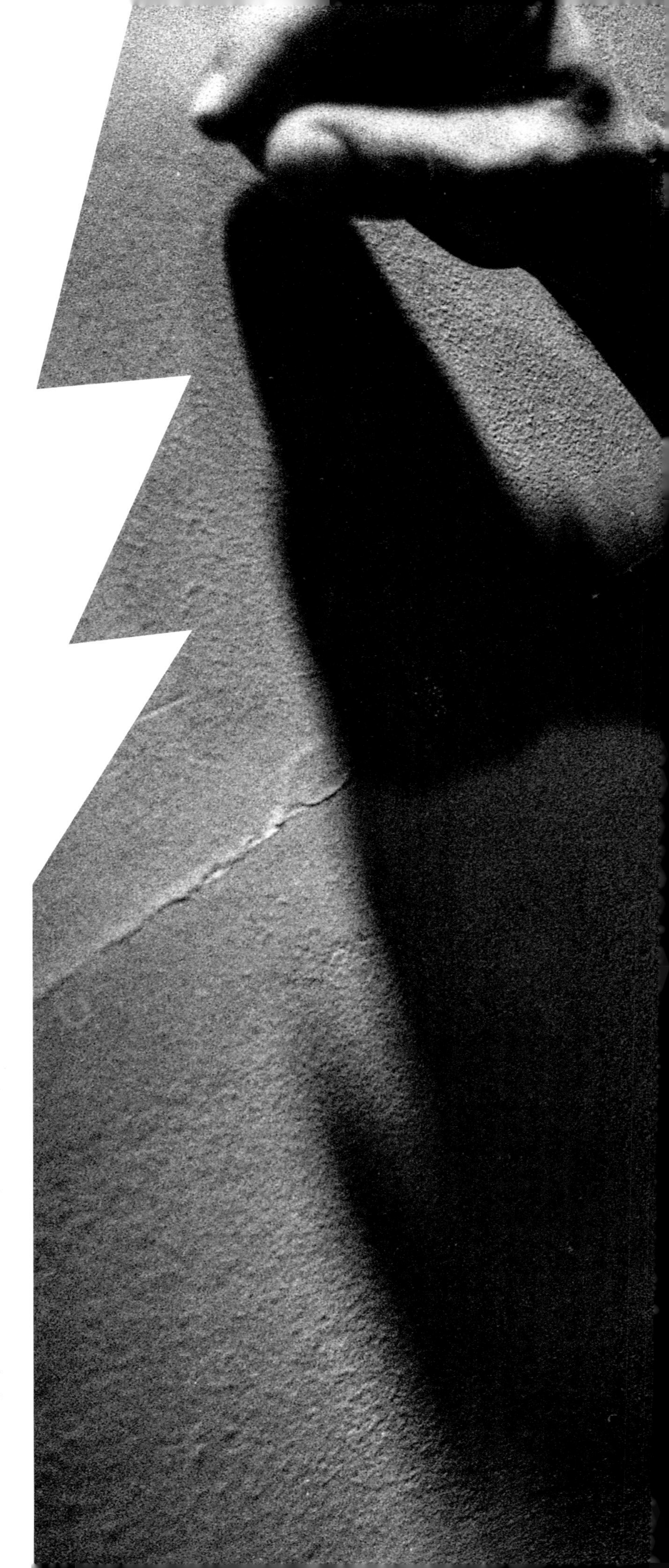

que en aquel momento residía en Auckland. Rudd hizo las paces con Malcolm y Angus. Ya llevaba ocho años fuera de la banda y debió de pensar que aquella situación ya había durado demasiado. Diez meses después, en octubre de 1992, volví a reunirme con Angus Young para otra entrevista para *Kerrang!* Acababan de lanzar un nuevo álbum en directo, el segundo de AC/DC, y el primero con Brian Johnson. También habían sacado al mismo tiempo el vídeo *Live In Donington* con el concierto del año anterior en Monsters of Rock.

Vestido con vaqueros azules y chaqueta a juego, con un té y encadenando cigarrillos, Angus estuvo de muy buen humor durante la hora que duró la charla. «Soy abstemio —dijo—. Lo soy desde hace muchos años. Pero no es nada religioso», añadió con una carcajada. Más tarde, repuso secamente: «Si yo estuviera ahí fuera pagando por un concierto, con algunos de los precios querría ver resucitar a John Lennon».

El título prosaico del nuevo álbum, *AC/DC Live*, carecía del espíritu combativo de *If You Want Blood (You've Got It)*. También adolecía de la crudeza intensa que se había captado en *If Your Want Blood*, «el concierto mágico», como Angus Young solía llamarlo. Lo que contenía *AC/DC Live*, como doble álbum, eran las mejores grandes canciones que la banda había creado desde 1978, entre ellas: «Highway To Hell», muchas de *Back In Black*, *For Those About To Rock (We Salute You)* y el último clásico «Thunderstruck». Cuatro temas ya habían aparecido en *If You Want Blood*: «Whole Lotta Rosie», «The Jack», «Let There Be Rock» y «High Voltage». Como me dijo Angus: «Le dimos muchas vueltas. Pero no creo que un álbum en directo de AC/DC pudiera salir sin esas canciones. Si no les gusta, siempre pueden poner *If You Want Blood* —Y añadió—: Todos los críos que conozco en los conciertos lo primero que me preguntan siempre es: "¿Cuándo vamos a tener ese álbum en directo que lleváis once años prometiendo?". Además, Brian ya lleva mucho tiempo con nosotros y ha grabado cosas muy potentes, en especial los discos *Back In Black* y *For Those About To Rock*, que aún me pone la piel de gallina».

Me habló del sudor y la sangre que les había costado el nuevo disco: «Cada vez que subes al escenario es un reto. Me gusta tocar y eso es lo que me hace seguir». Con el vídeo *Live At Donington*, comenzó a reír en el momento en que en «The Jack» hacía un estriptis y la gente le gritaba: «¡Quítatelo!». «Pensé que cantaban: "¡Quítenlo!"», dijo.

Hubo más risas mientras me hablaba de su personaje de escolar y de cómo él y el resto de la banda se relacionaba con el personaje. Incluido el nuevo, Chris Slade. «Como Chris es nuevo, me encuentra graciosísimo. Siempre ha tocado en entornos estrictos, donde la música es sacrosanta. Ya sabes, hay noches en que miro a Brian y me río mucho. Tuve que decirle: "No me hagas reír antes de salir". Algunas noches, cuando intento ser el escolar, me meo de la risa. Para mí, el bolo pasa demasiado rápido. Sales y ya se acabó, y entonces tienes que volver a ser tú mismo. Esa es la parte más dura, porque cuando te metes en el personaje del colegial es muy difícil salir de él. Es como si fuera dos personas, y ¡a veces

Superior derecha: **Angus Young con Arnold Schwarzenegger durante la grabación del vídeo para «Big Gun». La canción formó parte de la banda sonora de la película *Last Action Hero*, de 1993.**

Superior izquierda: **Rick Rubin. Su trabajo en «Big Gun» le llevó a producir *Ballbreaker* para AC/DC.**

Derecha: **Phil Rudd** (segundo izquierda) **de nuevo en la banda.**

tres!». Le pregunté quién era la tercera. «Eso es lo que intento averiguar —respondió riendo—. Estoy ahí arriba tocando y pensando: "¿qué hacen esos pies?". Los miro para ver por dónde piensan ir. Eso es lo que hago siempre, seguir a los pies y a la guitarra. El *duck walk* me sale solo».

Angus bromeó sobre Brian Johnson. «Esa gorra es su orgullo y fruición —me dijo sonriendo—. Y aún me cuesta entender qué dice. En Estados Unidos tiene que imitar a John Wayne para que le entiendan. Si llevas un tiempo sin verle, te tiras una semana para volver a pillarle el acento. Como Bon, Brian tiene un gran sentido del humor. Se limita a salir y ser él mismo. A estas alturas del juego, parecería bastante idiota si saliera al escenario pensando "¿a que soy guapo?". En realidad, la imagen no es uno de nuestros fuertes».

También habló de música en profundidad, de la música que hace con AC/DC y de los viejos temas que todavía le inspiraban. «Es un reto seguir sacando canciones de la calidad de "Let There Be Rock", "Highway To Hell" y "Back In Black" —me dijo—. Hemos tenido que defender cada canción que hemos escrito. La mayoría de nuestro material gira en torno al sexo, como la mayor parte de la música rock. Es bastante difícil escribir una canción sobre tu perro. Pero, en realidad, no le he encontrado nunca nada sexual a la música. Nunca me ha parecido sexy algo que estuviera pensado para serlo. Ya ves, es bastante freudiano. Si te fijas en el blues, tienes el tempo estándar de la mayoría de tugurios de estriptis, y en eso confiamos también nosotros. Tiene que ser mundano. Cuando me subo a mi automóvil, lo primero que hago es poner una cinta de Muddy Waters, y eso que la he escuchado millones de veces. Me encanta, y también Chuck Berry. Ahora todo suena fantástico: sin zumbidos, sin siseos. ¡Me encanta ese siseo! Me gusta oír cómo se calientan las válvulas del amplificador. Es pura energía. Todavía me paso horas sentado, escuchando el sonido de la guitarra de Chuck Berry.

«Eso es lo que hago siempre, seguir a los pies y a la guitarra. El *duck walk* me sale solo».

Angus Young

No pasa un solo día sin que tome una guitarra. Y ahí estoy... ¡Ya sé usar dos dedos!».

Esa última broma dice mucho del hombre y de su humildad. Cuando hablé en Colonia con el manager de la banda, Stewart Young, me contó que cuando la gente le decía a Angus lo grande que era, él se encogía de hombros y comentaba: «Mi hermano es un buen músico».

AC/DC Live fue un superventas que alzanzó el número uno en Australia, el cinco en Reino Unido y el quince en Estados Unidos, y estuvo entre los veinte primeros en toda Europa. El siguiente lanzamiento de la banda, en 1993, fue el single «Big Gun», una canción alborotada que formó parte de la banda sonora de la película *Last Action Hero* (*El último gran héroe*), de Arnold Schwarzenegger.

Para el productor de «Big Gun», trabajar con una banda que siempre le había encantado desde que era chaval fue un sueño hecho realidad. Rick Rubin se había convertido en una figura muy influyente en el mundo de la música durante la década de 1980, como cofundador del sello de hip-hop Def Jam Recordings y como productor de discos que marcaron

SONOR

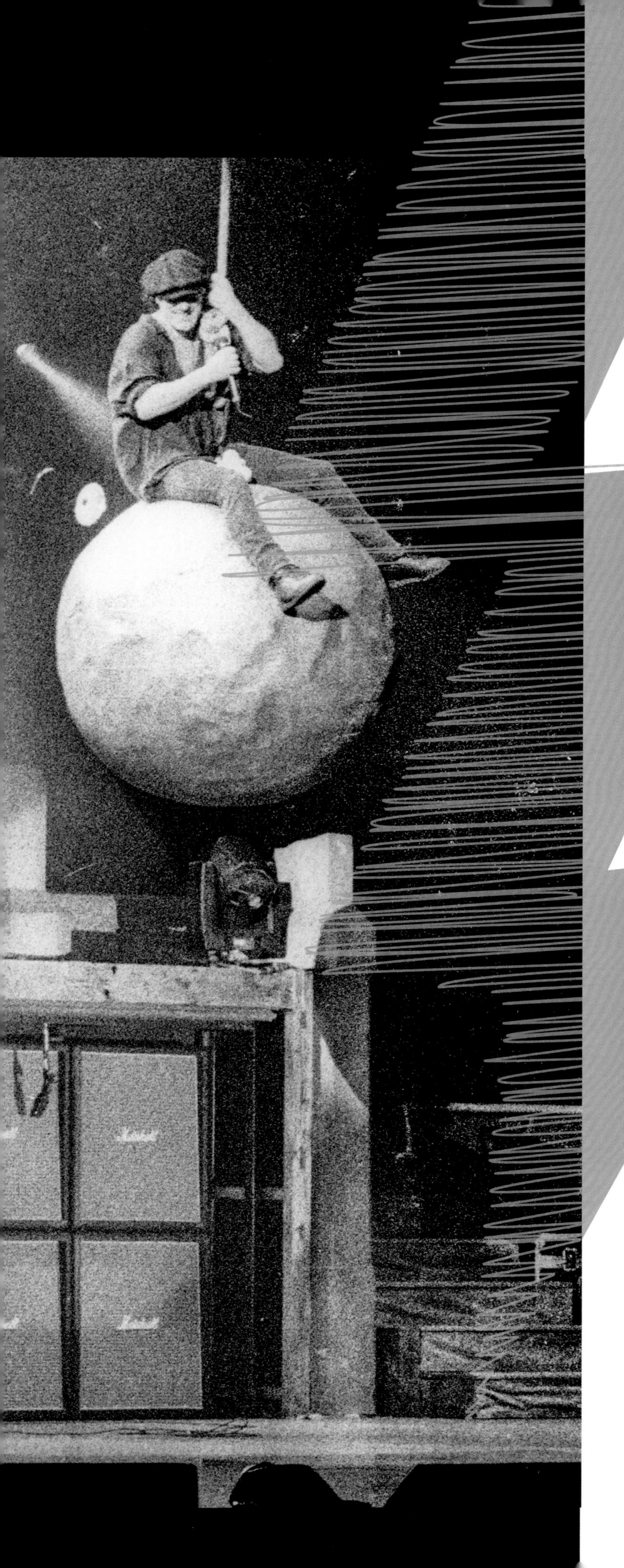

una era, entre los que se encuentran: *Raising Hell,* de Run-DMC (con la impresionante colaboración con Aerosmith en una versión rap-rock de «Walk This Way»); *Licensed To Ill,* de The Beastie Boys, y *Reign In Blood* de la banda de metal thrash Slayer, sin duda, el álbum más heavy de la historia.

Antes de escoger a Bruce Fairbairn, la banda había considerado a Rubin para producir *The Razors Edge.* Su trabajo con «Big Gun» le aseguró la producción del siguiente álbum de AC/DC. La grabación comenzó en octubre de 1994, en los Power Station Studios de Nueva York. Si Rubin era la cara nueva del equipo, otro rostro familiar volvió a unirse a él. Cuando Phil Rudd se reunió con Malcolm y Angus en Aukland en 1991, le hicieron una oferta. Le dijeron a Rudd que podía volver a la banda. A principios de 1994, Chris Slade decidió marcharse antes de que lo despidieran. Según Malcolm, tener a Rudd de nuevo en la banda era «pura magia». Pero hasta el momento no se había hecho ningún anuncio oficial. Durante las primeras sesiones en los estudios de Power Station, la banda tenía una preocupación más apremiante: el sonido de los temas. No acababan de conseguir el ambiente de directo que Malcolm quería. Después de diez semanas en Nueva York, a principios de 1995, la operación se trasladó a Los Ángeles, a los estudios Ocean Way. Pero incluso así, costó mucho sacar el álbum adelante.

La metodología de Rubin era igual de meticulosa que la de Mutt Lange. De hecho, llegó a hacer que la banda tocara hasta cincuenta veces una misma canción. En cierto modo, era como revivir *For Those About To Rock (We Salute You).* Y, cuando, tras cinco largos meses en Los Ángeles, por fin terminaron el álbum, también acabó la relación profesional de Rick Rubin con AC/DC.

El álbum se tituló muy adecuadamente *Ballbreaker.* Y justo como *The Razors Edge,* acabó siendo medio genial, medio no tan genial. Con Phil Rudd anclando la banda como solo él sabe hacer, «Hard As A Rock» tiene un ritmo profundo; «The Furor» rezuma fuerza; el tema que da nombre al álbum es un golpe de efecto y «Boogie Man», un blues sucio y chirriante, el mejor de AC/DC desde «Ride On», con Brian Johnson saboreando la sordidez del conjunto.

Ballbreaker salió el 22 de septiembre de 1995 con una portada artística de gran fuerza dramática en la que aparecía Angus sobre una bola de demolición gigante, iluminado por rayos de electricidad. El álbum obtuvo cierta admiración reticente en una crítica de Jancee Dunn para *Rolling Stone*: «¿Ha escrito AC/DC otro "You Shook Me All Night Long"? No. ¿Ofrecen un metal dolorosamente delicioso como ninguna otra banda de hard rock? Sí. Su longevidad puede deberse a dos factores: la nostalgia y el hecho de que AC/DC sigue viendo el mundo a través de la mente de un crío cachondo de quince años. Sabe Dios que todos tenemos más que suficiente».

Y ahí estaban. El disco alcanzó el número cuatro en Estados Unidos y el seis en Reino Unido. Du-

Izquierda: **Brian Johnson sentado sobre una bola de demolición durante la gira Ballbreaker en Inglewood, el 21 de febrero de 1996.**

«No pasa un solo día sin que tome una guitarra».

Angus Young

rante la gira que siguió al lanzamiento, entre el 12 de enero y el 30 de noviembre de 1996, se presentó un nuevo decorado junto a la campana de «Hells Bells» y los cañones de «For Those About To Rock (We Salute You)»: una bola de demolición que destrozaba parte del escenario mientras la banda abría el concierto con «Back In Black» y de la que se colgaba juguetonamente Brian Johnson mientras cantaba «Ballbreaker». Era una pantomima con la que los fans disfrutaban. Para ellos, también era gratificante ver de nuevo a Phil Rudd, la banda restaurada y en plena forma con los mismos miembros que habían creado *Back In Black*.

El último lanzamiento de AC/DC en la década de 1990 fue un homenaje al pasado. En un momento distendido, Bon Scott le había dicho a Malcolm: «Si alguna vez doy el bombazo y quieren que haga un álbum en solitario, lo llamaré *Bonfire*». Por supuesto, este fue el título de la caja que AC/DC sacó el 18 de noviembre de 1997, diecisiete años después de la muerte de Bon. Entre los cinco CD, había un tesoro de rarezas inéditas de la década de 1970: el buscadísimo *Live From The Atlantic Studios* de 1977; los dos discos de la banda sonora de *Let There Be Rock*, el vídeo de la banda en concierto, grabado en París en 1979; y *Volts*, una colección de rarezas diversas, entre las que se encontraban joyas como una primera demo de «Whole Lotta Rosie», titulada «Dirty Eyes», y una despiadada versión en directo de «She's Got Balls» de una actuación de 1977 en el Bondi Lifesaver de Sídney. El quinto CD era el álbum *Back In Black*. Aunque este último pueda parecer incongruente en la caja que celebraba la vida y obra de Bon Scott, lo que *Back In Black* representaba para la banda era muy intenso: su homenaje al cantante que no vivió para ver cómo se convertía en el mayor álbum de rock de todos los tiempos.

THE RAZORS EDGE

Lanzamiento: 24 de septiembre de 1990
Grabación: Windmill Lane Studios, Dublín, Irlanda, y Little Mountain Studios, Vancouver, Canadá
Sello: Atco Records
Albert/EMI (AUS/NZ)
Productor: Bruce Fairbairn

Todos los temas fueron escritos por Angus Young y Malcolm Young.

CARA 1

«Thunderstruck»
«Fire Your Guns»
«Moneytalks»
«The Razors Edge»
«Mistress For Christmas»
«Rock Your Heart Out»

CARA 2

«Are You Ready»
«Got You By The Balls»
«Shot Of Love»
«Let's Make It»
«Goodbye & Good Riddance To Bad Luck»
«If You Dare»

MÚSICOS

Brian Johnson: voz solista
Angus Young: guitarra solista
Malcolm Young: guitarra rítmica, coros
Cliff Williams: bajo, coros
Chris Slade: batería, percusión

Personal adicional

Mike Fraser: ingeniero y mezclas

The Razors Edge alcanzó el número dos en Estados Unidos, y el cuatro en Reino Unido, lo que ayudó a que la banda recuperara su gloria anterior. Se han vendido en todo el mundo de diez a doce millones de copias del disco, hecho que lo ha convertido en el cuarto álbum más vendido de AC/DC (después de *Dirty Deeds Done Dirt Cheap, Highway To Hell* y *Back In Black*, y por delante de *Who Made Who*).

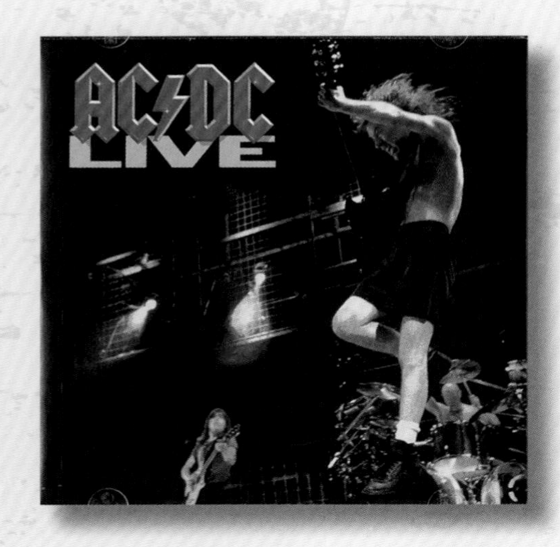

Lanzamiento: 27 de octubre de 1992
Grabación: 1991
Sello: Albert Productions, Atco
Productor: Bruce Fairbairn

Los temas de este disco en directo se grabaron en diversos conciertos de la gira AC/DC The Razors Edge durante el año 1991: Glasgow, Edmonton, Birmingham, y Monsters of Rock de Donington y Moscú.

Todos los temas fueron escritos por Angus Young, Malcolm Young y Brian Johnson, excepto los indicados.

VINILO 2 LP «EDICIÓN DE COLECCIONISTA»

CARA 1

«Thunderstruck» (Young, Young; grabado en Donington Park, Leicestershire, Inglaterra, 17 de agosto de 1991)
«Shoot To Thrill» (NEC, Birmingham, Inglaterra, 23 de abril de 1991)
«Back In Black» (Donington Park, Leicestershire, Inglaterra, 17 de agosto de 1991)
«Sin City» (Young, Young, Scott; grabado en NEC, Birmingham, Inglaterra, 23 de abril de 1991)
«Who Made Who» (NEC, Birmingham, Inglaterra, 23 de abril de 1991)
«Fire Your Guns» (Young, Young; grabado en Donington Park, Leicestershire, Inglaterra, 17 de agosto de 1991)

CARA 2

«Jailbreak» (Young, Young, Scott; grabado en NEC, Birmingham, Inglaterra, 23 de abril de 1991)
«The Jack» (Young, Young Scott; grabado en el aeródromo de Tushino, Moscú, Rusia, 28 de septiembre de 1991)
«The Razors Edge» (Young, Young; grabado en NEC, Birmingham, Inglaterra, 24 de abril de 1991)
«Dirty Deeds Done Dirt Cheap» (Young, Young, Scott; grabado en NEC, Birmingham, Inglaterra, 23 de abril de 1991)

CARA 3

«Hells Bells» (Northlands Coliseum, Edmonton, Alberta, Canadá, 22 de junio de 1991)
«Heatseeker» (NEC, Birmingham, Inglaterra, 23 de abril de 1991)
«That's The Way I Wanna Rock 'n' Roll» (lugar y fecha de grabación desconocidos)
«High Voltage» (Young, Young, Scott; grabación desconocida)
«You Shook Me All Night Long» (Donington Park, Leicestershire, Inglaterra, 17 de agosto de 1991)

CARA 4

«Whole Lotta Rosie» (Young, Young, Scott; grabado en el aeródromo de Tushino, Moscú, Rusia, 28 de septiembre de 1991)
«Let There Be Rock» (Young, Young, Scott; grabado en S.E.C.C., Glasgow, Escocia, 20 de abril de 1991)
«Highway To Hell» (Young, Young, Scott; grabado en S.E.C.C., Glasgow, Escocia, 20 de abril de 1991)
«T.N.T.» (Young, Young, Scott; grabado en NEC, Birmingham, Inglaterra, 23 de abril de 1991)
«For Those About To Rock (We Salute You)» (Northlands Coliseum, Edmonton, Alberta, Canadá, 22 de junio de 1991)

MÚSICOS

Brian Johnson: voz solista
Angus Young: guitarra solista
Malcolm Young: guitarra rítmica, coros
Cliff Williams: bajo, coros
Chris Slade: batería, percusión

Personal adicional

Bob Defrin: dirección artística
Larry Busacca: fotografía

BALLBREAKER

Lanzamiento: 22 de septiembre de 1995
Grabación: 1994-1995, Record Plant Studios, Nueva York, y Ocean Way Recording, Los Ángeles
Sello: East West, Albert Productions, Epic Albert/EMI (AUS/NZ)
Productor: Rick Rubin, Mike Fraser

Todos los temas fueron escritos por Angus Young y Malcolm Young.

CARA 1
«Hard As A Rock»
«Cover You In Oil»
«The Furor»
«Boogie Man»
«The Honey Roll»
«Burnin' Alive»

CARA 2
«Hail Caesar»
«Love Bomb»
«Caught With Your Pants Down»
«Whiskey On The Rocks»
«Ballbreaker»

MÚSICOS
Brian Johnson: voz solista
Angus Young: guitarra rítmica y solista
Malcolm Young: guitarra rítmica, coros
Cliff Williams: bajo, coros
Phil Rudd: batería, percusión
Con Phil Rudd de nuevo en la banda, este álbum recupera el espíritu original de *Back In Black*.

Personal adicional
Bob Defrin: dirección artística original
SMAY design: reedición de diseño
Phil Heffernan de **Colorspace** y **David McMacken:** ilustración de portada
Robert Ellis: fotografía de portada

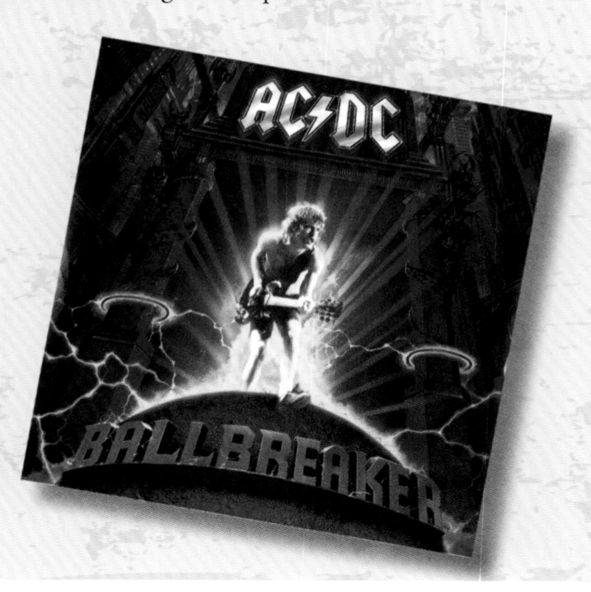

BONFIRE

Lanzamiento: 18 de noviembre de 1997
Grabación: 1974-1980
Sello: East West
Productor: Harry Vanda, George Young, Mutt Lange

Este homenaje a Bon Scott contenía el buscadísimo *Live From The Atlantic Studios* de 1977; los dos discos de la banda sonora de *Let There Be Rock*; el vídeo de la banda en concierto, grabado en París en 1979; *Volts*, una colección de rarezas diversas, y *Back In Black*.

MÚSICOS
Bon Scott: voz solista (discos 1, 2 y 3)
Brian Johnson: voz solista (discos 4 y 5)
Angus Young: guitarra solista
Malcolm Young: guitarra rítmica
Cliff Williams: bajo
Phil Rudd: batería

Personal adicional
Jim DeBarros: dirección artística
George Amann: fotografía de portada

DISCO 1: LIVE FROM THE ATLANTIC STUDIOS

Grabado en directo el 7 de diciembre de 1977 en Atlantic Studios, Nueva York.

Todos los temas fueron escritos por Angus Young, Malcolm Young y Bon Scott.

«Live Wire» (*T.N.T.*)
«Problem Child» (*Dirty Deeds Done Dirt Cheap*)
«High Voltage» (*T.N.T.*)
«Hell Ain't A Bad Place To Be» (*Let There Be Rock*)
«Dog Eat Dog» (*Let There Be Rock*)
«The Jack» (*T.N.T.*)
«Whole Lotta Rosie» (*Let There Be Rock*)
«Rocker» (*T.N.T.*)

DISCOS 2 Y 3: LET THERE BE ROCK: THE MOVIE – LIVE IN PARIS

Grabados en directo el 9 de diciembre de 1979 en el Pavillon de París, Francia.

Todos los temas fueron escritos por Angus Young, Malcolm Young y Bon Scott.

CARA 2

«Live Wire» (*T.N.T.*)
«Shot Down In Flames» (*Highway To Hell*)
«Hell Ain't A Bad Place To Be» (*Let There Be Rock*)
«Sin City» (*Powerage*)
«Walk All Over You» (*Highway To Hell*)
«Bad Boy Boogie» (*Let There Be Rock*)

CARA 3

«The Jack» (*T.N.T.*)
«Highway To Hell» (*Highway To Hell*)
«Girls Got Rhythm» (*Highway To Hell*)
«High Voltage» (*T.N.T.*)
«Whole Lotta Rosie» (*Let There Be Rock*)
«Rocker» (*T.N.T.*)
«T.N.T». (*T.N.T.*)
«Let There Be Rock» (*Let There Be Rock*)

DISCO 4: VOLTS

Todos los temas fueron escritos por Angus Young, Malcolm Young y Bon Scott, excepto los indicados.

«Dirty Eyes» (primer título y letra de «Whole Lotta Rosie»)
«Touch Too Much» (mismo título que el tema de *Highway To Hell*, letra y música distintas)
«If You Want Blood (You've Got It)» (primera grabación)
«Back Seat Confidential» (primer título y primera letra de «Beatin' Around The Bush»)
«Get It Hot» (mismo título que el tema de *Highway To Hell*, letra y música distintas)
«Sin City» (directo 1978 en *The Midnight Special*)
«She's Got Balls» (directo 1977 en The Bondi Lifesaver, Sídney)
«School Days» (Chuck Berry; de *T.N.T.*, inédito fuera de Australia)
«It's A Long Way To The Top (If You Wanna Rock 'n' Roll)» (versión extendida de *T.N.T.*)
«Ride On» (*Dirty Deeds Done Dirt Cheap*, seguido de entrevistas breves)

DISCO 5: BACK IN BLACK

Todos los temas fueron escritos por Angus Young, Malcolm Young y Brian Johnson.

«Hells Bells»
«Shoot To Thrill»
«What Do You Do For Money Honey»
«Given The Dog A Bone»
«Let Me Put My Love Into You»
«Back In Black»
«You Shook Me All Night Long»
«Have A Drink On Me»
«Shake A Leg»
«Rock And Roll Ain't Noise Pollution»

«Si alguna vez doy el bombazo y quieren que haga un álbum en solitario, lo llamaré *Bonfire*».

Bon Scott

GRETSCH
Gibson

No vas al carnicero a pedir una cirugía cerebral

«Lo más grande que he hecho con esta banda fue hacer morder el polvo a los Rolling Stones».

Phil Rudd

Cuanto más cambian las cosas, más iguales permanecen. Las nuevas canciones que Macolm y Angus Young escribieron en 1998 eran tan *old school* como la gorra y los pantaloncitos cortos del escolar. Había un boogie obsceno llamado «Stiff y Upper Lip», un riff en «Satellite Blues» al más puro estilo Keith Richards, y «Can't Stop Rock 'n' roll» era una canción que retomaba lo que habían dejado en «Rock And Roll Ain't Noise Pollution». A pesar de que Brian Johnson ya no escribía las letras, trabajo que había cedido a Malcolm y Angus desde *The Razors Edge*, las sucias insinuaciones que poblaban canciones como «Stiff Upper Lip», «Meltdown» y «Come And Get It» conservaban cierto tinte muy semejante al que Bon Scott había instilado en la banda.

El plan de AC/DC era grabar este material a finales de 1999 con Bruce Fairbairn, el productor que había resultado clave en el retorno de la banda con *The Razors Edge*. Era evidente que se habían entendido mejor con Fairbairn que con Rick Rubin en *Ballbreaker*. Sin embargo, el 17 de mayo de 1999, la banda recibió una noticia impactante: habían encontrado a Bruce Fairbairn muerto en su casa de Vancouver. A sus cuarenta y nueve años, en aquel momento Fairbairn estaba trabajando en el álbum de una banda de rock progresivo llamada Yes. La causa de su fallecimiento se desconocía.

Después de asistir al funeral en Vancouver, Malcolm y Angus volvieron su mirada al productor en quien más confiaban, su hermano mayor, George Young. En ese momento, George estaba retirado, pero al ver a la banda en circunstancias tan difíciles, se avino a producir un nuevo álbum, aunque en este caso sin su antiguo socio, Harry Vanda. En su lugar, George recurrió a Mike Fraser, el ingeniero que había mezclado *The Razors Edge*, coproducido *Ballbreaker* y trabajado también con Fairbairn en los discos de Aerosmith *Permanent Vacation* y *Pump*.

Páginas anteriores: **AC/DC en el *backstage* del United Arena, Chicago, Illinois, 8 de abril de 2001.** I-D: **Malcolm Young, Brian Johnson, Angus Young, Cliff Williams y Phil Rudd.**

Superior: **el guitarrista Slash, de Guns N' Roses, hizo de telonero de AC/DC en la primera parte de la gira Stiff Upper Lip, con su banda de aquel momento, Snakepit.**

Derecha: **Angus Young en directo delante de «Junior», una enorme réplica en bronce de sí mismo que se empleó como imagen de portada en *Stiff Upper Lip*.**

El álbum de AC/DC se grabó en Vancouver, en The Warehouse Studio, unas instalaciones propiedad del hijo más famoso de la ciudad: la superestrella del rock Bryan Adams. Comenzaron en septiembre, y a finales de octubre ya habían acabado, con dieciocho temas compuestos, de los que se incluyeron doce. El disco, titulado *Stiff Upper Lip*, se lanzó el 28 de febrero de 2000 y, a pesar de todo lo que implicaba la entrada en el nuevo milenio, el universo de AC/DC no había cambiado. *Stiff Upper Lip* podía haberse hecho en cualquier momento de sus veinte años de carrera. El sonido recordaba a *Flick Of The Switch*, algo muy básico. La banda tocaba las mismas canciones con idéntico ritmo.

La crítica que dio en el clavo con este álbum fue la Sylvie Simmons, de *Mojo*, que llevaba mucho tiempo apoyándoles. «Esto es AC/DC de vuelta a las andadas, y las andadas son buenas —escribió—. En *Ballbreaker*, había un enfoque casi paródico: canciones que rezumaban sinsentido juvenil al estilo de la serie Beavis and Butt-Head, con la obsesiva producción adolescente de Rick Rubin. Esta vez, hay menos agitación. Las canciones son a menudo más cercanas y más básicas. Y el productor, George Young, pensó en dejar atrás los gorgoritos y la abrasión en la voz de Brian Johnson como si estuvieran forzando obstinadamente a comer esteroides a Piolín antes de volver a torturarlo con un taladro de dentista, lo que le permitía más libertad para hacer lo que tiene que hacer: cantar. La impresión global es la de una banda que descompone su música hasta llegar a los elementos básicos —el rock 'n' roll de Chuck Berry en "Can't Stand Still", el metal blues de "Meltdown", el boogie de ZZ Top en "Come And Get It"—, y se lo pasa en grande volviéndolo a recomponer».

Stiff Upper Lip no es un álbum clásico de AC/DC. Solo el tema que le da nombre se encuentra entre los mejores de la banda, pero el disco también fue un gran éxito: alcanzó el número tres en Australia, el siete en Estados Unidos, el doce en Reino Unido y estuvo entre los diez primeros en el resto de Europa. La gira Stiff Upper Lip fue otra gira maratoniana que comenzó del 1 de agosto y concluyó el siguiente verano. La imagen de la portada del disco (Angus en forma de estatua de bronce, con el puño alzado en señal de triunfo) se replicó en una enorme pieza de decorado que la banda bautizó como «Junior».

La primera parte en Norteamérica transcurrió sin complicaciones y con la colaboración de otro famoso fan de AC/DC, el exguitarrista de Guns N' Roses, Slash, con su banda Snakepit. Pero la tragedia volvió a golpear a la banda la noche de su estreno europeo. El 14 de octubre, mientras AC/DC actuaba en el Flanders Sports Arena de la ciudad belga de Gante, Isidoor Theunissen, de treinta y ocho años, pereció tras una caída de siete metros sobre el suelo de hormigón. Nueve años después de la muerte de tres fans durante un concierto de la banda en Salt Lake City, se producía otro día negro en la historia de AC/DC. Y había habido muchos.

La gira llegó a Reino Unido en noviembre, con el primer concierto en el NEC de Birmingham, actuación que cubrió Keith Cameron para *The Guardian*. «Nadie más toca a un volumen ensordecedor siguiendo los principios básicos del ritmo y el blues como AC/DC —escribió—. Están tan encasillados en su propia leyenda que la mitad de su *set* de dos horas cae por su propio peso. Afortunadamente, del mismo modo que Van Gogh pintó el mismo jarrón de flores cien veces sin que menguara la maravilla de su arte, AC/DC convierte en virtud la infinita repetición de la misma excelente serenata, desenterrando cada vez parcelas de sabiduría básica hasta ahora inimaginables».

En enero y febrero de 2001, la banda tocó en Australia y Japón. De marzo a mayo, volvió a Norteamérica, y el 12 de abril regresó por primera vez a Salt Lake City después de los terribles acontecimientos de 1991. La gira terminó con quince conciertos en estadios europeos durante el verano. El primero fue en Reino Unido, en el National Bowl de Milton Keynes, el 8 de junio, donde compartieron cartel con las estrellas del punk The Offspring, los supervientes del metal thrash Megadeth y una banda emergente que cosecharía un enorme éxito al cabo de los años, Queens of the Stone Age. En ese concierto, AC/DC dio todo lo que se esperaba de él, y mucho más. Abrieron con «Stiff Upper Lip», la única canción de ese álbum. Después, llegó la primera gran sorpresa con «You Shook Me All Night Long», mucho antes de lo habitual. A continuación, aunque la mayor parte del *set list* estaba escrito a fuego, la banda se sacó de la manga tres canciones más para deleite de los sibaritas del público: «Problem Child», el tema que escribió Bon Scott sobre Angus; «What Do You Do For Money Honey», de *Back In Black*; y el más emocionante de todos, «Up To My Neck In You», una canción desentrenada de *Powerage*, que la banda había tocado en directo por última vez con Bon en 1978.

Páginas anteriores: **AC/DC actúa en el Wembley Arena de Londres, junto al decorado de cañones.**

La última parte de la gira Stiff Upper Lip consistió en quince conciertos en estadios europeos; el primero en Reino Unido, el 8 de junio, en el National Bowl de Milton Keynes, junto a las estrellas del punk The Offspring (inferior), **el grupo de trash Megadeth (extremo izquierda) y la banda emergente estadounidense Queens of the Stone Age** (izquierda).

Pero las ochenta mil personas del público del concierto en el Stade de France de París del 22 de junio recibieron una sorpresa aún mayor. Tras el tumultuoso final de «For Those About To Rock (We Salute You)», con el humo de los cañonazos todavía en el aire y cuando ya muchos fans estaban abandonando el recinto, la banda reapareció en el escenario ataviada con la camiseta de la selección nacional de fútbol de Francia. Brian Johnson se limitó a decir: «Es una canción de Bon Scott», y tocaron «Ride On», tema que AC/DC no había tocado jamás en directo, la única canción en la que Bon había desnudado por completo su alma y que Brian cantó con ternura y reverencia por el hombre cuya vida estaba tan íntimamente relacionada con la suya.

La última parada de la gira Stiff Upper Lip fue en Colonia, Alemania, el 8 de julio. A finales de ese año, llegaron dos grandes anuncios. El primero, que AC/DC había conseguido un puesto en el Rock and Roll Hall of Fame, junto a The Police, The Clash, Elvis Costello y The Righteous Brothers. El segundo, que tras casi treinta años, AC/DC había roto las relaciones con el grupo Warner Music y firmaría un nuevo contrato con Sony Music. En este sentido, se programó una gran

RENAULT CLIO

campaña de reedición del catálogo de la banda para el año 2003, que resultó ser uno de los mejores del grupo.

En febrero, invitaron a Malcolm y Angus para que improvisaran con una banda que les encantaba desde que Angus llevaba uniforme porque era lo que tocaba. Los Rolling Stones se encontraban en Australia para actuar en una serie de conciertos en diversos estadios como parte de su gira Forty Licks y, por gusto, el 18 de febrero, organizaron una actuación íntima en el Enmore Theatre de Sídney, con capacidad para doscientas personas. Los Stones llevaban una hora tocando y acababan de terminar «Start Me Up», cuando Mick Jagger pidió a Malcolm y Angus que se les unieran para tocar el viejo clásico blues «Rock Me Baby». Los hermanos tomaron sus posiciones habituales en el escenario, Angus delante con Keith Richards, y Malcolm detrás con Ronnie Wood, junto a la plataforma de la batería. Aunque Angus se encontraba raro en tejanos, camiseta y con el pelo muy corto, cuando empezó el solo recuperó sus viejas artimañas y comenzó a hacer su *duck walk* y a sacudir el trasero ante el público mientras Keith Richards lo observaba con una amplia sonrisa. Malcolm y Angus lo pasaron muy bien. Tocar un blues con los Stones era un momento que había que saborear.

Sin embargo, el Rock and Roll Hall of Fame no era el escenario al que estaban acostumbrados. En la ceremonia de ingreso del 10 de

Superior: **The Rolling Stones. I-D: Mick Jagger, Ronnie Wood, Charlie Watts y Keith Richards invitaron a AC/DC a improvisar con ellos durante su gira Forty Licks.**

Izquierda: **Brian Johnson fotografiado con la camiseta de la selección nacional de fútbol de Francia, junto a Angus Young sobre el escenario del Stade de France de París el 22 de junio de 2001.**

Brian Johnson acepta el ingreso de AC/DC en el Rock and Roll Hall of Fame (superior) **y actúa con Steven Tyler de Aerosmith** (derecha superior) **en el hotel Waldorf-Astoria de Nueva York.**

Derecha inferior: **Brian Johnson y Angus Young en el escenario del Columbiahalle de Berlín, una sala más pequeña de lo habitual.**

marzo en el salón del hotel Waldorf-Astoria de Nueva York, tocaron para una audiencia de altos cargos de la industria de la música, muchos de ellos con esmoquin, y todos sentados en sus mesas. No era el hábitat natural de AC/DC. Un viejo amigo de la banda, Steven Tyler, de Aerosmith, fue el encargado de pronunciar el discurso de ingreso: «Gracias a Dios por el *power chord* —dijo Tyler—. Ese trueno de las antípodas que te proporciona el segundo arrebato más placentero que puede recorrer un cuerpo. Nadie toca el *power chord* como AC/DC». Cuando la banda entró, fue Brian Johnson quien tomó la palabra y comenzó citando la letra de «Let There Be Rock» antes de presentar a los sobrinos de Bon, Paul y Daniel, que fueron los que aceptaron el galardón. Brian dio las gracias a las discográficas del pasado o del presente, pero afirmó con énfasis: «Este galardón es para los fans de todo el mundo que han estado con nosotros en lo bueno y en lo malo». Finalmente, la banda tocó dos canciones: «Highway To Hell» y «You Shook Me All Night Long». A esta última se unió Tyler.

El 1 de abril, fue evidente que cuando Malcolm y Angus Young habían improvisado con los Stones, algo más se había movido entre bambalinas.

«Gracias a Dios por el *power chord*. Nadie toca el *power chord* como AC/DC».

Steven Tyler, Aerosmith

Los Stones confirmaron a AC/DC como invitados especiales en tres conciertos al aire libre que se celebrarían en junio en las ciudades alemanas de Oberhausen, Leipzig y Hockenheim. AC/DC no abrían como teloneros desde 1979, pero su respeto por los Stones y los cuatro millones de dólares que se pusieron sobre la mesa sellaron el trato. Durante aquella tanda de conciertos, AC/DC dio dos propios en salas pequeñas, el primero, el 9 de junio en el Columbiahalle de Berlín, con un aforo para tres mil personas, y el segundo, en el ligeramente más grande Circus Krone de Múnich, el 17 de junio.

Yo estuve en Berlín para ver el concierto y entrevistar a la banda para la revista *Q*. Durante los momentos previos a la actuación del grupo, el zumbido de expectación del público se mezclaba con la sensación de incredulidad ante la perspectiva de ver a AC/DC en un local tan pequeño. Cuando se apagaron las luces, el rugido de esas tres mil personas fue ensordecedor. En la oscuridad solo se veía un minúsculo punto de luz: el resplandor rojizo de la punta del cigarrillo de Phil Rudd, que avanzaba hasta su posición detrás de la batería. Entonces, con una explosión de luz blanca, apareció la banda y comenzó tocar «Hell Ain't A Bad Place To Be».

De pie junto a mí, tenía a Pete Flatt, el relaciones públicas británico de la banda, y a Jerry Ewing, un amigo y periodista de *Metal Hammer*, cuyo tatuaje en el antebrazo proclamaba el amor que sentía por AC/DC:

«Bad Boy Boogie». A nuestro alrededor, la gente saltaba, sacudía la cabeza y lanzaba los puños al aire. La incredulidad se había transformado en puro gozo.

Lo que presencié aquella noche en Berlín, mientras engullía un buen número de cervezas, fue el mejor espectáculo que había visto de AC/DC. Tocaron todos los temas que se encontraban en el *set* de setenta minutos de sus actuaciones con los Stones. Los himnos: «Back In Black», «Thunderstruck», «Bad Boy Boogie», «The Jack», «Hells Bells», «Dirty Deeds Done Dirt Cheap», «T.N.T.», «Highway To Hell», «Whole Lotta Rosie», «You Shook Me All Night Long», «Let There Be Rock» y «For Those About To Rock (We Salute You)», y también dos clásicos de culto: «Rock 'n' Roll Damnation» e «If You Want Blood (You've Got It)». Pero en aquel concierto, dueños de su propio tiempo, tocaron dos grandes temas más de *Back In Black:* «Shoot To Thrill» y «Rock And Roll Ain't Noise Pollution», y se sumergieron en el álbum *Powerage* rescatando su canción más *funky*, «Gone Shootin», y otra más rítmica, «What's Next To The Moon». Cuando terminó el concierto, Pete Flatt se volvió hacia Jerry y hacia mí, y dijo: «Nunca he visto a dos periodistas disfrutar de un bolo como vosotros».

La tarde siguiente me reuní con Angus, Malcolm y Brian en una suite del hotel Four Seasons, donde el entorno lujoso chocaba con el aspecto de los tres tipos vestidos con vaqueros y camiseta. Aunque ya había entrevistado a Angus antes, me sorprendió comprobar lo bajitos que eran todos. Y también me impresionó la ausencia de ego. Parecían más unos trabajadores que habían parado a comer que estrellas mundialmente famosas del rock 'n' roll. Brian estaba afónico a causa de la gira, lo que hacía de su acento Geordie algo casi imposible de comprender. «Anoche fue una puta pasada», resolló. La entrevista era para una sección titulada «Cash For Questions» («Dinero por preguntas»), en la que se invitaba a los lectores de Q a que hicieran las preguntas que quisieran a la banda. Con la habitación llena de humo de cigarrillo y risas, empezaron a salir preguntas de toda clase...

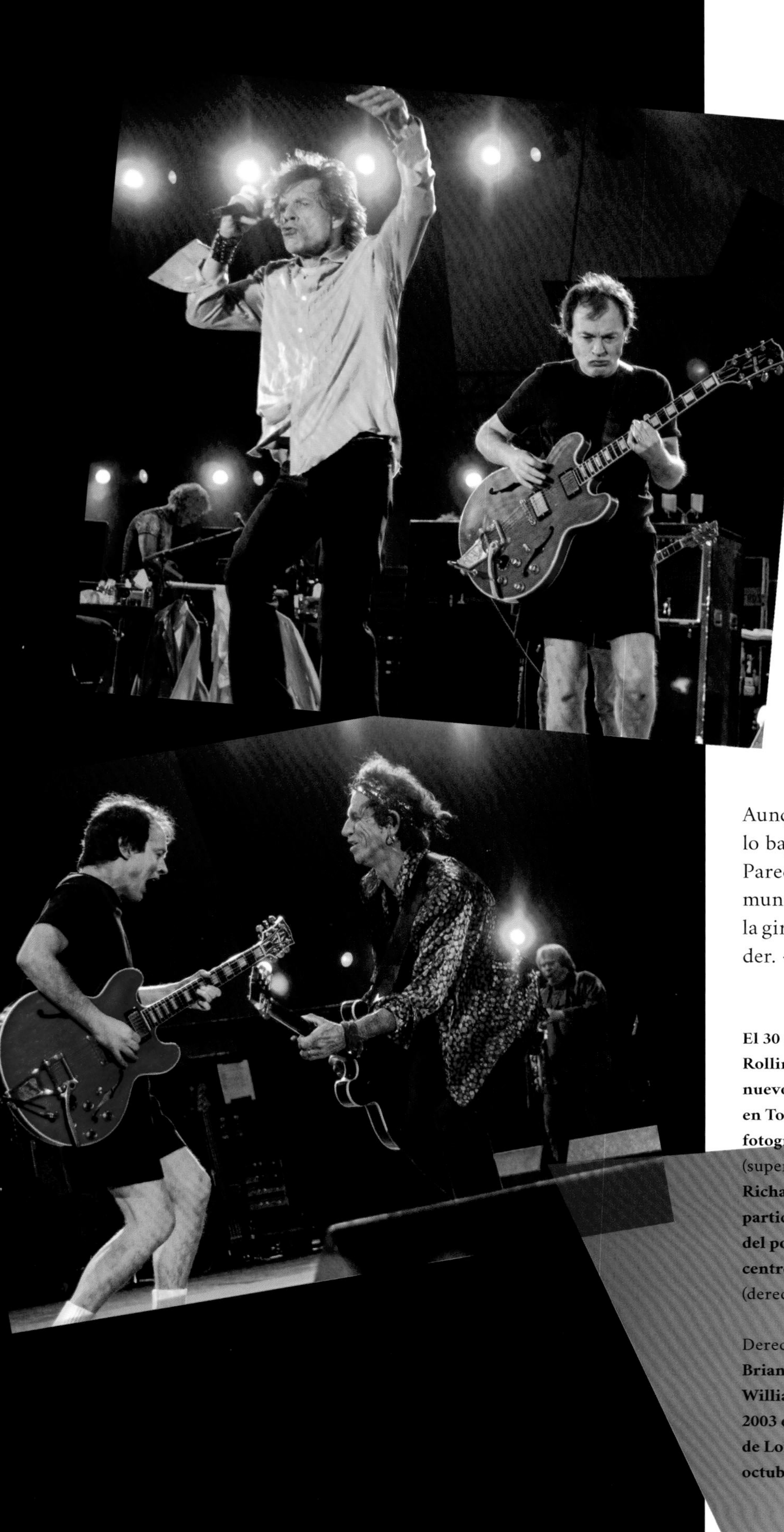

El 30 de julio de 2003, AC/DC y los Rolling Stones tocaron juntos de nuevo en un gran concierto benéfico en Toronto. Aquí, Angus Young es fotografiado con Mick Jagger (superior izquierda) **y con Keith Richards** (izquierda). **También participó en el concierto la estrella del pop Justin Timberlake, en el centro de la fotografía con AC/DC** (derecha superior).

Derecha inferior (I-D): **Malcolm Young, Brian Johnson, Angus Young y Cliff Williams en el último concierto de 2003 en el Apollo Hammersmith de Londres, Reino Unido, el 21 de octubre de 2003.**

AC/DC no ha hecho de telonero de ninguna otra banda desde hace casi veinte años, ¿por qué hacer de segundo para los Rollling Stones en Alemania? ¿Era demasiada pasta para renunciar?

Malcolm Young: Nos lo han ofrecido unas cuantas veces a lo largo de los años. No nos conocíamos personalmente, pero cuando tocaron en Sídney, Ron Wood me

Marshall

STIFF UPPER LIP

Lanzamiento: 28 de febrero de 2000
Grabación: septiembre-octubre de 1999, The Warehouse Studio, Vancouver, Columbia Británica, Canadá
Sello: East West
Productor: George Young

Todos los temas fueron escritos por Angus Young y Malcolm Young.

CARA 1

«Stiff Upper Lip»
«Meltdown»
«House Of Jazz»
«Hold Me Back»
«Safe In New York City»
«Can't Stand Still»

CARA 2

«Can't Stop Rock 'n' Roll»
«Satellite Blues»
«Damned»
«Come And Get It»
«All Screwed Up»
«Give It Up»

MÚSICOS

Brian Johnson: voz solista
Angus Young: guitarra solista
Malcolm Young: guitarra rítmica, coros (guitarra solista en «Can't Stand Still»)
Cliff Williams: bajo, coros
Phil Rudd: batería

Personal adicional

Mike Fraser: ingeniero y mezclas
Alli: dirección artística
Mista Dean Karr: concepto estatua y fotografía
Mark Alfrey y Stan Lok de SMG Effects: escultura

pidió que Angus y yo improvisáramos con ellos. Tocamos un blues muy bien, y Angus y Jagger comenzaron a hacer el *duck walk* y a cachondearse el uno del otro.

Angus Young: Sabía que estaba en el punto de mira de Mick, pero fue por casualidad.

Angus, tienes cuarenta y cuatro años, ¿no va siendo hora de que dejes el uniforme de colegial?

Angus: ¡Qué va! Cuando me pongo el uniforme, ya está. Las piernas empiezan a agitarse...

Todos los discos de AC/DC suenan igual...

Malcolm: ¡Es la misma banda! Eso es lo bueno que tenemos. Es sencillamente rock 'n' roll, ¡pim, pam, gracias mi dama!

Angus: No vas al carnicero a pedir una cirugía cerebral.

¿De dónde sacas tus gorras planas, Brian?

Brian: Ahora, de Nueva York. Solía sacarlas de la pelleja de esa vieja... no, no de una vieja con una pelleja, sino de esa maldita vieja que era una pelleja...

Angus: ¡Esto empeora por momentos!

Brian: Era una maldita miserable. Tenía un tenderete en Kensington Market. Las gorras valían cinco libras. Siempre igual. Solía hacer las viseras con cartón, así que cuando sudaba, se levantaba la cosa como si tuviera una polla gigante en la cabeza. Una vez le dije: «¿Te acuerdas de mí? Debo de ser tu cliente más asiduo». Y ella me respondió: «Pilla la gorra y a tomar». Ahora debe de estar muerta... La parada sigue ahí, pero no hay gorras.

Tres días después de esa entrevista, la banda tocó en su primer concierto con los Stones, en Oberhausen, donde Malcolm y Angus volvieron a improvisar con ellos «Rock Me Baby». Actuaciones similares se repitieron en Leipzig y Hockenheim. El 30 de julio, los Stones y AC/DC volvieron a tocar juntos en un concierto benéfico en Toronto, para ayudar a una ciudad que había sufrido un desastroso declive turístico tras una gran epidemia de síndrome respiratorio agudo grave (SARS). En el concierto también participaba la estrella del pop Justin Timberlake y dos famosos grupos de rock canadienses: The Guess Who y Rush. El público rondaba el medio millón de personas y, a pesar de la camaradería entre AC/DC y los Stones, también existía una cierta rivalidad, como reveló el propio Phil Rudd al recordar aquel evento en una entrevista de la revista *Drum* en 2005. «Lo más grande que he hecho con esta banda fue hacer morder el polvo a los Rolling Stones ante 480 000 personas en Toronto —dijo Rudd—. Entramos en la furgoneta del *backstage* y dijimos: "¡Sí, ahí queda eso!"».

El último concierto de AC/DC del año 2003 tuvo lugar el 21 de octubre en un sitio que conocían bien, el Carling Apollo Hammersmith, también denominado Hammersmith Odeon. La última vez que habían tocado allí había sido en 1982. El *set list* fue muy similar al de Berlín, excepto cinco temas. La reacción del público fue exactamente la misma: una euforia rotunda.

Para AC/DC, el año acabó por todo lo alto. Tal era la energía que la banda recogía en el escenario, grande o pequeño, que Malcolm y Young ya habían empezado a escribir canciones para un nuevo álbum. Solo que el disco tardaría aún un poco en llegar. Y si bien se convertiría en uno de los hitos de la trayectoria de la banda, también sería el último para el hombre que había liderado AC/DC desde el principio.

Izquierda: **AC/DC en 2003.** I-D: **Malcolm Young, Brian Johnson, Angus Young, Phil Rudd y Cliff Williams.**

En principio, Bruce Fairbairn fue el elegido para que produjera *Stiff Upper Lip*, pero el 17 de mayo de 1999 apareció muerto en su casa de Vancouver. George Young salió en ayuda del grupo y produjo su último álbum para AC/DC antes de su fallecimiento en 2017.

En Australia, Nueva Zelanda y Europa, Albert Productions lanzó una edición especial de dos discos de la gira Stiff Upper Lip en enero de 2001. Además del álbum *Stiff Upper Lip*, esta edición incluye un disco extra con temas que no se encuentran en el álbum, cinco temas en directo grabados en 1996 en un concierto en la plaza de toros de Las Ventas, en Madrid, y tres videoclips.

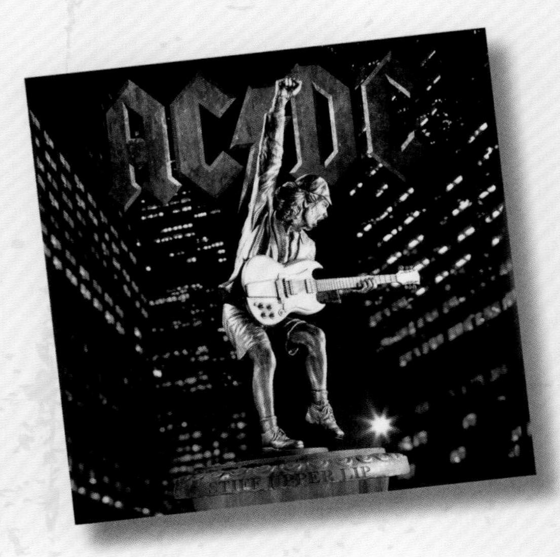

«**Cyberspace**» (no en LP)
«**Back In Black**» (directo, plaza de toros, Madrid, 1996) (Young, Young, Johnson)
«**Hard As A Rock**» (directo, plaza de toros, Madrid, 1996)
«**Ballbreaker**» (directo, plaza de toros, Madrid, 1996)
«**Whole Lotta Rosie**» (directo, plaza de toros, Madrid, 1996) (Young, Young, Bon Scott)
«**Let There Be Rock**» (directo, plaza de toros, Madrid, 1996) (Young, Young, Scott)
«**Stiff Upper Lip**» (videoclip)
«**Safe In New York City**» (videoclip)
«**Satellite Blues**» (videoclip)

El largo adiós

«La edad no perdona. No quiero que la gente me vea en el escenario y diga: "Oh, pobre viejo cabrón, la banda le lleva"».

Brian Johnson

AC/DC
SONOR

Entre el lanzamiento de *Stiff Upper Lip* y el siguiente álbum de AC/DC, *Black Ice*, publicado en 2008, transcurrieron ocho años. En sus inicios, la banda produjo nueve álbumes en ocho años, desde el primero, *High Voltage*, hasta *For Those About To Rock (We Salute You)*. En este último tramo de su carrera, todo era muy distinto de aquel «corre, corre, corre» que me había descrito Angus en 1991. Aun así, la grabación de *Black Ice* fue relativamente rápida, ya que concluyó en dos meses, en la primavera de 2008, en The Warehouse Studio de Vancouver, donde la banda había grabado su *Stiff Upper Lip*.

En la elección del productor había cierta ironía. Brendan O'Brien, originario de Atlanta, Georgia, se había ganado su fama trabajando para la discográfica Def American de Rick Rubin como ingeniero del álbum *Shake Your Money*, de los Black Crowes, y como productor de dos discos de la banda británica de heavy metal Wolfsbane. O'Brien había producido también algunos de los álbumes de rock más grandes de la década de 1990 para grupos como Pearl Jam, Rage Against the Machine, Stone Temple Pilots y Korn, y tres álbumes para Bruce Springsteen durante la siguiente década. El enfoque que le dio a AC/DC fue muy distinto del que le había dado Rubin. Fue más un retorno a la época de Vanda y Young, con la mayoría de temas grabados en directo en el estudio y mínimos retoques. Mike Fraser, una persona que conocía muy bien la banda, ayudó a O'Brien como ingeniero y mezclador.

Páginas anteriores: **Brian Johnson, Download Festival, 2010.**

Izquierda: **Brian Johnson al frente de AC/DC en el escenario en el inicio de la gira Black Ice, el 28 de octubre de 2008 en Wilkes-Barre, Pensilvania, Estados Unidos.**

Mike Fraser (inferior izquierda) **y Brendan O'Brien** (inferior derecha) **supervisaron la producción del álbum *Black Ice*, publicado por AC/DC en 2008.**

En consecuencia, *Black Ice* tenía un aire muy natural, una sensación de espontaneidad de la que habían carecido los álbumes anteriores. El sonido era grande, mejor que el de cualquier disco de AC/DC posterior a *The Razors Edge*. Con quince temas, *Black Ice* es el álbum con más minutos que cualquier otro de AC/DC grabado en estudio, cerca de una hora, o quizás algo más, con unas cuantas canciones de relleno, como «Money Made» y «Smash 'n' Grab». Sin embargo, el primer tema del álbum, «Rock 'n' Roll Train», se erige con orgullo como un verdadero clásico de AC/DC. Con su riff fresco y su coro agudísimo, no habría quedado fuera de lugar en *Back In Black*. Entre las grandes canciones que contiene, está la tormenta heavy de «War Machine», el boogie autocomplaciente de «Big Jack» y el funk sucio del tema que da nombre al álbum. Se encuentra incluso un guiño a Slade y a los días de glam rock de Brian Johnson en el despreocupado «Anything Goes». En «Rock 'n' Roll Dream» (lo más parecido a una balada de AC/DC desde el «Love Song» de 1975), la voz áspera de Brian tiene un tinte soul.

La crítica de Brian Hiatt para *Rolling Stone* sobre *Black Ice* halagó la pureza de los valores del grupo. «Nadie, aparte de Chuck Berry, ha escrito tantas grandes canciones de rock 'n' roll sobre rock 'n' roll, y ninguna otra banda, salvo los Ramones, se ha negado tan rotundamente a alejarse de la forma básica. *Black Ice* es la mejor defensa que han hecho en años, tal vez en décadas, de que la evolución es para mamones».

Black Ice alcanzó el número uno en veintinueve países, incluidos Australia, Reino Unido y Estados Unidos, además de varios países europeos. En términos de su ubicación en las listas, no en ventas, fue el álbum mejor posicionado de toda la carrera de AC/DC. La gira

Izquierda superior: **Brian Johnson actúa en directo durante la gira Black Ice en el Wembley Stadium, Londres, el 27 de junio de 2009.**

Izquierda: **un concierto en casa para Malcolm y Angus Young, en el Hampden Park de Glasgow, Escocia, el 30 de junio de 2009.**

Inferior: **Brian Johnson, cuya otra pasión son los automóviles rápidos, fotografiado en el circuito de Silverstone.**

mundial de *Black Ice* fue también un hito para la banda. Fue la más larga y duró veinte meses, desde el 28 de octubre de 2008 al 28 de junio de 2010, además de la más rentable, con unos beneficios brutos de alrededor de 441 millones de dólares. Solo tres grupos han conseguido superar estos ingresos en una sola gira: U2, The Rolling Stones y Roger Waters, antiguo miembro de Pink Floyd.

La primera parte de la gira Black Ice tuvo lugar en Norteamérica, con «Rock 'n' Roll Train» como inicio por todo lo alto. En Europa, la gira empezó en febrero de 2009 y duró hasta entrado el verano; hubo diversos conciertos en varios recintos y estadios, como el del Wembley Stadium, el 28 de junio, o el de la ciudad natal de Malcolm y Angus Young, celebrado dos días después en el Hampden Park de Glasgow.

Unos días después del concierto de Glasgow, entrevisté a Brian Johnson en Londres para la revista *Classic Rock*. Me habló de la próxima publicación de su autobiografía, *Rockers and Rollers*, basada en sus dos pasiones: el rock 'n' roll y los vehículos veloces. Me confesó que le gustaría dedicar más tiempo a las carreras de coches. «Los años pasan volando y no quiero quedarme sentado en las habitaciones de los hoteles —dijo—. ¡Tengo que volver a correr!».

Brian me explicó que disfrutaba de cada momento que permanecía en el escenario. «Llevamos en ruta desde octubre, pero no me aburro

«Nadie, aparte de Chuck Berry, ha escrito tantas grandes canciones de rock 'n' roll sobre rock 'n' roll».

Brian Hiatt, *Rolling Stone*

nunca. Son la mejor banda de rock, y el solo hecho de escucharlos cada noche me llena. Cuando empiezan, piensas: "¡Joder!". Vuelves a estar en marcha y piensas: "¡Es ridículo! ¡Sigo moviendo el esqueleto!"». Sin embargo, Brian ya empezaba a notar sus sesenta y un años. Insistió en que seguía plenamente comprometido con AC/DC, pero, según dijo: «Es duro. No soy yo, es mi edad. La edad no perdona. Intento mantenerme en forma y me encanta estar en esta banda. Pero no soy solo yo... Cliff está envejeciendo un poco peor que los demás. Los demás tienen cincuenta y pocos. Yo soy el perro viejo de la manada. Es una cuestión de puro egoísmo. No quiero parecer un imbécil que trata de estirar demasiado el brazo. No quiero que la gente me vea en el escenario y diga: "¡Oh, pobre viejo cabrón, la banda le lleva!"».

Le pregunté a Brian cuánto tiempo creía que iban a aguantar él y la banda. Se rio e hizo referencia a una conversación que había tenido hacía

Páginas anteriores: **Brian Johnson en el escenario del Telenor Arena de Oslo, Noruega, el primer concierto en Europa de la gira Black Ice.**

Superior: **el público en el concierto de 2003 en el Circus Krone de Múnich. Las grabaciones en directo se incluyeron en *Backtracks*, la segunda caja de AC/DC publicada el 10 de noviembre de 2009.**

Derecha: **AC/DC toca la primera noche en el Download Festival (antes Monsters of Rock) en 2010 sobre un escenario a medida.**

AC/DC
AC/DC

«Seguiré mientras pueda».

Malcolm Young

poco con Malcolm: «Estábamos hablando del final de la gira y le dije: "Acabamos en marzo y, por mí, ¡ya está!". Pero Malcolm me contestó: "¿De qué me estás hablando? ¡No dejaremos que te retires!". Y se ponen a hablar del año que viene. Les digo: "¿Qué queréis decir con el año que viene? Terminamos en marzo en Japón, ¡estaré cansado!". Y ellos me dicen: "Bueno, es que nos han ofrecido varios festivales...". ¡Santo cielo, seguimos vendiendo entradas y yo ya me quiero ir!».

A finales de julio, AC/DC regresó a Estados Unidos otros tres meses. El 10 de noviembre, se lanzó la segunda caja recopilatoria de la banda, *Backtracks,* una edición en formato deluxe con tres CD, dos DVD, un LP en vinilo y un libro de tapa dura; y otra edición de precio inferior en formato estándar con dos CD y un DVD. Como en *Bonfire,* el peso recaía en rarezas y material inédito, que incluía grandes canciones antiguas de la época de Bon Scott, como «R.I.P. (Rock In Peace)» y «Crabsody In Blue», temas de estudio y en directo que se habían diseñado para las caras B, videoclips no incluidos en el DVD de 2005 *Family Jewels* y el concierto grabado en directo en el Circus Krone de Múnich en 2003.

A finales de noviembre, AC/DC visitó Sudamérica. El primer concierto tuvo lugar en Brasil, en el Estádio Do Morumbi de São Paulo, y reunió a un público de sesenta y nueve mil personas. Le siguieron tres noches en el estadio River Plate de la capital de Argentina, Buenos aires, los días 2, 4 y 6 de diciembre. Allí, la segunda noche, se inmortalizó la gira Black Ice en todo su esplendor para el álbum y el DVD *Live At River Plate,* lanzados en 2012. Los fans del rock del continente sudamericano eran famosos por su excitabilidad y, con más de setenta mil personas congregadas en aquel enorme auditorio, la banda tocó sumergida en un ambiente cargado de energía. La reacción a los primeros acordes de «Rock 'n' Roll Train» fue tan intensa, con miles de cuerpos saltando a la vez y miles de voces cantando al unísono sobre el riff, que Brian Johnson comenzó en primer plano a animar al público, con los puños cerrados mientras la adrenalina le recorría el cuerpo. Momentos después, siguió cantando los coros mientras avanzaba por una rampa que iba del escenario al centro del estadio, flanqueado por un mar de manos alzadas. Angus le siguió con su *duck walk* mientras tocaba el solo y se quitaba la gorra para saludar. Durante las dos horas posteriores, el nivel de energía, tanto de la banda como del público, no decayó ni un ápice.

La gira se prolongó, como Brian me había indicado en verano. El último empujón fue en mayo y junio, con una serie de grandes conciertos al aire libre en varios puntos de Europa. El 11 de junio, volvieron a Donington Park, donde AC/DC había encabezado el

Página 214 superior: **la gira Black Ice terminó con una serie de conciertos al aire libre por toda Europa. Fotografía del Stadion Partizana, Belgrado, Serbia, 26 de mayo de 2009.**

Página 214 inferior: **en la presentación de *Live At River Plate* de AC/DC en Londres.** I-D: **Malcolm Young, Cliff Williams, Angus Young y Brian Johnson.**

Izquierda: **Angus Young, con cincuenta y cinco años y aún es pura dinamita en el escenario.**

cartel de tres Monsters of Rock en el pasado. El evento se conocía ahora como Download Festival y había pasado de un día a tres. AC/DC tocó la primera noche con un gigantesco escenario a medida junto al que Rage Against the Machine y Aerosmith encabezarían el cartel las dos noches siguientes. Había cien mil personas cuando AC/DC desató su espectáculo, que comenzó con «Rock 'n' Roll Train» y terminó entre la humareda de los cañonazos finales de «For Those About To Rock (We Salute You)».

El último concierto de la gira Black Ice llegó diecisiete días después y tuvo lugar en el estadio de San Mamés de Bilbao. La gira fue, en todos los sentidos, la más grande en la que se había embarcado AC/DC. Treinta años después de *Back In Black*, la energía de la banda no había menguado. Sin embargo, fuera de los focos, no todo era como parecía.

A sus cincuenta y cinco años, Angus Young seguía siendo la misma dínamo humana. Durante dos horas cada noche, lo daba todo, desplazándose por el escenario, dando cabezazos y sudando los ya pocos kilos de su minúscula figura. Como me dijo James Hetfield, de Metallica, en 2009, con cierta incredulidad: «Miras a Angus y sigue fuerte. Es increíble. Cualquiera pensaría que al tío ya se le habría separado la cabeza del cuerpo. ¡La gira demasiado fuerte! Cualquiera pensaría que ya se habría desmontado».

Brian Johnson me había admitido que estaba notando los efectos de la edad, pero seguía entero tras todos esos años cantando como si un camión le hubiera pisado el pie. Él y Angus se mantenían bastante bien. Lo mismo ocurría con Cliff Williams y Phil Rudd. El que lo llevaba peor era Malcolm Young, y así había sido desde que él y Angus empezaron a escribir las canciones de *Black Ice*.

Según reveló Angus Young en una entrevista para *ABC News Australia*: «Cuando estábamos haciendo *Black Ice*, cuando estábamos escribiendo las canciones juntos, él y yo, ya se notaba... Algunas cosas extrañas, cosas de memoria. Malcolm siempre había sido muy organizado y, por primera vez, le veía confuso en muchas cosas. En ese momento me di cuenta de que algo no andaba bien en él». En ese momento Malcolm Young fue diagnosticado de demencia. Con una gira mundial por delante, Angus le preguntó a su hermano: «¿Quieres seguir adelante con esto?». Malcolm le respondió: «Seguiré mientras pueda».

Cuando realicé la entrevista a Brian Johnson el verano de 2009, había ayudado a Malcolm al decir que había sido este último quien no pensaba dejar que él se retirara. Fue muy evidente por lo que Brian comentó después de la gira *Black Ice* a *ABC News*: «Malcolm comenzó a ensayar cada día las canciones que hacía treinta años que tocaba antes de cada concierto».

Malcolm Young era un tipo duro. Había superado el alcoholismo, pero aquella era una batalla que no podía ganar. Cuando el 28 de junio de 2010 abandonó el escenario en Bilbao, ya no había vuelta atrás.

En el sentido de las agujas del reloj desde el extremo izquierdo de la página 216: **Phil Rudd, Cliff Williams, Brian Johnson y Malcolm Young en la gira Black Ice, la última para Malcolm, y para alguien más. Todo estaba a punto de cambiar.**

BLACK ICE

Lanzamiento: 17 de octubre de 2008
Grabación: 3 de marzo-25 de abril de 2008, The Warehouse Studio, Vancouver, Columbia Británica, Canadá
Sello: Columbia
Productor: Brendan O'Brian

Todos los temas fueron escritos por Angus Young y Malcolm Young.

CARA 1
«Rock 'n' Roll Train»
«Skies On Fire»
«Big Jack»
«Anything Goes»

CARA 2
«War Machine»
«Smash 'n' Grab»
«Spoilin' For A Fight»
«Wheels»

CARA 3
«Decibel»
«Stormy May Day»
«She Likes Rock 'n' Roll»
«Money Made»

CARA 4
«Rock 'n' Roll Dream»
«Rocking All The Way»
«Black Ice»

MÚSICOS
Angus Young: guitarra solista, slide en «Stormy May Day»
Malcolm Young: guitarra rítmica, coros
Brian Johnson: voz solista
Cliff Williams: bajo, coros
Phil Rudd: batería, percusión

Personal adicional
Mike Fraser: ingeniero y mezclas
Joshua Marc Lev: dirección artística e ilustraciones con gráficos vectoriales de You Work For Them LLC

Con quince temas, *Black Ice* es el álbum con más minutos grabado en estudio, cerca de una hora. Llegó al número uno en veintinueve países, incluidos Australia, Reino Unido, Estados Unidos y varios países europeos, lo que lo convirtió, en términos de posición en las listas, aunque no en ventas, en el disco mejor posicionado de toda la carrera de AC/DC. *Black Ice* es el último álbum de la banda en la línea de *Back In Black*, puesto que el guitarrista rítmico y fundador de AC/DC abandonó el grupo en septiembre de 2014, después de que le diagnosticaran demencia.

Lanzamiento: 10 de noviembre de 2009
Grabación: 1974-2009
Sello: Columbia

CD 1—RAREZAS EN ESTUDIO

DISCO 1
Todos los temas fueron escritos por Angus Young, Malcolm Young y Bon Scott, salvo los indicados.

«High Voltage» (solo edición deluxe)
«Stick Around»
«Love Song»
«It's A Long Way To The Top (If You Wanna Rock 'n' Roll)» (solo edición deluxe)
«Rocker» (solo edición deluxe)
«Fling Thing» Young, Young
«Dirty Deeds Done Dirt Cheap» (solo edición deluxe)
«Ain't No Fun (Waitin' Round To Be A Millionaire)» (solo edición deluxe)
«R.I.P. (Rock In Peace)»
«Carry Me Home»
«Crabsody In Blue»
«Cold Hearted Man»
«Who Made Who Special Collector's Mix» (Young, Young, Johnson; solo edición deluxe)
«Snake Eye» (Young, Young, Johnson)
«Borrowed Time» (Young, Young, Johnson)
«Down On The Borderline» (Young, Young, Johnson)
«Big Gun» (Young, Young)
«Cyberspace» (Young, Young)

CD 2 Y 3 – RAREZAS EN DIRECTO

DISCO 2

Todos los temas fueron escritos por Angus Young, Malcolm Young y Bon Scott, salvo los indicados.

«Dirty Deeds Done Dirt Cheap» (en directo en el Festival de Sídney, Haymarket, Australia, 30 de enero de 1977)
«Dog Eat Dog» (en directo en el Apollo, Glasgow, Escocia, 30 de abril de 1978)
«Live Wire» (en directo en el Hammersmith Odeon, Londres, 2 de noviembre de 1979)
«Shot Down In Flames» (en directo en el Hammersmith Odeon, Londres, 2 de noviembre de 1979)
«Back In Black» (Young, Young, Johnson; en directo en el Capital Centre, Landover, Maryland, 21 de diciembre de 1981)
«T.N.T.» (en directo en el Capital Centre, Landover, Maryland, 20 de diciembre de 1981)
«Let There Be Rock» (en directo en el Capital Centre, Landover, Maryland, 21 de diciembre de 1981)
«Guns For Hire» (Young, Young, Johnson; en directo en el Joe Louis Arena, Detroit, Michigan, 18 de noviembre de 1983)
«Sin City» (en directo en el Joe Louis Arena, Detroit, Michigan, 18 de noviembre de 1983 - Solo edición deluxe)
«Rock And Roll Ain't Noise Pollution» (Young, Young, Johnson; en directo en el Joe Louis Arena, Detroit, Michigan, 18 de noviembre de 1983)
«This House Is On Fire» (Young, Young, Johnson; en directo en el Joe Louis Arena, Detroit, Michigan, 18 de noviembre de 1983)
«You Shook Me All Night Long» (Young, Young, Johnson; en directo en el Joe Louis Arena, Detroit, Michigan, 18 de noviembre de 1983)
«Jailbreak» (en directo en el Reunion Arena, Dallas, Texas, 12 de octubre de 1985)
«Shoot To Thrill» (Young, Young, Johnson; en directo en Castle Donington, Leicestershire, Inglaterra, 17 de agosto de 1991; solo edición deluxe)
«Hell Ain't A Bad Place To Be» (en directo en Castle Donington, Leicestershire, Inglaterra, 17 de agosto de 1991; solo edición deluxe)

DISCO 3

Todos los temas solo en la edición deluxe, excepto los indicados. Todos los temas fueron escritos por Angus Young, Malcolm Young y Bon Scott, salvo los indicados.

«High Voltage» (en directo en Castle Donington, Leicestershire, Inglaterra, 17 de agosto de 1991)
«Hells Bells» (Young, Young, Johnson; en directo en Castle Donington, Leicestershire, Inglaterra, 17 de agosto de 1991)
«Whole Lotta Rosie» (en directo en Castle Donington, Leicestershire, Inglaterra, 17 de agosto de 1991)
«Dirty Deeds Done Dirt Cheap» (en directo en Castle Donington, Leicestershire, Inglaterra, 17 de agosto de 1991)
«Highway To Hell» (en directo en el aeródromo de Tushino, Moscú, 28 de septiembre de 1991; también en edición estándar)
«Back In Black» (Young, Young, Johnson; en directo en el aeródromo de Tushino, Moscú, 28 de septiembre de 1991)
«For Those About To Rock» (Young, Young, Johnson; en directo en el aeródromo de Tushino, Moscú, 28 de septiembre de 1991; también en edición estándar)
«Ballbreaker» (Young, Young; en directo en la plaza de toros de Las Ventas, Madrid, 10 de julio de 1996)
«Hard As A Rock» (Young, Young; en directo en la plaza de toros de Las Ventas, Madrid, 10 de julio de 1996)
«Dog Eat Dog» (en directo en la plaza de toros de Las Ventas, Madrid, 10 de julio de 1996)
«Hail Caesar» (Young, Young; en directo en la plaza de toros de Las Ventas, Madrid, 10 de julio de 1996)
«Whole Lotta Rosie» (en directo en la plaza de toros de Las Ventas, Madrid, 10 de julio de 1996)
«You Shook Me All Night Long» (Young, Young, Johnson; en directo en la plaza de toros de Las Ventas, Madrid, 10 de julio de 1996)
«Safe In New York City» (Young, Young; en directo en el American West Arena, Phoenix, Arizona, 13 de septiembre de 2000; también en edición estándar)

FAMILY JEWELS DISCO (DVD)

«Big Gun»
«Hard As A Rock»
«Hail Caesar»
«Cover You In Oil»
«Stiff Upper Lip»
«Satellite Blues»
«Safe In New York City»
«Rock 'n' Roll Train»
«Anything Goes»

Vídeos extra:

«Jailbreak»
«It's A Long Way To The Top (If You Wanna Rock 'n' Roll)»
«Highway To Hell»
«You Shook Me All Night Long»
«Guns For Hire»
«Dirty, Deeds Done Dirt Cheap» (directo)
«Highway To Hell» (directo)

Otros extra:

«The Making of 'Hard As A Rock'»
«The Making of 'Rock 'n' Roll Train'»
«Live at the Circus Krone» 2003 [edit]

LIVE AT THE CIRCUS KRONE DVD

SOLO EDICIÓN DELUXE

Introducción
«Hell Ain't A Bad Place To Be»
«Back In Black»
«Stiff Upper Lip»
«Shoot To Thrill»
«Thunderstruck»
«Rock 'n' Roll Damnation»
«What's Next To The Moon»
«Hard As A Rock»
«Bad Boy Boogie»
«The Jack»
«If You Want Blood (You've Got It)»
«Hells Bells»
«Dirty Deeds Done Dirt Cheap»
«Rock 'n' Roll Ain't Noise Pollution»
«T.N.T.»
«Let There Be Rock»
«Highway To Hell»
«For Those About To Rock (We Salute You)»
«Whole Lotta Rosie»

RAREZAS LP 180 GRAMOS

CARA 1

«Stick Around»
«Love Song»
«Fling Thing»
«R.I.P (Rock In Peace)»
«Carry Me Home»
«Crabsody In Blue»

CARA 2

«Cold Hearted Man»
«Snake Eye»
«Borrowed Time»
«Down On The Borderline»
«Big Gun»
«Cyberspace»

«Miras a Angus y sigue fuerte. Es increíble. Cualquiera pensaría que al tío ya se le habría separado la cabeza del cuerpo. ¡La gira demasiado fuerte!».

James Hetfield, Metallica

MÚSICOS

Angus Young: guitarra solista
Malcolm Young: guitarra rítmica
Brian Johnson: voz solista
Cliff Williams: bajo
Phil Rudd: batería, percusión
Bon Scott: voz solista en «Jailbreak», «It's A Long Way To The Top (If You Wanna Rock 'n' Roll)», «Highway To Hell»
Mark Evans: bajo en «Jailbreak», «It's A Long Way To The Top (If You Wanna Rock 'n' Roll)»
Simon Wright: batería en «Guns For Hire»
Chris Slade: batería en «Big Gun», «Dirty Deeds Done Dirt Cheap» (directo), «Highway To Hell» (directo)

Personal adicional

Phil Yarnell y **John Jackson:** dirección artística
Phil Yarnell SMAY DESIGN: portada

Izquierda: El *duck walk* de Angus Youg aun sigue potente durante la gira Black Ice de 2010, Estadio Olímpico de La Cartuja, Sevilla, España.

LIVE AT RIVER PLATE

Lanzamiento: 19 de noviembre de 2012
Grabación: 4 de diciembre de 2009, Estadio River Plate, Buenos Aires, Argentina
Sello: Columbia

Todos los temas fueron escritos por Angus Young, Malcolm Young y Bon Scott, excepto los indicados.

DISCO 1

«Rock 'n' Roll Train» (Young, Young)
«Hell Ain't A Bad Place To Be»
«Back In Black» (Young, Young, Johnson)
«Big Jack» (Young, Young)
«Dirty Deeds Done Dirt Cheap»
«Shot Down In Flames»
«Thunderstruck» (Young, Young)
«Black Ice» (Young, Young)
«The Jack»
«Hells Bells» (Young, Young, Johnson)

DISCO 2

«Shoot To Thrill» (Young, Young, Johnson)
«War Machine» (Young, Young)
«Dog Eat Dog»
«You Shook Me All Night Long» (Young, Young, Johnson)
«T.N.T.»
«Whole Lotta Rosie»
«Let There Be Rock»
«Highway To Hell»
«For Those About To Rock (We Salute You)» (Young, Young, Johnson)

DISCO 3 (SATURN. DE EDICIÓN EXCLUSIVA)

«Rock And Roll Ain't Noise Pollution» (Young, Young, Johnson; se cita erróneamente a Young, Young, B. Scott; en directo en el Circus Krone, Múnich, 17 de junio de 2003)
«If You Want Blood (You've Got It)» (en directo en el Circus Krone, Múnich, 17 de junio de 2003)
«What's Next To The Moon» (en directo en el Circus Krone, Múnich, 17 de junio de 2003)

MÚSICOS

Brian Johnson: voz solista
Angus Young: guitarra solista, coros en «T.N.T.» y «Dirty Deeds Done Dirt Cheap»
Malcolm Young: guitarra rítmica, coros
Cliff Williams: bajo, coros
Phil Rudd: batería

Personal adicional

Mike Fraser: ingeniero y mezclas
Michelle Holme y **Josh Cheuse:** dirección artística
C. Taylor Crutners: fotografía

El último hombre en pie

«Malcolm era un líder que inspiraba. Dijo: “Seguid haciendo música. Seguid haciéndola”. Si Ang hubiera dicho: “No puedo hacerlo sin Malcolm”, yo lo habría entendido perfectamente».

Brian Johnson

En 2014, durante los meses previos al lanzamiento del nuevo álbum de AC/DC titulado *Rock Or Bust*, salió a la luz la verdad sobre Malcolm Young. Primero, en abril, la banda emitió un comunicado: «Después de cuarenta años de su vida dedicados a AC/DC, el guitarrista y miembro fundador Malcolm Young se tomará un descanso de la actividad de la banda por motivos de salud. Malcolm quiere agradecer a los numerosos fans incondicionales de todo el mundo el infinito cariño y el apoyo mostrado. A la luz de estas noticias, AC/DC ruega que se respete la intimidad de Malcolm y su familia en estos momentos. La banda seguirá haciendo música». En julio, Brian Johnson reveló a la revista *Classic Rock* que Malcolm no había participado en la grabación del álbum y que estaba recibiendo tratamiento en un hospital sin precisar su afección. «Echamos de menos a Malcolm, por supuesto —dijo Brian—. Es un luchador. Tenemos los dedos cruzados para que se recupere. Es un hombre muy fuerte. Es un tipo pequeñito, pero muy fuerte. Es muy orgulloso y celoso de la intimidad, así que no podemos decir mucho más. Pero crucemos los dedos para que vuelva».

No pudo ser. Un comunicado de la dirección de AC/DC lo confirmaba en septiembre: «Desgraciadamente, debido a la naturaleza de la enfermedad de Malcolm, no podrá regresar a la banda. Stevie Young, sobrino de los fundadores, Angus y Malcolm Young, toca la guitarra en *Rock Or Bust* y acompañará a la banda en su gira». Unos días después, *The Sydney Morning Herald* desvelaba la naturaleza de la enfermedad de Malcolm. El artículo afirmaba: «Según fuentes cercanas a la familia Young, Malcolm Young ha sido trasladado al este de Sídney, a una residencia especializada en demencia, situada en las afueras de la ciudad, donde será atendido las veinticuatro horas del día. Padece una pérdida completa de memoria a corto plazo. Su esposa, Linda, le ha ingresado para que sea atendido en todo momento».

El sentimiento de pérdida en el seno de la banda fue profundo. Lo que les hacía seguir adelante eran las palabras que Malcolm les había dicho cuando había tomado conciencia de que ya no podría seguir formando parte de la banda. Como Brian explicó a *ABC News Australia*: «Malcolm era un líder que inspiraba. Dijo: "Seguid haciendo música. Seguid haciéndola". Así es como él hablaba». Brian también desveló que la decisión de AC/DC de seguir fue del hombre que mejor conocía a Malcolm. «Para mí —dijo—, la decisión siempre sería de Angus. Si Ang hubiera cambiado de idea y hubiera dicho: "No puedo hacerlo sin Malcolm", yo lo habría entendido perfectamente».

La historia se repetía. Tras la muerte de Bon Scott, había sido el padre de Bon el que había instado a Malcolm y a Angus a seguir adelante, como Bon hubiera querido. Treinta y cuatro años después, AC/DC hizo honor a las palabras que Malcolm les había dirigido.

Las diez canciones que se grabaron en *Rock Or Bust* llevaban el nombre de Malcolm y Angus en los créditos. Como Angus confesó a *ABC News Australia*: «Mal siguió escribiendo hasta que ya no pudo más». Posiblemente, Stevie Young era el único músico capaz de entrar en la banda en unos

momentos tan difíciles. Era de la familia. Ya había sustituido a Malcolm, cuando este entró en rehabilitación durante la gira Blow Up Your Video. Stevie también era tan solo dos años más joven que su tío Angus. Como me dijo Angus en 2003: «Stevie es como Malcolm, un guitarrista rítmico de los de verdad, como Keith Richards, Ike Turner, Pete Townshend. No hay muchos como ellos hoy en día».

Rock Or Bust se grabó en el mismo lugar que *Black Ice*, The Warehouse Studio de Vancouver, con el mismo productor y el mismo ingeniero, Brendan O'Brian y Mike Fraser. El álbum se grabó en poco más de dos meses, entre el 3 de mayo y el 12 de julio. Brian confesó a *ABC News* que hacer un disco sin Malcolm era «una sensación extraña», pero añadió: «En este álbum hubo un compañerismo especial».

A tan solo tres semanas del lanzamiento del álbum, la banda tuvo que enfrentarse a otra crisis. El 6 de noviembre, Phil Rudd fue arrestado tras una redada policial en su casa de Tauranga, en la Isla Norte de Nueva Zelanda. Lo acusaron de intento de asesinato, amenazas de muerte y posesión de metanfetaminas y de cannabis. A pesar de que el cargo por intento de asesinato fue retirado al día siguiente, la dirección de AC/DC ya había emitido un comunicado respecto a Rudd: «La ausencia de Phil no afectará al lanzamiento del nuevo álbum, *Rock Or Bust*, ni a la gira que le seguirá el año que viene».

El álbum se publicó el 28 de noviembre con una portada lenticular en la cual el logotipo del grupo era de roca y estaba explotando. Todo un clásico de AC/DC. Pero la carátula interior revelaba una imagen cargada

Páginas anteriores: **Malcolm Young en 1995.**

Extremo izquierda: **Brian Johnson y Angus Young fotografiados juntos en 2014, un año antes de que Brian dejara AC/DC.**

Izquierda: **el sobrino de Malcolm y Angus, Stevie Young, tocó la guitarra y acompañó a la banda en su gira.**

Cuando detuvieron a Phil Rudd (superior), **volvieron a fichar a Chris Slade** (derecha) **para tocar la batería en la gira Rock Or Bust.**

de intensidad: una fotografía en sepia de dos guitarras, la Gibson SG de Angus y la Gretsch de Malcolm, ambas apoyadas contra un amplificador Marshall, y, acompañando al conjunto, una frase de la canción «Rock Or Bust», impresa en la parte superior: «In rock we trust» («En el rock confiamos»). En la portada el libreto del CD, había una fotografía en blanco y negro de chapas de AC/DC de aspecto antiguo sobre una chaqueta tejana gastada, una de ellas grabada con la inscripción «Bon Scott, RIP, 1980». Además, había otro mensaje sobre una página negra junto a un primer plano de la guitarra Gretsch: «Y lo más importante de todo, gracias a Mal, que hizo que todo fuera posible».

En cierto sentido, *Rock Or Bust* fue un homenaje a Malcolm, como *Back In Black* lo había sido a Bon. Brian Johnson quería haber titulado el álbum «Man Down», en honor a Malcolm, pero *Rock Or Bust* encajaba mejor con lo que representaba: en las palabras que el propio Malcolm me dijo una vez, «sencillamente rock 'n' roll, ¡pim, pam, gracias, mi dama!». Y aunque este no fuera un álbum tan grande como muchos de los que le habían precedido, teniendo en cuenta las circunstancias, era lo bastante bueno.

Algunas voces disentían. Andrew Stafford escribió en *The Guardian:* «Sin Malcolm Young, AC ha perdido, sin duda, su DC, el hombre que les hacía una banda de rock *and* roll de verdad, y no una simple banda de rock». Sin embargo, la mayoría de críticos celebraron el coraje de *Rock Or Bust*, en lo referente a la música y en la determinación de la banda de seguir luchando. Rob Hughes, de *Classic Rock,* afirmó: «*Rock Or Bust*, el producto de los tiempos inciertos de AC/DC, es una réplica gigantesca a cualquiera que piense que pueden estar acabados. Co-mo sugiere su nombre, es un álbum que pone su fe a los pies del rock 'n' roll, como fuerza reconstituyente y también como vacuna contra toda enfermedad. En ninguna parte es tan explícito como en el tema que da título al álbum, sustentado en la clase de riff monolítico que Angus Young patentó en algún momento de la Edad de Piedra». En *Rolling Stone*, Kory Grow alabó a AC/DC como «los maestros del *déjà vu* del rock duro».

El álbum fue número uno en Australia, y tres en Estados Unidos y Reino Unido, y estuvo entre los diez primeros en todo el mundo. Con Phil Rudd fuera de la banda, AC/DC recuperó a Chris Slade como baterista. Eran un par de manos seguras. La gira Rock Or Bust comenzó en abril de 2015 con dos noches seguidas en el Coachella Valley Music and Arts Festival de California, donde la banda tocó ante cien mil personas cada noche. De mayo a julio, tocaron en varios estadios de Europa, en ciudades como Berlín, París, Madrid, Glasgow y Londres. Siguiendo la tradición clásica de AC/DC, los conciertos arrancaban con una nueva canción, «Rock Or Bust», y terminaban con «For Those About To Rock (We Salute You)». La banda era sólida como una roca, incluso sin Malcolm ni Phil Rudd. Como afirmó Michael Hann, de *The Guardian,* en una crítica sobre el concierto en el Wembley Stadium del 4 de julio: «La que sube al escenario es una banda diferente a la que tocó en este mismo estadio

Derecha: **AC/DC en el Coachella 2015, donde iniciaron su gira Rock Or Bust con dos noches seguidas.**

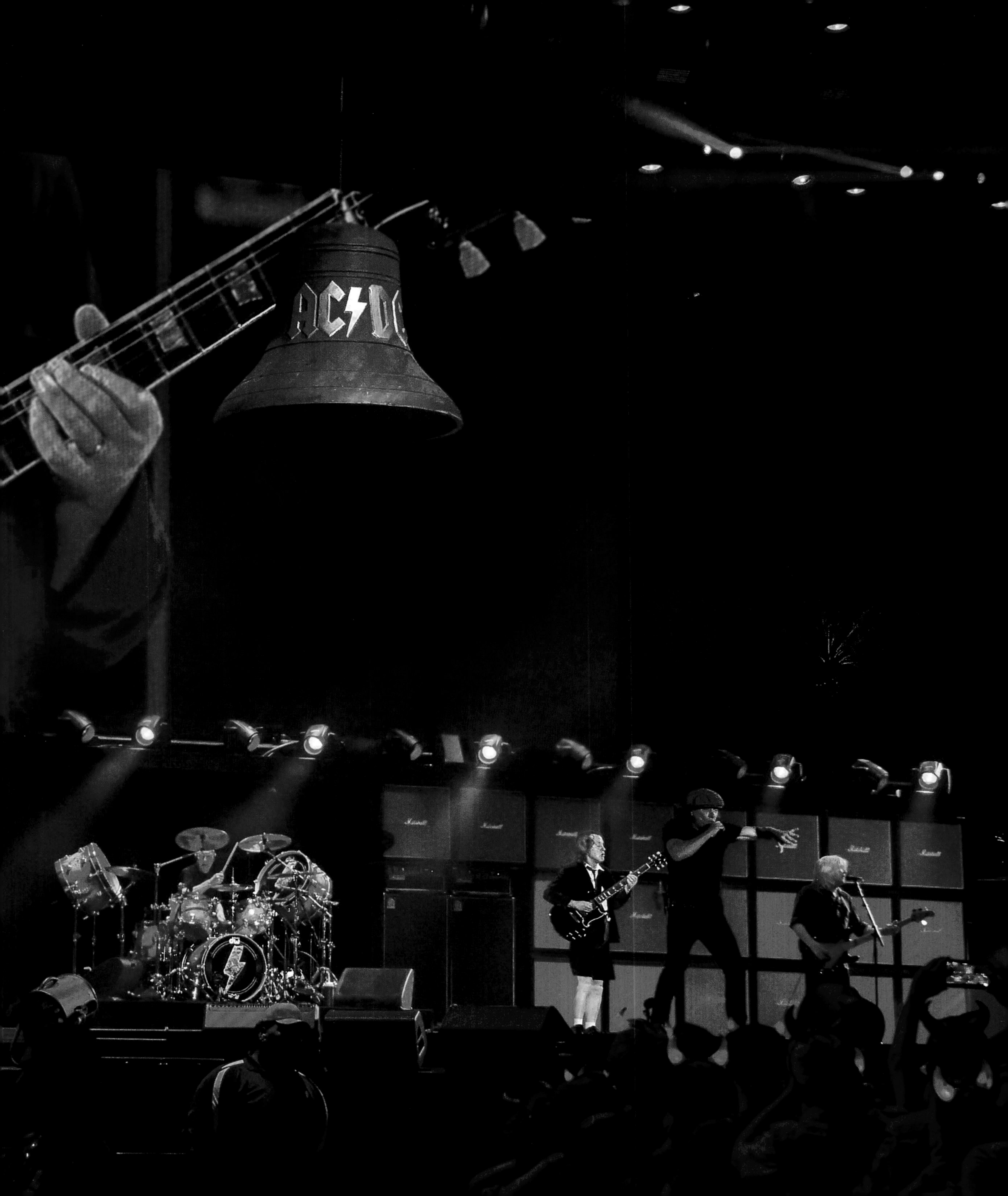
AC/DC

hace exactamente seis años. La edad los ha marchitado un poco. Pero la esencia de AC/DC sigue literalmente imperturbable. Y, sin duda, es magnífico. El sonido es imperfecto, demasiado alto, y el solo de Angus Young en «Let There Be Rock» parece alargarse, como siempre, varias eternidades. Pero también es algo maravilloso: el rock 'n' roll reducido a su esencia más pura, en dosis tan concentradas que parecen inflamar el mundo entero».

Parecía que la banda había dejado atrás los problemas, pero, a principios de 2016, se produjo otra crisis, que terminó con la salida de Brian Johnson y, acto seguido, el periodo más raro de la historia de AC/DC.

Durante la última etapa de conciertos en Estados Unidos, después de una actuación en Kansas City, Missouri, el 28 de febrero, Brian Johnson se retiró de la gira por prescripción médica después de sufrir daños en el oído. Un comunicado en la web de la banda, publicado el 7 de marzo, confirmaba la noticia: «AC/DC se ve obligada a reprogramar las diez próximas fechas en Estados Unidos dentro de la gira mundial Rock Or Bust. Los médicos han aconsejado al cantante de AC/DC, Brian Johnson, que detenga inmediatamente su participación en la gira por riesgo a perder totalmente el oído». Y, a esto, el comunicado añadía: «Los conciertos programados desde mañana en Atlanta hasta el del Madison Square Garden de Nueva York, de principios de abril, se celebrarán más adelante este mismo año, probablemente con un cantante invitado». También tendrían que reprogramarse otros compromisos en Europa.

Los fans de AC/DC se quedaron perplejos con la noticia y se extendieron las especulaciones sobre quién podría reemplazar a Brian Johnson como «cantante invitado» en la gira de AC/DC. Entre los nombres que se mencionaban estaban Jimmy Barnes y Angry Anderson. Después corrió el rumor de que el que podría encajar en el puesto sería Axl Rose, el cantante de Guns N' Roses. Al principio parecía un bulo. Pero dos meses antes, se había anunciado que dos miembros de la formación clásica de Guns N' Roses —Slash y el bajista Duff McKagan— habían regresado a la banda, poniendo fin así a veinte años de amargas contiendas entre Axl y Slash. Los Guns N' Roses encabezaron el cartel del Coachella el 16 y el 23 de abril, y, a continuación, estaba prevista una gran gira. En términos puramente logísticos, parecía improbable que Axl pudiera actuar con dos bandas a la vez. Además, la personalidad de Axl no parecía encajar de una forma natural en AC/DC. Era famoso por comportarse como un divo que a menudo hacía esperar varias horas al público antes de los conciertos. No era el modus operandi de AC/DC. Sin embargo, el 28 de marzo, tres días después de que Guns N' Roses anunciara su gira

El sorprendente anuncio de la retirada de Brian Johnson (inferior izquierda en su última actuación con AC/DC) **avivó las especulaciones sobre quién podría reemplazarlo. Entre las sugerencias, sonaron Angry Anderson** (derecha) **y Jimmy Barnes, de Cold Chisel** (inferior derecha).

Not In This Lifetime... Tour, que comenzaría con veintiún conciertos en estadios de Norteamérica, la página web TMZ publicó una foto de Axl saliendo de un local de ensayo de Atlanta con Angus Young, el bajista Cliff Williams y el baterista Chris Slade. La broma de «AXL/CD» que había corrido hasta entonces se convirtió de repente en una seria posibilidad.

Sin más declaraciones por parte de AC/DC ni de Brian Johnson, el tema de Axl Rose se complicó todavía más al sufrir un accidente en el escenario del club Troubadour de Los Ángeles el 1 de abril, durante su actuación con Guns N' Roses, la primera de la banda desde el regreso de Slash y Duff McKagan. Axl se rompió varios huesos del pie al saltar de la plataforma de la batería, pero otra estrella del rock salió en su auxilio. El líder de Foo Fighters, Dave Grohl, se había roto la pierna durante su gira, pero se las había arreglado para mantener el calendario actuando desde un «trono» hecho a medida y decorado con mástiles de guitarra. Desde ese mismo trono, cantó Axl con Guns N' Roses los días 8 y 9 de abril en Las Vegas.

Una semana después, tan solo unas horas antes de que Guns N' Roses subiera al escenario del Coachella, AC/DC hizo público un comunicado en el que confirmaba los rumores sobre Axl: «Los integrantes de la banda AC/DC queremos agradecer a Brian Johnson su colaboración y su dedicación a la banda durante todos estos años. Le deseamos lo mejor con sus problemas de oído y sus futuros proyectos. Por más que queramos que esta gira termine como empezó, comprendemos, respetamos y apoyamos la decisión de Brian de abandonar la gira para salvar su oído. Nos comprometemos a cumplir con el resto de compromisos adquiri-

dos con todos los que nos han apoyado durante todos estos años, y nos sentimos afortunados de poder anunciar que Axl Rose se ha ofrecido amablemente a ayudarnos para cumplir con ellos». Y en el Coachella se sirvió un aperitivo de lo venidero. Cuando llevaba una hora con el *set* de Guns N' Roses, Axl se dirigió al público: «Como no puedo correr ante vosotros, os traemos a un amigo...». Y apareció Angus Young, con su uniforme completo, uniéndose a la banda para hacer un repaso de los clásicos de AC/DC «Whole Lotta Rosie» y «Riff Raff». Veintinueve años después de que Axl cantara «Whole Lotta Rosie» con Guns N' Roses en el Marquee, volvió a demostrar que todavía podía clavarla.

Ese mismo mes, Brian Johnson rompió el silencio con una declaración en la que aseguró que estaba «personalmente destrozado» por haber tenido que dejar la gira de AC/DC. «Tenía problemas para oír las guitarras en el escenario y, como no era capaz de oír bien a los demás músicos, temía que la calidad de mi interpretación pudiera verse perjudicada». La declaración seguía: «Quiero asegurar a nuestros fans que no me he retirado. Los médicos me han dicho que puedo seguir grabando en estudio y tengo la intención de hacerlo. Espero que, con el tiempo, mi oído mejore y me permita volver a actuar en directo. Aunque el pronóstico es incierto, soy optimista».

Con los conciertos de AC/DC en Estados Unidos reprogramados para agosto y septiembre, el primer concierto de Axl Rose con la banda fue el 7 de mayo en el Paseio Marítimo de Algés, en Lisboa. Ante un público de sesenta mil personas, Rose interpretó desde su trono lo que el periodista Fraser Lewry, de *Classic Rock*, calificó como «una impresionante hazaña». En un momento de la actuación, el público comenzó a corear «¡Axl! ¡Axl!». Y él les respondió sonriendo: «Querréis decir Angus». Lewry catalogó la actuación como una victoria para Axl. «Con esta exhibición, realmente parece que pudo funcionar. Y lo hizo desde una silla».

Otro de los críticos que presenció el concierto de Lisboa, Michael Hann, de *The Guardian*, había descrito a AC/DC como «una banda diferente» en el concierto que habían dado en Londres el verano anterior con la ausencia de Malcolm Young y Phil Rudd. Con Axl en el lugar de Brian Johnson, la banda había cambiado por completo, pero Hann afirmó: «El triunfo reside en las interpretaciones de las canciones que AC/DC escribió y grabó en vida de Bon Scott. Si bien el material de la era Johnson tendía a una afabilidad ebria, Scott solía representar al letrista y cantante misántropo malintencionado, que ocultaba cierta furia aterradora tras un aparente sentido del humor. Rose, que está familiarizado con la malevolencia y la misantropía, interpreta muy bien esas canciones y les

Páginas anteriores: **Slash y Angus Young comparten escenario en el Coachella 2016, donde la banda Guns N' Roses, recién reunida de nuevo, actuaba como cabeza de cartel.**

Derecha: **la gira Rock Or Bust siguió con Axl Rose** (izquierda), **que ocupaba el lugar de Brian como cantante.**

Izquierda: **Brian Johnson estaba «personalmente destrozado» por tener que abandonar AC/DC.**

da un nuevo aire amenazante. "Dirty Deeds Done Dirt Cheap" pierde su aspecto caricaturesco y se convierte en la palabrería de un psicópata en el bar. Presenta "Shot Down In Flames" como "la historia de mi vida" y convence de que así es. Su voz también es excelente: no importa hasta dónde tenga que llegar, cada nota está en su sitio, sostenida. Y la aguanta ahí arriba durante dos horas».

Cuando la gira llegó a Viena el 19 de mayo, Axl ya podía mantenerse en pie. Mientras la banda seguía sin él, Brian Johnson concedió una entrevista a la radio estadounidense SirusXM, en la que explicó cómo se habían producido los daños en su oído. En 2008, corrió en una carrera de coches en Watkins Glen, Nueva York, en la que estrenó un casco nuevo y no utilizó tapones protectores para los oídos. «Salí a correr y, después de unos treinta y cinco minutos, noté un pequeño "pop" en el oído izquierdo —explicó—. Me dije: "¿Qué caramba ha sido eso?". Lo que ocurrió es que sufrí tinitus durante seis o siete meses, pero, por desgracia, en el escenario, no te puedes proteger con nada... ese ruido monumental de cada noche en el escenario... Ya se sabe, estás en una banda de rock 'n' roll. ¿Qué demonios esperas?». Al final de la entrevista, Johnson añadió que era consciente de que sus días con AC/DC habían tocado a su fin. «Tengo suerte. Tengo sesenta y nueve años. He tenido una muy buena trayectoria. He estado en una de las mejores bandas del mundo. He pasado muchos grandes momentos con los chicos. He tenido mucha suerte y una gran vida».

La gira Rock Or Bust siguió por Europa hasta el 15 de junio. Ocho días más tarde, Axl volvía a estar con Guns N' Roses para sus conciertos en varios estadios estadounidenses. Antes de que Axl se reenganchara con AC/DC el 27 de agosto para seguir con los últimos diez compromisos de la gira en Norteamérica, otra bomba sorprendió a los fans de AC/DC. A principios de julio, Cliff Williams comunicó a la revista *Gulfshore Life* que dejaría la banda cuando terminara la gira. «Es todo lo que he hecho durante los últimos cuarenta años —dijo Cliff—. Pero después de esta gira, voy a dejar de grabar y de tocar en directo. Con la salida de Malcolm, lo de Phil y ahora lo de Brian, la bestia ha cambiado. Las entrañas me dicen que es lo correcto».

El 1 de agosto, Angus Young habló con David Fricke, de *Rolling Stone*, sobre los convulsos acontecimientos que habían poblado la reciente historia de AC/DC. De la enfermedad de su hermano Malcolm dijo: «Es difícil comunicarse con él. Pero le hago saber que hay mucha gente que le

echa de menos». Sobre Axl Rose: «Es más del estilo de Bon, el personaje rocanrolero». Del hombre que había tocado el bajo con AC/DC desde 1977 afirmó: «Cliff nos hizo saber incluso antes de iniciar la gira que esta sería la última». Y sobre su futuro y el de la banda, Angus admitió: «A estas alturas, no lo sé. Nos comprometimos a terminar la gira. ¿Quién sabe qué ánimos tendré después?».

Brian Johnson (izquierda) **y Cliff Williams** (inferior) **en sus últimas actuaciones con AC/DC. Mientras que la salida de Brian fue inesperada, Cliff tuvo claro desde el principio que abandonaría al final de la gira Rock Or Bust.**

La gira concluyó el 20 de septiembre en el Wells Fargo Arena de Filadelfia. En el clímax de «For Those About to Rock (We Salute You)», Cliff Williams dio un paso al frente para saludar al público por última vez. Y cuando se despejó el humo del escenario, Angus Young era el único que quedaba del grupo que hizo el mejor álbum de rock de todos los tiempos. El hombrecillo de los pantalones cortos se había convertido en el último hombre en pie.

A lo largo del año siguiente no hubo ninguna declaración oficial de AC/DC acerca del futuro del grupo. Angus Young no se prodigó, aunque el 9 de octubre de 2017 se dejó ver en público para ir a ver tocar a los Rolling Stones en Dusseldorf, y se fotografió junto a Keith Richards tras el escenario.

Brian Johnson se dejaba ver más a menudo. Presentó la serie de televisión *Brian Johnson's A Life On The Road*, en la que entrevistaba a otras famosas estrellas del rock, como Robert Plant, antiguo cantante de Led Zeppelin; Nick Mason, el baterista de Pink Floyd; Sting; Joe Elliott, de Def Leppard; y Lars Ulrich, baterista de Metallica. Lo más sorprendente fue el regreso de Johnson a los escenarios. El día 14 de mayo de 2017, durante un concierto en el New Theatre de Oxford de Paul Rodgers, antiguo cantante de Free y Bad Company, Johnson y Plant cantaron con Rodgers una versión de «Money», el clásico de Barrett Strong. Y el 27 de agosto, en el Reading Festival, Brian apareció como invitado del grupo de rock británico Muse y cantó el tema de AC/DC «Back in Black». Como era habitual, cantó con ganas, y aunque lucía una sonrisa de oreja a oreja, la letra del tema adquirió un significado mucho más profundo: «He estado fuera demasiado tiempo, me alegra volver».

Los fans de AC/DC reaccionaron pidiendo que Brian regresase al grupo. Sin embargo, otro cantante ya había afirmado que todavía no había acabado su andadura con AC/DC. En septiembre de 2016, durante las últimas etapas de la gira Rock Or Bust, Axl Rose realizó una entrevista, junto a Angus Young y Cliff Williams, para el programa brasileño de televisión *Fantástico*. Al hablar de su papel en AC/DC, Axl dijo: «Estoy orgulloso de hacerlo. Seguiré mientras Angus quiera».

Phil Rudd también expresó su deseo de volver al grupo. Tras su marcha en el año 2014, el baterista había permanecido ocho meses en arresto domiciliario y también sufrió un infarto en 2016. En abril de 2017, tras el lanzamiento de su trabajo en solitario, con el adecuado título *Head Job*, Rudd declaró a *Classic Rock*: «Siempre estoy disponible para Angus. Sabe que echo de menos formar parte de AC/DC. No tengo ni idea de lo que quiere hacer. Soy consciente de que se debe a mi propia estupidez y, por supuesto, lo lamento, pero he cambiado».

Lo que ocurrió en los últimos meses de 2017 fue devastador para Angus Young. El 20 de octubre se conoció la muerte de George Young a los setenta años. El grupo lloró el fallecimiento del hermano mayor que tanto había inspirado a Malcolm y Angus, y que tanto había contribuido a definir el sonido del grupo, en un comunicado que decía: «Con dolor en nuestros corazones, debemos anunciar el fallecimiento de nuestro querido hermano y mentor».

Menos de un mes más tarde, el 18 de noviembre, se anunció la muerte de Malcolm Young a los sesenta y cuatro años. Un comunicado del grupo decía: «Con un profundo pesar, AC/DC debe anunciar el fallecimiento de Malcolm Young. Malcolm, junto a Angus, fue el fundador y creador de AC/DC. Gracias a su enorme dedicación y compromiso, fue el motor que impulsaba al grupo. Como guitarrista, compositor y visionario era un perfeccionista y un hombre único. Siempre fue fiel a sus principios, e hizo y dijo exactamente lo que quería. Estaba orgulloso de todo aquello que emprendía, y su lealtad hacia nuestros fans no tenía igual». La familia de Malcolm Young emitió un comunicado por separado en el que afirmaba que había muerto sin sufrir y acompañado de su fami-

«La relación que teníamos era única y muy especial».

Angus Young

Página anterior: **los hermanos Angus y Malcolm Young en 2010.**

Izquierda: **un fan sostiene una fotografía de Malcolm Young durante su funeral en Sídney. Malcolm falleció el 18 de noviembre de 2017, tras sufrir demencia durante varios años.**

lia. El comunicado incluía la siguiente dedicatoria de Angus: «Como su hermano, me cuesta expresar con palabras lo que ha significado para mí a lo largo de toda mi vida; la relación que teníamos era única y muy especial. Deja tras de sí un enorme legado que vivirá para siempre. Buen trabajo, Malcolm».

En los días siguientes se sucedieron los homenajes de grandes nombres del rock, muchos de los cuales habían compartido escenario con AC/DC. Eddie Van Halen afirmó: «Es un día triste para el rock 'n' roll. Malcolm Young era amigo mío, y el corazón y el alma de AC/DC. Pasé algunos de los mejores momentos de mi vida con él durante nuestra gira europea de 1984. Lo echaremos de menos, y quiero expresar mi más profundo pésame a su familia, compañeros de grupo y amigos». Joe Ellott, de Def Leppard, repuso: «Lamento la noticia del fallecimiento de Malcolm Young. Fue fantástico gozar de la oportunidad de ser teloneros de AC/DC durante su gira Highway To Hell y, sin duda, aprendimos mucho. Era un guitarrista increíble y el cemento que sostenía a su grupo tanto dentro como fuera del escenario. RIP. Malcolm, da recuerdos a Bon». Y Slash, de Guns N' Roses: «Malcolm Young era uno de los mejores guitarristas rítmicos del rock 'n' roll. Era un compositor fantástico y también tenía una gran ética del trabajo. Fui con AC/DC durante su gira Stiff Upper Lip, y descubrí que Malcolm era un tipo realmente agradable y muy cercano. Toda la comunidad del rock 'n' roll se encuentra desolada por su fallecimiento».

Brian Johnson declaró a *Rolling Stone*: «Malcolm se habría sentido totalmente abrumado ante tal avalancha de homenajes y condolencias. Él no se veía a sí mismo como una gran figura. Me enseñó lo que es el espíritu de equipo. Solo eres un engranaje en una máquina bien engrasada. Si todos nos esforzábamos a la vez, podíamos conseguir que sucediera algo maravilloso. Y funcionaba, ¿sabes? Mal ya no está, pero, cuando tengo un problema, me detengo y pienso: "¿Qué haría Mal?". Parecía capaz de hacer siempre lo correcto».

Al final, Angus fue quien decidió en solitario el futuro de AC/DC. Todavía tenía a su sobrino Stevie a su lado, y también a Chris Slade. Podía encontrar a un nuevo bajista. Podía confiar de nuevo en Axl. Podía reconciliarse con Brian Johnson y Phil Rudd. Podía grabar un último disco de AC/DC y realizar una última gira.

Angus podía tomar la decisión más dura y dejar morir al grupo al que había dedicado toda su vida. O podía hacer lo que Malcolm le había pedido que hiciera, lo mismo que le pidió el padre de Bon Scott tantos años atrás. Seguir adelante.

Gibson

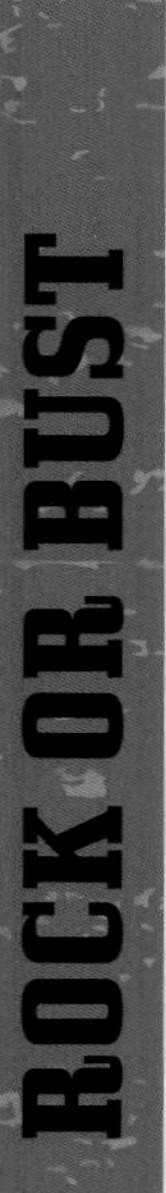

Lanzamiento: 28 de noviembre de 2014
Grabación: mayo-julio de 2014, The Warehouse Studio, Vancouver, Columbia británica, Canadá
Sello: Columbia
Productor: Brendan O'Brien y Mike Fraser

Todos los temas fueron escritos por Angus Young y Malcolm Young.

«Rock Or Bust»
«Play Ball»
«Rock The Blues Away»
«Miss Adventure»
«Dogs Of War»
«Got Some Rock & Roll Thunder»
«Hard Times»
«Baptism By Fire»
«Rock The House»
«Sweet Candy»
«Emission Control»

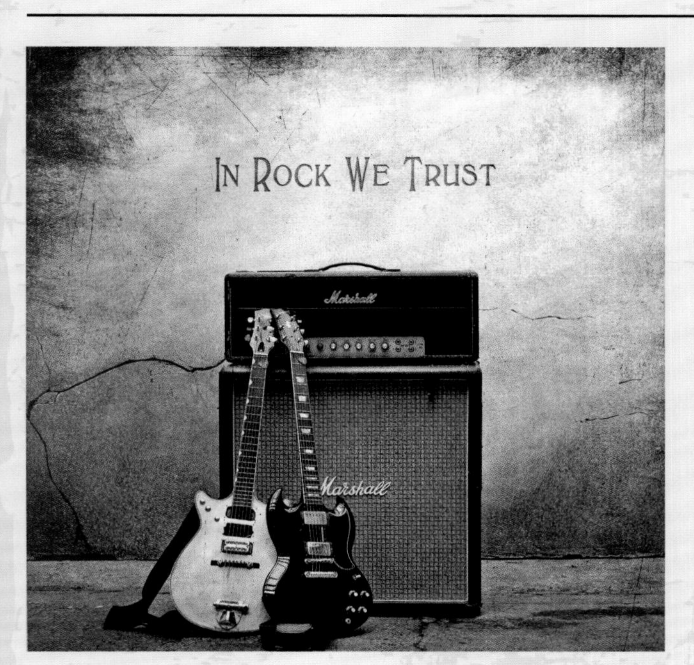

MÚSICOS

Brian Johnson: voz solista
Angus Young: guitarra solista, coros
Stevie Young: guitarra rítmica
Cliff Williams: bajo, coros
Phil Rudd: batería

Personal adicional

Josh Cheuse: dirección artística
James Minchin III: fotografía
Istvan at Chaotic Atmospheres: fotografía de portada

El álbum presenta un diseño de portada lenticular en el cual el logotipo del grupo es de roca y está explotando. La carátula interior es una fotografía en tono sepia de dos guitarras, la Gibson SG de Angus y la Gretsch de Malcolm, apoyadas una junto a la otra en un amplificador Marshall, con un verso de «Rock Or Bust» impreso sobre el conjunto: «In rock we trust».

La cubierta del cuadernillo del CD es una fotografía en blanco y negro de chapas antiguas de AC/DC sobre una chaqueta tejana gastada. Una de las chapas muestra la leyenda: «Bon Scott, RIP, 1980». Un último mensaje aparece impreso en una página en negro, junto a un primer plano de la guitarra Gretsch de Malcolm: «Y por encima de todo, gracias a Mal, que lo hizo todo posible».

Izquierda: **Angus Young, el último hombre en pie de AC/DC.**

AGRADECIMIENTOS

Gracias a Phil Sutcliffe, Sylvie Simmons, Malcolm Dome, Geoff Barton, Phil Alexander, Paul Brannigan, Jerry Ewing, Pete Flatt, Paul Sticca, Ben Mitchell, Chris Ingham, Howard y Louise Johnson, Tony Stewart, Joe Mackett, Rick Fell, Geoff Layne, Andy Hunns, Mark Blake, Sian Llewellyn, Scott Rowley, Joe Elliott, Keith Richards, Gary Rossington, James Hetfield, Slash, Pete Way, Jo Rippon y Rob Nichols.

Un agradecimiento especial a Angus Young y Brian Johnson.

Dedico este libro a George y Audrey, así como a Pete y Sorcha.

Malcolm Young, rocanrolea en paz.

CRÉDITOS DE LAS IMÁGENES

i: inferior, **c:** centro, **iz:** izquierda, **d:** derecha, **s:** superior

Alamy: 12 Dundee Photographics/Alamy Stock Photo; 14-15, 16siz, 16s, 142-143c Pictorial Press Ltd/Alamy Stock Photo; 16sd Granamour Weems Collection/Alamy Stock Photo; 18 INTERFOTO/Alamy Stock Photo; 19d, 114-5, 120 Trinity Mirror/Mirrorpix /Alamy Stock Photo; 26 Lewton Cole/Alamy Stock Photo; 47s Jeff Morgan 10/Alamy Stock Photo; 57s, 85, 101, 139, 153, 158s (entrada) CBW/Alamy Stock Photo; 83iz David Fowler/Alamy Stock Photo; 130siz Gonzales Photo/Alamy Stock Photo; 130sd Pete Jenkins/Alamy Stock Photo; 138 Martyn Goddard/Alamy Stock Photo; 157s MediaPunch Inc/Alamy Stock Photo; 214s WENN Ltd/Alamy Stock Photo; **Camera Press:** 74, 75 Steve Emberton/Camera Press London; **Getty Images:** 4-5, 36-37, 45, 49, 50-51, 51, 53, 108-109 Dick Barnatt/Redferns; 6, 92 Larry Hulst/Michael Ochs Archives/Getty; 7, 95 Michael Marks/Michael Ochs Archives/Getty Images; 8-9 Ron Pownall/Getty Images; 13iz, 32 GAB Archive/Redferns; 13d Gunter Zint/K & K Ulf Kruger OHG/Redferns; 17 Keystone/Getty Images; 31 Stephen Lovekin/Getty Images; 33, 48, 63, 128-129s, 169s, 172-173, 177 Bob King/Redferns; 36siz Val Wilmer/Redferns/Getty Images; 36sd Ron Pownall/Corbis vía Getty Images; 37 Gus Stewart/Redferns; 42, 46-47 Martyn Goddard/Corbis vía Getty Images 44, 67, 70, 98-99, 112, 122, 130-131, 133, 134, 146, 148-149, 150 Michael Putland/Getty Images; 54, 158iz, 158-159c Erica Echenberg/Redferns; 55 The Sydney Morning Herald/Fairfax Media vía Getty Images; 58, 60-61, 62, 142, 143, 144 Michael Ochs Archives/Getty Images; 64s, 64s Ellen Poppinga-K & K/Redferns; 65 Estate Of Keith Morris/Redferns; 66, 68s Waring Abbott/Getty Images; 68s, 107, 154 Ebet Roberts/Redferns; 69, 126, 157s Chris Walter/WireImage; 77, 80-81 Richard McCaffrey/Michael Ochs Archive/Getty Images; 78iz Ed Perlstein/Redferns/Getty Images; 78-79 Jon Sievert/Getty Images; 79 Pete Cronin/Redferns; 86-87, 104iz, 123, 145 Fin Costello/Redferns; 100 David Corio/Redferns; 109 Paul Kane/Getty Images; 110 GREG WOOD/AFP/Getty Images; 119d Fairfax Media/Fairfax Media vía Getty Images; 121, 174-175s Ian Dickson/Redferns; 124 Janet Knott/The Boston Globe vía Getty Images; 129s 188 Paul Natkin/Getty Images; 136-137 Koh Hasebe/Shinko Music/Getty Image; 144-145c Virginia Turbett/Redferns; 151 Clayton Call/Redferns; 156 Paul Natkin/WireImage; 159d Jazz Archiv Hamburg/ullstein bild vía Getty Images; 162s Dave Hogan/Hulton Archive/Getty Images; 164 Peter Still/Redferns; 165C Lynn Goldsmith/Corbis/VCG vía Getty Images; 170 Terry O'Neill/Getty Images; 174iz, 175d, 214 Brian Rasic/Getty Images; 174-175s, 194-195 Mick Hutson/Redferns; 178-179, 222-223 Martyn Goodacre/Getty Images; 180I Lisa Haun/Michael Ochs Archives/Getty Images; 181 Patrick Ford/Redferns; 182-183 Jim Steinfeldt/Michael Ochs Archives/Getty Images; 190 SGranitz/WireImage; 192-193 Hayley Madden/Redferns; 195, 217s, 229s Martin Philbey/Redferns; 196-197 Alain BENAINOUS/Gamma-Rapho vía Getty Images; 198 Kevin Kane/WireImage; 199s Frank Micelotta/Getty Images; 199s Dagmar Scherf/ullstein bild vía Getty Images; 200s, 200s, 201s, 206-207 KMazur/WireImage; 202 Jo Hale/Getty Images; 207c Stuart Mostyn/Redferns; 207d, 224iz Mike Coppola/Getty Images para SiriusXM; 210-211 Sara Johannessen/AFP/Getty Images; 212s Bernd Muller/Redferns; 214-215 Morena Brengola/Redferns; 216iz, 216d Neil Lupin/Redferns; 217s Michael Hurcomb/Corbis vía Getty Images; 224d Brill/ullstein bild vía Getty Images; 225s Marty Melville/AFP/Getty Images; 225s Francesco Castaldo/Pacific Press/LightRocket vía Getty Images; 226-227, 230-231 Frazer Harrison/Getty Images para Coachella; 228, 234-235 Jason Squires/WireImage; 233 HANS KLAUS TECHT/AFP/Getty Images; 236 Colin McConnell/Toronto Star vía Getty Images; 237 PETER PARKS/AFP/Getty Images; **IconicPix Music Archive:** 72, 165s George Bodnar Archive/IconicPix; 76, 97 Alan Perry/IconicPix; 83d Philippe Hamon/Dalle/IconicPix; 88, 102 Eric Mistler/Dalle/IconicPix; 90-91 Kevin Estrada/Iconicpix; 93 Bob Alford/Cache Agency/Dalle/IconicPix; 127, 166, 201s George Chin/IconicPix; 161iz PG Brunelli/IconicPix; 161d Eddie Malluk/IconicPix; 208s Zaine Lewis/IconicPix; **Peter Anderson:** 2, Peter Anderson; **Rex Shutterstock:** 10, 20, 22, 24-25, 38-39, 52, 111 Philip Morris/Rex/Shutterstock; 19iz Ray Stevenson/REX/Shutterstock; 28-29 Chris Capstick/Rex/Shutterstock; 30 Mazel/Sunshine/Rex/Shutterstock; 34-35 Ltd/Newspix/REX/Shutterstock; 96 Richard Young/REX/Shutterstock; 104-105 Jeff Blackler/REX/Shutterstock; 116 Dezo Hoffmann/REX/Shutterstock; 118s, Ian Dickson/REX/Shutterstock; 118-119c Brian Moody/REX/Shutterstock; 128s Benjamin Lozovsky/BFA/REX/Shutterstock; 140-141, 147iz, 147s, 152, 180sd Andre Csillag/REX/Shutterstock; 162-163s Images/REX/Shutterstock; 165s Peter Brooker/REX/Shutterstock; 176 Massimo Alabresi/AP/REX/Shutterstock; 191 Franco Greco/Epa/REX/Shutterstock; 194iz Achmad Ibrahim/AP/Rex/Shutterstock; 197s Andrew Murray/REX/Shutterstock; 204 Rob Monk/Classic Rock Magazine/Rex/Shutterstock; 208-209c Angus Blackburn/REX/Shutterstock; 209d Ebry/LAT/REX/Shutterstock; 212-213, 229s Kevin Nixon/Class Rock Magazine/REX/Shutterstock; 221iz Jose Manuel Vidal/REX/Shutterstock; 232 Will Ireland/revista Classic Rock/REX/Shutterstock; 235d Rex/Shutterstock; 238 Amy Harris/REX/Shutterstock

PORTADAS DE LOS ÁLBUMES: 40 *High Voltage* (Australia) Chris Gilbey, (Albert Productions) concepto portada; 41 *TNT* Albert Productions; *56 High Voltage* (Internacional) Michael Putland fotografía portada; 57iz *Dirty Deeds Done Dirt Cheap* (Australia) Kettle Art Productions; 57d *Dirty Deeds Done Dirt Cheap* (Internacional) Hipgnosis; 71iz *Let There Be Rock* (Australia) Colin Stead; 71d *Let There Be Rock* (Internacional) Bob Defrin dirección artística, Keith Morris fotografía portada; 84 *Powerage* Bob Defrin dirección artística, Jim Houghton, fotografía portada; 85 *If You Want Blood (You've Got It)* Bob Defrin dirección artística, Jim Houghton fotografía portada; 101 *Highway To Hell* Bob Defrin dirección artística, Jim Houghton fotografía portada; 139 *Back In Black* Bob Defrin dirección artística; 153 *For Those About To Rock (We Salute You)* Atlantic Records; 167iz *Flick Of The Switch* Brent Richardson diseño portada, basado en un dibujo original de Angus Young; 167d *'74 Jailbreak* Atlantic Records; 168s *Fly On The Wall* Bob Defrin dirección artística, Todd Schorr ilustración portada; 168s *Who Made Who* George Bodnar fotografía portada; 169 *Blow Up Your Video* Bill Smith Studio dirección artística, Gered Mankowitz fotografía portada; 184 *The Razors Edge* ATCO Records; 185 *AC/DC Live*, Bob Defrin dirección artística, Larry Busacca fotografía; 186iz *Ballbreaker* Bob Defrin dirección artística original, SMAY reedición diseño, Phil Heffernan de Colorspace y David McMacken ilustración portada, Robert Ellis fotografía portada; 186-187 *Bonfire* Jim deBarros dirección artística, Georges Amann fotografía portada; 203 *Stiff Upper Lip* Alli dirección artística, Mista Dean Karr, concepto estatua y fotografía, Mark Alfrey y Stan Lok de SMG Effects, escultura; 218iz *Black Ice* Joshua Marc Levy dirección artística e ilustraciones con gráficos vectoriales de You Work For Them LLC; 218d-210 *Backtracks* Phil Yarnell y John Jackson dirección artística, Phil Yarnell SMAY DESIGN diseño portada; 211 *Live At River Plate* Michelle Holme y Josh Cheuse dirección artística, C. Taylor Crutners, fotografía portada; 239 *Rock Or Bust* Josh Cheuse dirección artística, James Minchin III, fotografía, Istvan de Chaotic Atmospheres diseño portada.

FUENTES

Revistas y periódicos: *Sounds, Kerrang!, Classic Rock, Q, Mojo, Rolling Stone, Record Mirror, Creem, Melody Maker, NME, The Guardian.*

LIBROS

Engleheart, Murray; Durieux, Arnaud, *AC/DC: Hágase el rock and roll*, Barcelona, Gobal Rhytm Press, 2008.

Walker, Clinton, *Highway to Hell: The Life and Times of AC/DC Legend Bon Scott*, Pan Macmillan, 1994.